Date: 10/26/20

SP FIC ROBOTHAM
Robotham, Michael,
Vivo o muerto /

Vivo o muerto

Vivo o muerto

Michael Robotham

Traducción de Efrén del Valle

Rocaeditorial

Título original: *Life or Death*

© 2014, Bookwrite Pty

Primera edición: mayo de 2017

© de la traducción: 2017, Efrén del Valle
© de esta edición: 2017, Roca Editorial de Libros, S. L.
Av. Marquès de l'Argentera 17, pral.
08003 Barcelona
actualidad@rocaeditorial.com
www.rocalibros.com

Impreso por RODESA
Villatuerta (Navarra)

ISBN: 978-84-16700-66-0
Depósito legal: B. 8057-2017
Código IBIC: FF; FH

RE00660

Para Isabella

La vida puede ser magnífica y abrumadora a la vez:
esa es la tragedia de la vida.
Sin belleza, amor o peligro,
casi sería demasiado fácil vivir.

ALBERT CAMUS

* * *

Ser o no ser: he aquí el problema.

WILLIAM SHAKESPEARE

* * *

1

*A*udie Palmer jamás había aprendido a nadar. Cuando de niño iba a pescar con su padre al lago Conroe, le dijeron que era peligroso ser un buen nadador porque te daba una falsa sensación de seguridad. La mayoría de los que se ahogaban era porque empezaban a nadar hacia la costa pensando que se podían salvar. Pero los que se salvaban eran aquellos que se agarraban a los restos del naufragio.

—Así que eso es lo que tienes que hacer —dijo su padre—: agarrarte como una lapa.

—¿Qué es una lapa? —preguntó Audie.

Después de pensarlo un poco, el hombre le respondió:

—Bueno, pues te agarras como un manco a un acantilado mientras le hacen cosquillas.

—Yo tengo cosquillas.

—Ya lo sé.

Y su padre le hizo cosquillas hasta que la barca se bamboleó, los peces que estaban por allí se metieron en algún agujero oscuro y Audie se meó un poco en los pantalones.

Aquello se convirtió en una broma habitual entre ellos; no lo de mearse, sino lo de agarrarse.

—Tienes que agarrarte como un calamar gigante a un cachalote —decía Audie, por ejemplo.

—Tienes que agarrarte como un gatito asustado a un jersey —respondía su padre—. Tienes que agarrarte como un bebé al que le está dando de mamar Marilyn Monroe. Y así todo el tiempo...

De pie en mitad de una carretera sin asfaltar, algo después de la medianoche, Audie recuerda estas excursiones de pesca y piensa en lo mucho que echa de menos a su padre. La luna brilla, elocuente, por encima de su cabeza; crea un sendero plateado sobre la superficie del lago. Aunque no puede ver la otra orilla, sabe que está allí. Su futuro se encuentra al otro lado, del mismo modo que la muerte le acecha en este.

Los faros de un coche aparecen por una curva, acelerando a su encuentro. Audie se lanza hacia un barranco, mirando al suelo para que la luz no lo deslumbre. El camión pasa zumbando a su lado y levanta una nube de polvo que se deposita sobre él hasta que la nota entre los dientes. Audie gatea sobre manos y rodillas para salir de las zarzas, arrastrando tras él los contenedores de plástico. En cualquier momento espera oír a alguien gritarle, el clic revelador de una bala deslizándose en una recámara.

Tras salir a la superficie en la orilla del lago, coge barro y se lo unta en la cara y en los brazos. Las botellas golpean contra sus rodillas con un ruido de vacío. Ha atado ocho de ellas, utilizando trozos de cuerda y tiras de sábanas rasgadas.

Se quita los zapatos, ata los cordones entre sí y se los cuelga al cuello; luego se ata a la cintura la bolsa de percal para la ropa sucia. El alambre de espino le ha hecho cortes en las manos, pero no sangran demasiado. Rasga la camisa para improvisar unas vendas y se envuelve las manos con ellas, apretando los nudos con los dientes.

Pasan más vehículos por la carretera. Faros. Voces. Pronto traerán a los perros. Al entrar en la zona más profunda, Audie rodea las botellas con los brazos, llevándolas hacia su pecho. Empieza a impulsarse con los pies, tratando de no chapotear demasiado mientras no esté más lejos de la orilla.

Con las estrellas como guía, trata de nadar en línea

recta. El pantano de Choke Canyon tiene una anchura de casi seis kilómetros en este punto. Más o menos a la mitad del camino, quizá menos, hay una isla, si es que sobrevive hasta llegar allí.

A medida que pasan los minutos, las horas, Audie pierde la noción del tiempo. Dos veces da la vuelta sobre sí mismo y siente que va a ahogarse; entonces abraza los contenedores con más fuerza contra el pecho, se da la vuelta otra vez y vuelve a la superficie. Un par de botellas se alejan; otra se ha roto y se llena de agua. Hace tiempo que las vendas de las manos se han soltado.

Su mente vaga de un recuerdo a otro: lugares y personas. Unos le gustaban, otros le daban miedo. Piensa en su infancia, en jugar a la pelota con su hermano, en compartir un polo con una chica llamada Phoebe Carter que le dejaba meter la mano en sus blanquísimas bragas en la última fila del cine cuando tenía catorce años. Estaban mirando *Parque jurásico* y un *Tyrannosaurus rex* acababa de devorar a un abogado chupasangre que trataba de esconderse en un váter portátil.

Audie no recuerda mucho más de la película, pero Phoebe Carter sigue viviendo en su memoria. Su padre era encargado en la planta de reciclaje de baterías y recorría West Dallas en un Mercedes cuando los coches de todo el mundo estaban hechos papilla y tenían más óxido que pintura. Al señor Carter no le gustaba que su hija fuese con chicos como Audie, pero a Phoebe le daba igual. ¿Dónde estará ahora? Casada. Embarazada. Feliz. Divorciada. Con dos trabajos. Con el pelo teñido. Fofa. Mirando el programa de Oprah.

Otro fragmento de recuerdo: ve a su madre de pie en la cocina, cantando *Skip to my Lou* mientras lava los platos. Solía inventarse sus propias estrofas, sobre moscas en la cuajada y gatitos en la lana. Cuando su padre llegaba del taller, usaba la misma agua jabonosa para lavarse la suciedad y la grasa de las manos.

George Palmer, que ya está muerto, tenía aspecto de oso; sus manos eran del tamaño de unos guantes de béisbol y te-

13

nía pecas en la nariz, como si una nube de moscas negras se hubiera posado en su cara. Era guapo, pero estaba condenado. En la familia de Audie, los hombres siempre morían jóvenes, generalmente en accidentes en la mina o en un pozo. Derrumbamientos, explosiones de metano, accidentes industriales. A su abuelo paterno, le había aplastado la cabeza un trozo de tubería de cuatro metros que una explosión había despedido a cincuenta metros. Su tío Thomas había quedado enterrado con otros dieciocho hombres; ni siquiera intentaron recuperar los cuerpos.

El padre de Audie había roto la tendencia: había vivido hasta los cincuenta y cinco. Ahorró dinero suficiente en los pozos para comprar un garaje con dos surtidores de gasolina, un taller y un elevador hidráulico. Trabajó seis días a la semana durante veinte años y envió a tres hijos a la escuela, o lo habría hecho si Carl lo hubiera intentado siquiera.

George tenía la voz más profunda y aterciopelada que Audie había oído jamás: era como gravilla dando vueltas en un barril de miel. Pero, a medida que pasaban los años, cada vez tenía menos cosas que decir, las canas invadieron sus sienes y el cáncer devoró sus órganos. Audie no estuvo para el funeral ni durante la enfermedad. A veces se preguntaba si lo que la había desencadenado no habría sido toda una vida de fumador, sino un corazón roto.

Audie vuelve a hundirse bajo la superficie. El agua está tibia y amarga. La nota por todas partes: en la boca, en la garganta, en los oídos. Lucha por respirar, pero el agotamiento hace que se hunda. Nota que las piernas le queman, siente dolor en los brazos. No va a conseguir llegar al otro lado. Es el final. Al abrir los ojos ve un ángel vestido con una túnica blanca que ondea a su alrededor, como si estuviese volando, no nadando. El ángel, una mujer, lo abraza, desnuda debajo de la tela traslúcida. Audie huele su perfume y siente el calor de su cuerpo, apretado contra el pecho de él. Los ojos entreabiertos, los labios separados, esperando un beso.

Entonces lo abofetea con fuerza y le dice: «¡Nada, cabrón!».

Luchando para salir a la superficie, para respirar, Audie se agarra a las botellas de plástico antes de que se alejen flotando. Jadea y escupe agua por la nariz y la boca. Tose, parpadea, enfoca la vista. Ve el reflejo de las estrellas en el agua y las copas de árboles muertos silueteadas contra la luna. Da otra patada y avanza. Imagina la forma fantasmal debajo de él, en el agua, siguiéndolo como una luna sumergida.

En algún momento, horas más tarde, sus pies tocan la roca, se arrastra fuera del agua, se derrumba en una estrecha playa de arena y se libra de las botellas de una patada. El olor del aire nocturno, que sigue irradiando el calor del día, es denso y silvestre. Los jirones de neblina que se deslizan sobre el agua podrían ser fantasmas de pescadores ahogados.

Audie se queda tumbado boca arriba y mira la luna desaparecer detrás de las nubes, que parecen estar flotando en el espacio exterior. Cierra los ojos y siente el peso del ángel sobre él, una pierna a cada lado. Se inclina hacia delante, respirando en su mejilla, acercándole los labios al oído, susurrando: «Recuerda tu promesa».

2

Suenan las sirenas. Moss trata de volver al sueño, pero las pisadas de botas resuenan en los escalones metálicos, los puños agarran la barandilla de hierro, el polvo tiembla en las escaleras. Es demasiado pronto. El conteo de la mañana no suele llegar hasta las ocho. ¿A qué vienen esas sirenas? La puerta de la celda se abre con un ruido metálico sordo.

Moss abre los ojos con un gruñido. Estaba soñando con su mujer, Crystal; sus bóxers muestran una espléndida tienda de campaña matutina. «Aún sigo siendo yo mismo», piensa, sabiendo que Crystal diría: «¿Piensas usar eso o te vas a pasar todo el día mirándolo?».

Los presos surgen de las celdas rascándose el ombligo, tocándose los testículos y limpiándose las legañas. Algunos salen por su propia voluntad; a otros hay que animarlos balanceando una porra. Hay tres niveles alrededor de un patio rectangular, con redes de seguridad para impedir que nadie se suicide o lo tiren de las pasarelas. En el techo hay una ruidosa maraña de tubos que gorgotean como si alguna cosa siniestra viviese en su interior.

Moss se incorpora y salta de la cama. Descalzo, se queda de pie mirando a la pared, gruñe, pedorrea. Es un hombre grande, cada vez más blando por la parte de la tripa, pero de constitución sólida por las flexiones y las dominadas que practica una docena de veces al día. Su piel es del color del chocolate con leche; sus ojos parecen demasiado grandes para su rostro; eso le hace aparentar menos de los cuarenta y ocho años que tiene en realidad.

Moss echa un vistazo hacia la izquierda; Junebug apoya la cabeza en la pared, tratando de dormir de pie. Los tatuajes del pecho y de los antebrazos parecen saltar y retorcerse. El rostro de Junebug, que era adicto a la metanfetamina, es estrecho. Lo decora con un bigote cuyos extremos le llegan a la mitad de la mejilla.

—¿Qué pasa?

Junebug abre los ojos.

—Me suena a fuga.

Moss mira en la otra dirección. A lo largo de la pasarela ve a docenas de presos de pie en el exterior de sus celdas. Todo el mundo ha salido ya. Bueno, no todos: Moss se inclina hacia la derecha e intenta echar una ojeada en la celda de al lado. Los guardias se acercan.

—Eh, Audie, levántate, tío —murmura.

Silencio.

Desde el nivel superior escucha una voz que resuena. Una discusión. Una reyerta se inicia hasta que las Tortugas Ninja se precipitan escaleras arriba y reparten un poco de leña. Moss se acerca más a la celda de Audie.

—Despierta, tío.

Nada.

Se vuelve hacia Junebug; sus ojos se encuentran y se hacen la pregunta en silencio.

Moss da dos pasos a la derecha, consciente de que los guardias podrían verle. Escudriña en la oscuridad de la celda de Audie y distingue el estante atornillado a la pared, el lavabo, el váter. Ningún cuerpo, ni caliente ni frío. Un guardia grita desde arriba:

—Todos presentes y controlados.

Desde abajo se oye una segunda voz:

—Todos presentes y controlados.

Los tipos de la gorra y la porra se acercan. Los presos se aplastan contra la pared.

—¡Aquí arriba! —grita un guardia.

Le sigue un ruido de botas.

Dos de los guardias están buscando en la celda de Audie como si hubiera algún sitio donde se pudiera esconder: debajo de la almohada o detrás del desodorante. Moss se arriesga a volver la cabeza y ve al alcaide adjunto Grayson llegar sudando a la parte superior de las escaleras. Está gordo como un barril; la tripa le cuelga por encima del brillante cinturón de cuero y las arrugas de la piel se le acumulan en el cuello.

Grayson llega a la celda de Audie y echa un ojo en el interior; respira trabajosamente, haciendo un ruido de succión con los labios. Suelta el seguro de la porra, se golpea la palma de la mano con ella y se vuelve hacia Moss.

—¿Dónde está Palmer?

—No lo sé, jefe.

La porra se balancea y golpea a Moss en la parte de atrás de las rodillas: se derrumba como un árbol cortado.

—¿Cuándo fue la última vez que lo viste?

Moss duda, trata de recordar. El extremo de la porra se hunde en su costado derecho, por debajo de las costillas. El mundo se tambalea ante sus ojos.

—A la hora de comer —dice sin aliento.

—¿Y ahora dónde está?

—No lo sé.

Un temblor recorre el rostro de Grayson.

—Cerrad todo esto a cal y canto. Quiero que lo encuentren.

—¿Y el desayuno? —pregunta un agente.

—Pueden esperar.

Arrastran a Moss de vuelta a su celda y cierran las puertas. Se pasa las dos horas siguientes tumbado en la litera, oyendo cómo los edificios de la prisión gimen y se estremecen. Ahora están en el taller. Antes pasaron por la lavandería y la biblioteca.

Oye a Junebug dando golpes en la pared, en la celda de al lado.

—¡Eh, Moss!

—¿Qué pasa?

—¿Crees que se ha largado?

Moss no responde.

—¿Por qué iba a hacer una cosa así en su última noche?

Moss permanece callado.

—Siempre lo he dicho: ese cabrón está loco.

Los guardias regresan. Junebug vuelve a su litera. Moss escucha mientras nota cómo su esfínter se abre y se cierra. El ruido de las botas se interrumpe delante de su celda.

—¡Levántate! ¡Contra la pared! ¡Separa los pies!

Entran tres hombres. Le colocan unas esposas con una cadena que le rodea la cintura y otra alrededor de los tobillos. No puede más que moverse arrastrando los pies. Lleva los pantalones desabrochados y no tiene tiempo para abotonárselos: tiene que aguantarlos con una mano. En las celdas, los presos están dando alaridos y vociferando. Moss camina, pasando por zonas iluminadas por el sol. Alcanza a ver varios coches de policía al otro lado de la puerta principal; la luz lanza reflejos desde sus superficies brillantes.

Al llegar a la zona de administración le ordenan que se siente. Tiene guardias a un lado y al otro, pero no dicen nada. Moss ve sus perfiles: las gorras de plato, las gafas de sol y las camisas marrón claro con hombreras marrón oscuro. También oye voces en la sala de reuniones contigua. Ocasionalmente, el tono se eleva. Se hacen acusaciones, se reparten culpas.

Llega comida. Moss siente un calambre en el estómago y la boca se le llena de saliva. Pasa otra hora, pero parece más tiempo. Algunas personas se van. Es el turno de Moss. Con pasos cortos, entra en la habitación, sin levantar la vista. El alcaide Sparkes va vestido con un traje oscuro que muestra unas arrugas donde se ha sentado. Es un hombre alto, con una melena gris y una nariz larga y delgada; camina como si estuviese sosteniendo un libro en equilibrio sobre la cabeza. Hace un gesto a los agentes para que retrocedan; se sitúan a ambos lados de la puerta.

19

A lo largo de una de las paredes hay una mesa con platos a medio comer: cangrejo de cáscara blanda, costillas, pollo frito, puré de patata y ensalada. Las mazorcas de maíz a la brasa tienen las marcas de la sartén y brillan por la mantequilla. El alcaide coge una costilla y la muerde, separando la carne del hueso; luego se limpia las manos con una toallita húmeda.

—¿Cuál es su nombre, hijo?

—Moss Jeremiah Webster.

—¿Moss? ¿Qué nombre es ese?

—Jefe, mi madre no supo escribir Moses en mi partida de nacimiento.

Uno de los guardias se ríe. El alcaide se toca el puente de la nariz.

—¿Tiene hambre, señor Webster? Coja un plato.

Moss echa un vistazo al festín; su estómago ruge.

—¿Es que tienen pensado ejecutarme, jefe?

—¿Cómo se le ha ocurrido una cosa así?

—Parece que fuera la última comida de un hombre.

—Nadie lo va a ejecutar…, al menos no en viernes.

El alcaide se ríe, pero Moss no cree que la broma sea muy graciosa. No se ha movido.

«Quizá la comida esté envenenada. El alcaide se la está comiendo, pero a lo mejor sabe qué pedazos elegir. ¡A la mierda, me da igual!»

Moss se arrastra hacia delante y empieza a amontonar comida en un plato de plástico: costillas, patas de cangrejo y puré; lo remata con una mazorca de maíz. Come con las dos manos, inclinado sobre el plato, manchándose las mejillas y goteando jugos por la barbilla. Mientras, el alcaide Sparkes coge otra costilla y se sienta frente a él, mirándole con una vaga expresión de asco.

—Chantaje, fraude, tráfico de drogas… Le pillaron con dos millones de dólares en marihuana.

—No era más que hierba.

—Y luego mató a un hombre a golpes en la cárcel.

Moss no responde.

—¿Se lo merecía?

—Eso creí, en aquel momento.

—¿Y ahora?

—Cambiaría muchas cosas.

—¿Cuánto tiempo lleva aquí?

—Quince años.

Moss ha comido demasiado rápido; se atraganta con un trozo de carne. Se golpea el pecho con el puño y las esposas tintinean. El alcaide le ofrece de beber. Moss se traga una lata entera de refresco, temiendo que se la quiten. Se limpia la boca con el dorso de la mano, eructa y sigue comiendo.

El alcaide ha limpiado el hueso de la costilla por completo. Se inclina y lo clava en el puré de patata de Moss, donde se queda plantado como un mástil sin bandera.

—Vamos a empezar por el principio. Usted es amigo de Audie Palmer, ¿correcto?

—Lo conozco.

—¿Cuándo fue la última vez que lo vio?

—Ayer por la tarde, a la hora de comer.

—Se sentó con él.

—Sí, jefe.

—¿De qué hablaron?

—De lo de siempre.

El alcaide espera, con mirada inexpresiva. Moss nota la mantequilla de la mazorca de maíz en la lengua.

—Cucarachas.

—¿Cómo?

—Hablamos de cómo librarse de las cucarachas. Le estaba diciendo a Audie que usara pasta de dientes AmerFresh y la pusiera en las grietas de la pared. A las cucarachas no les gusta la pasta de dientes. No me pregunte por qué: no les gusta y punto.

—Cucarachas.

Moss habla entre una cucharada y otra del puré de patatas.

—Oí una historia sobre una mujer a la que le entró una cucaracha en la oreja mientras dormía. La cucaracha puso huevos, y las crías se le metieron en el cerebro. Se la encontraron muerta un día: le salían cucarachas de la nariz. Libramos una guerra contra ellas. Hay tíos que te dicen que utilices crema de afeitar, pero esa mierda no dura toda la noche. Lo mejor es AmerFresh.

El alcaide Sparkes le clava los ojos.

—En mi cárcel no hay ningún problema de control de plagas.

—No sé si las cucarachas recibieron ese informe, jefe.

—Fumigamos dos veces al año.

Moss lo sabe todo sobre las medidas de control de plagas. Los guardias aparecen y ordenan a los presos que se tumben en las literas mientras fumigan las celdas con un producto químico de olor tóxico que hace que todo el mundo se encuentre fatal y que no tiene efecto alguno en las cucarachas.

—¿Qué pasó después de la hora de comer? —pregunta Sparkes.

—Volví a mi celda.

—¿Vio a Palmer?

—Estaba leyendo.

—¿Leyendo?

—Un libro —añade Moss, por si fuera necesaria una explicación más amplia.

—¿Qué clase de libro?

—Uno de los gordos, sin fotos.

Sparkes no le ve la gracia a todo eso.

—¿Sabía que estaba programado liberar a Palmer hoy mismo?

—Sí, jefe.

—¿Por qué iba a escapar un hombre la noche anterior al día programado para su liberación?

Moss se limpia la grasa de los labios.

—No tengo ni idea.

—Debe de habérsele ocurrido algo. El tío se ha pasado diez años aquí dentro. Un día más y es un hombre libre; en vez de eso, se convierte en un fugitivo. Cuando lo pillen, lo procesarán y lo sentenciarán. Le caerán otros veinte años.

Moss no sabe qué esperan que diga.

—¿Me ha oído, hijo?

—Sí, jefe.

—Ni se le ocurra decirme que no era amigo de Audie Palmer. No me acabo de caer de un guindo. Sé reconocer cuándo alguien me está tomando el pelo.

Moss le mira y pestañea.

—Ha ocupado la celda de al lado de la de Palmer durante... ¿siete años? Debe de haberle dicho algo.

—No, jefe, lo juro por Dios: ni una palabra.

Moss tiene reflujo. Eructa mientras el alcaide sigue hablando.

—Mi trabajo es tener a los presos encerrados hasta que llegue el momento de que el Gobierno federal diga que pueden ser liberados. El señor Palmer no podía ser liberado hasta hoy, pero decidió irse antes. ¿Por qué?

Moss se encoge de hombros.

—Trate de especular.

—No sé, jefe.

—Deme su opinión.

—¿Mi opinión? Pues yo diría que, por lo que acaba de hacer, Audie Palmer es un cretino de padre y muy señor mío.

Moss hace una pausa y mira la comida que queda en su plato. El alcaide Sparkes saca una fotografía del bolsillo de la chaqueta y la deja en la mesa. Es una foto de Audie Palmer, con sus ojos de cachorro y su flequillo caído, con un aspecto más sano que un vaso de leche.

—¿Qué sabe del robo al furgón blindado en el condado de Dreyfus?

—Lo que he leído, nada más.

—Audie Palmer debe de haber hablado de él.

—No, jefe.

—¿Y usted no le preguntó?

—Claro que sí. Todo el mundo le preguntaba. Todos los

23

guardias. Todos los colegas. Todas las visitas. La familia, los amigos. Todos los cabrones de este puto sitio querían saber qué coño había pasado con el dinero.

Moss no tenía por qué mentir. Dudaba que hubiese ni un solo hombre que estuviese preso en Texas que no supiese la historia del robo; y no solo por el dinero que no se había encontrado, sino porque ese día murieron cuatro personas. Otra huyó. A otra la pillaron.

—¿Y qué decía Palmer?

—No decía ni una mierda.

Las mejillas del alcaide Sparkes se hinchan, como si estuviese inflando un globo. Luego suelta el aire poco a poco.

—¿Por eso le ayudó a escapar? ¿Le prometió que le daría parte del dinero?

—No he ayudado a escapar a nadie.

—¿Se está cachondeando de mí, hijo?

—No, jefe.

—Entonces ¿pretende que me crea que su mejor amigo ha huido de la cárcel sin decirle ni una palabra?

Moss asiente mientras mira el vacío encima de la cabeza del alcaide.

—¿Audie Palmer tenía novia?

—Solía hablar en sueños de una chica, pero creo que ya hace tiempo que no estaban juntos.

—¿Y familia?

—Tiene madre y una hermana.

—Todos tenemos madre.

—Le escribe bastante.

—¿Alguien más?

Moss se encoge de hombros. No ha dicho nada que el alcaide no pudiese encontrar en el archivo de Audie. Ambos saben que de allí no saldrá nada nuevo.

Sparkes se pone de pie y camina, haciendo rechinar el suelo de linóleo. Moss tiene que girar la cabeza de un lado a otro para mantenerlo a la vista.

—Quiero que me escuche con atención, señor Webster.

24

Cuando llegó, tuvo algunos problemas de disciplina, pero no eran más que tonterías y los corrigió. Y consiguió algunos privilegios, por la vía difícil. Por eso sé que le remuerde la conciencia. Y por eso me va a decir adónde ha ido.

Moss lo mira con los ojos en blanco. El alcaide deja de caminar y se apoya en la mesa, agarrándola con ambas manos.

—Quiero que me explique algo, señor Webster. Este código de silencio que funciona entre la gente como usted... ¿Qué es lo que cree que consigue con él? Viven como animales, piensan como animales, se comportan como animales. Astutos, violentos, egoístas. Se roban entre sí. Se matan entre sí. Se follan entre sí. Forman bandas. ¿Cuál es el sentido de tener un código?

—Es la segunda cosa que nos mantiene unidos —responde Moss, y se ordena a sí mismo callarse la boca; pero no hace caso de su propio consejo.

—¿Cuál es la primera? —pregunta el alcaide.

—Odiar a la gente como usted.

El alcaide pone la mesa del revés, tirando al suelo los platos de comida. Por la pared chorrean puré de patata y jugo de carne. Los guardias esperan la señal; ponen a Moss de pie y lo empujan hacia la puerta. Trastabillea para no caerse. Lo arrastran durante dos tramos de escaleras y a través de media docena de puertas que tienen que abrir desde el otro lado. No lo están devolviendo a su celda. Lo están llevando a la Unidad de Alojamiento Especial. Confinamiento solitario. El Agujero.

Otra llave se desliza en una cerradura; las bisagras apenas rechinan. Dos nuevos guardias se encargan ahora de la custodia. Ordenan a Moss que se desnude: zapatos, pantalones, camisa.

—¿Por qué estás aquí, capullo?

Moss no responde.

—Ayudó a huir a un preso —dice el otro guardia.

—No lo hice, jefe.

El primer guardia hace un gesto hacia la alianza de Moss.

—Quítatela.

Moss parpadea.

—Las normas dicen que puedo quedármela.

—Quítatela o te rompo los dedos.

—Es todo lo que tengo.

Moss cierra el puño. El guardia le pega dos veces con la porra y llama a otros guardias, que lo sujetan contra el suelo y siguen golpeándole. El sonido de los golpes es extrañamente sordo; su cara se va hinchando mientras muestra una expresión de sorpresa. Derrumbado ante la catarata de golpes, gruñe y escupe sangre. Una bota le pisa la cabeza y Moss puede oler capas de betún y de sudor. Su estómago se rebela, pero las costillas y el puré de patatas siguen dentro de él.

Cuando acaban, lo tiran en una pequeña jaula de tela metálica. Tumbado en el hormigón, sin moverse, Moss hace un sonido húmedo con la garganta y se limpia la nariz, frotando la sangre, que tiene un tacto oleoso, entre los dedos. Se pregunta qué lección se supone que debería sacar de esto.

Luego piensa en Audie Palmer y en los siete millones de dólares que no se han encontrado. Espera que haya ido a por el dinero y que se pase el resto de su vida sorbiendo piñas coladas en Cancún o cócteles en Montecarlo. ¡Que se jodan esos cabrones! La mejor venganza es vivir bien.

3

*J*usto antes del amanecer, las estrellas parecen más brillantes. Audie es capaz de distinguir las constelaciones. Sabe el nombre de algunas de ellas: Orión, Casiopea y la Osa Mayor. Otras son tan distantes que su resplandor llega de millones de años luz de distancia, como si la historia cruzase el tiempo y el espacio para iluminar el presente.

Algunas personas creen que su destino está escrito en los astros; si eso es cierto, Audie debe de haber nacido con un mal presagio. Pero él no cree en el destino, ni en los hados, ni en el karma. Tampoco cree que todo suceda por una razón ni que la suerte se acabe equilibrando a lo largo de una vida, un poquito aquí y otro poquito allí, como si cayese de una nube de lluvia que pasa. En el fondo de su corazón sabe que la muerte podría encontrarlo en·cualquier momento y que la vida consiste en acertar con el paso siguiente.

Abre el nudo de la bolsa de lavandería y saca un recambio de ropa: vaqueros y una camisa de manga larga que le ha robado a uno de los guardias que había dejado la bolsa del gimnasio en el coche, que no cerró con llave. Se pone unos calcetines, mete los pies en las botas mojadas y se ata los cordones.

Después de enterrar el uniforme de preso, espera hasta que el cielo empieza a teñirse de naranja por el este; entonces, echa a caminar. Un estrecho arroyo con lecho de guijarros desemboca en el pantano. La neblina se niega aún a abandonar los terrenos. En el agua poco profunda hay dos garzas; parecen adornos de jardín. El lodo está acribillado de huecos en los que anidan las golondrinas, que revolotean de un lado al otro, apenas rozando la superficie del agua. Audie sigue el arroyo hasta llegar a un polvoriento camino y a un puente de un solo carril. Sigue andando cerca del camino, atento a los vehículos y a las nubes de polvo.

El sol se eleva, rojo y reluciente, por encima de una línea de árboles que no han crecido del todo. Cuatro horas más tarde, el agua no es más que un recuerdo; el globo ardiente es como un soplete de soldador en la nuca. Audie tiene polvo metido hasta en la última arruga y hueco de la piel. Está solo en el camino.

Pasado el mediodía, se sube a una loma para tratar de orientarse. Parece como si estuviese cruzando un mundo muerto que una civilización antigua hubiese dejado atrás. Los árboles se apiñan junto a lechos de antiguos ríos como rebaños de animales, y un llano cruzado de roderas de motocicletas y rastros de pavos brilla bajo el calor. Los pantalones de color caqui cuelgan de sus caderas; bajo los brazos tiene círculos de sudor. Dos veces ha tenido que esconderse de los camiones que pasan, deslizándose por encima de los montones de pizarra y piedras sueltas, agazapándose detrás de arbustos o rocas. Se para a descansar, sentado en una roca plana. Recuerda la vez que su padre lo persiguió por todo el patio porque lo descubrió robando el dinero para el lechero de los escalones de entrada de las casas.

—¿Quién te ha dicho que lo hicieras? —quiso saber, mientras le retorcía la oreja a Audie.

—Nadie.

—Dime la verdad o será peor.

Audie no dijo nada. Asumió el castigo como un hombre, frotándose los verdugones de los muslos mientras veía la decepción en los ojos de su padre. Su hermano mayor, Carl, lo miraba todo desde la casa.

—Lo has hecho muy bien —le dijo más tarde—, pero tendrías que haber escondido el dinero.

Audie vuelve a subir a la carretera y continúa caminando. Durante la tarde cruza una autovía asfaltada de cuatro carriles y la sigue a distancia, ocultándose del tráfico que pasa. Al cabo de algo más de un kilómetro llega a una carretera de tierra que describe una curva hacia el norte. En la distancia, a lo largo del camino lleno de baches, ve depósitos de petróleo y bombas de extracción. La silueta de una torre de perforación se perfila contra el cielo, con una llama en el extremo que riela en el aire. De noche debe de ser visible a kilómetros de distancia, de pie entre las luces de una ciudad en miniatura, como una incipiente colonia en un planeta lejano.

Audie observa la torre con atención, pero no ve al anciano que la vigila, un hombre moreno y robusto con mono de trabajo y un sombrero de ala ancha. Está de pie junto a un paso cerrado con una barrera pintada de la que cuelga un contrapeso. Al lado hay una caseta con tres paredes y un tejado. También se ve una camioneta Dodge aparcada junto a un árbol solitario.

El anciano tiene la cara marcada de viruelas, frente plana y ojos separados; lleva una escopeta en el hueco del brazo. Audie trata de sonreír; en su rostro, el barro se resquebraja.

—¿Qué tal?

El anciano hace un gesto incierto con la cabeza.

—¿No tendrá usted un poco de agua? —dice Audie—. Estoy muerto de sed.

El hombre se dirige al lado de la caseta mientras deja descansar la escopeta en un hombro, abre el bidón de agua y señala un cucharón metálico que cuelga de un clavo. Audie lo hunde en el bidón, rompiendo la tranquila superficie: casi inhala el primer trago. El líquido se le sale por la nariz. Tose y vuelve a beber. Está más fría de lo que esperaba.

El anciano saca un arrugado paquete de cigarrillos del bolsillo del mono y enciende uno de ellos, aspirando profundamente, como si pretendiese sustituir el aire fresco en los pulmones.

—¿Qué está haciendo aquí?

—Tuve una bronca con mi novia. La muy zorra me dejó tirado y se llevó el coche. Supuse que volvería, pero no lo ha hecho.

—A lo mejor no debería llamarla esas cosas si quiere que vuelva.

—Puede —dice Audie, tirándose agua por la cabeza.

—¿Dónde le dejó?

—Estábamos acampados.

—Junto al pantano.

—Eso es.

—Eso está a más de veinte kilómetros.

—Y los he recorrido a pie uno por uno.

Un camión cisterna ruge en la carretera. El anciano se inclina en el lado del contrapeso de la barrera, que se levanta. Saluda al conductor con un gesto y el camión prosigue su camino mientras la nube de polvo se asienta.

—¿Qué está usted haciendo aquí? —pregunta Audie.

—Vigilancia.

—¿Y qué es lo que vigila?

—Es una perforación petrolera. Hay un montón de equipos muy caros.

Audie alarga la mano y se presenta utilizando su segundo nombre; es menos probable que la policía lo haya divulgado. El anciano no le pregunta nada más y se la estrecha.

—Yo soy Ernesto Rodríguez. La gente me llama Ernie porque así no suena tan panchito. —Se ríe. Se acerca otro camión.

—¿Cree que a alguno de estos camioneros le importaría llevarme? —pregunta Audie.

—¿Hacia dónde va?

—A cualquier parte donde pueda tomar un autobús o un tren.

—¿Y su novia?

—No creo que vaya a volver.

—¿Dónde vive?

—Me crie en Dallas, pero ya llevo un tiempo por el oeste.

—¿Y qué hace?

—Un poco de todo.

—Así que va a cualquier parte y hace un poco de todo.

—Más o menos.

Ernie vuelve la mirada hacia el sur, hacia las llanuras arañadas por barrancos y salpicadas de afloramientos rocosos. Una valla que se aleja de ellos parece hundirse más allá del borde del mundo.

—Yo puedo llevarle hasta Freer —dice—, pero no acabo hasta dentro de una hora o así.

—Le estoy muy agradecido.

Audie se sienta a la sombra y se quita las botas, tocándose con cuidado las ampollas y los cortes que tiene en las manos. Más camiones atraviesan la barrera: llenos a la ida, vacíos de vuelta. A Ernie le gusta hablar.

—Antes era cocinero, luego me retiré —explica—. Ahora gano el doble, por la cosa del *boom*.

—¿Qué *boom*?

—Del petróleo y del gas. Es una gran noticia. ¿Ha oído hablar del Eagle Ford Shale?

Audie menea la cabeza.

—Es una formación rocosa sedimentaria que pasa por el sur y el este de Texas, cargada de fósiles marinos de no sé qué océano antiguo. Y de ahí sale el petróleo. Además, atrapado en las rocas hay gas natural; no tienen más que perforar y sale solo.

Ernie hace que todo parezca muy fácil.

Justo antes del anochecer llega una camioneta desde la otra dirección: el guardia nocturno. Ernie le entrega las llaves del candado de la barrera mientras Audie espera en el Dodge. Se pregunta de qué deben de estar hablando los dos hombres y trata de no ponerse paranoico. Ernie viene, se sienta tras el volante, sortea los baches del camino y gira al

31

este, hacia Farm, en dirección a Market Road. Las ventanas están abiertas. Ernie encoge la cabeza para encender un cigarrillo, sosteniendo el volante con los codos. Gritando para hacerse oír por encima del viento, le cuenta a Audie que vive con su hija y su nieto. Tienen una casa a las afueras de Pleasanton, que él pronuncia «Pledenten».

Al oeste, un amasijo de nubes ha engullido el sol antes de que se ponga por debajo del horizonte. Es como ver un fuego a través de una hoja de papel de periódico mojada. Audie apoya el codo en la ventanilla abierta y vigila por si hay bloqueos de carretera o coches de policía. A estas alturas ya no debería tener esos problemas, pero no sabe cuánto tiempo lo estarán buscando.

—¿Dónde tiene pensado pasar la noche? —pregunta Ernie.

—No lo he decidido aún.

—En Pleasanton hay unos cuantos moteles, pero no me he alojado nunca en ninguno; no he tenido necesidad de hacerlo. ¿Tiene dinero?

Audie asiente.

—Debería llamar a su novia y decirle que lo siente.

—Ya se ha ido, y no volverá.

Ernie tamborilea los dedos en el volante.

—No puedo ofrecerle más que un camastro en el granero, pero es más barato que un motel. Y mi hija cocina bien.

Audie empieza a decir que no hace falta, pero sabe que no puede arriesgarse a registrarse en un motel porque le pedirán una identificación. Además, la policía ya habrá hecho pública su foto.

—No se hable más, entonces —dice Ernie, alargando el brazo hacia la radio—. ¿Quiere escuchar un poco de música?

—No —dice Audie, un poco bruscamente—. Hablemos.

—De acuerdo.

Unos kilómetros al sur de Pleasanton, la camioneta se detiene delante de una casucha; al lado hay un granero y un bosquecillo de álamos demacrados. El motor se para ruidosamente y un perro atraviesa el patio de tierra, olisqueando las botas de Audie. Ernie sale de la camioneta, sube los escalones y grita que ha llegado.

—Tenemos un invitado a cenar, Rosie.

En la parte de atrás del vestíbulo, la luz de la cocina ilumina a una mujer de pie frente a los fogones. De caderas anchas y con un bonito rostro redondeado, su piel es de un color moreno lechoso y tiene ojos almendrados, más indios que mexicanos. Va descalza y lleva un vestido estampado descolorido. Echa una ojeada a Audie y se vuelve hacia su padre.

—¿Y por qué me lo cuentas?

—Porque va a comer aquí y tú eres la que se encarga de cocinar.

Se vuelve hacia los fogones. Un trozo de carne sisea en una sartén.

—Sí, yo me encargo de cocinar.

El viejo mira a Audie y sonríe.

—Será mejor que se lave. Buscaré ropa limpia para que se cambie. Después, Rosie puede lavar lo que lleva. —Se vuelve hacia su hija—. ¿Dónde tienes guardada la ropa vieja de Dave?

—En la caja que hay debajo de mi cama.

—¿Habrá algo para este amigo?

—Haz lo que te dé la gana.

Ernie le indica a Audie dónde está la ducha y le da ropa limpia. Él se queda mucho rato de pie debajo del chorro de agua caliente, dejando que la piel se ponga rosada. Puro deleite. Un sueño hecho realidad. Las duchas en la cárcel eran actividades breves, reguladas y peligrosas que no le hacían sentir más limpio al terminar.

Vestido con las ropas de otro, se peina con los dedos y desanda sus pasos por el pasillo. Oye un televisor, en el que un locutor habla sobre la fuga. Audie echa una ojeada prudente por la puerta y ve la pantalla:

—Audie Spencer Palmer estaba terminando una sentencia de diez años por el robo a un furgón blindado en el condado de Dreyfus, Texas, en el que murieron cuatro personas.

Las autoridades creen que escaló dos vallas utilizando sábanas de la lavandería de la cárcel antes de cortocircuitar uno de los sistemas de alarma con el envoltorio de un chicle...

Delante del televisor hay un niño jugando con una caja de soldados de juguete, sentado en la alfombra. Levanta la vista, mira a Audie y luego a la pantalla. Están hablando de otra cosa: una chica del tiempo está señalando un mapa. Audie se pone en cuclillas.

—¿Qué tal?

El chico asiente.

—¿Cómo te llamas?

—Billy.

—¿A qué estás jugando, Billy?

—A soldados.

—¿Y quién gana?

—Yo.

Audie se ríe, pero Billy no comprende. Desde la cocina, Rosie grita que la cena está lista.

—¿Tienes hambre, Billy?

El chaval asiente de nuevo.

—Será mejor que nos demos prisa o puede que se termine todo.

Rosie examina la mesa por última vez, poniendo un cuchillo, un tenedor y un plato delante de Audie, rozándole el hombro con su brazo. Se sienta y hace un gesto hacia Billy para que bendiga la mesa. El chico dice las palabras entre dientes, salvo «amén», que se entiende con claridad. Los platos pasan, se llenan, se comen. Ernie hace preguntas hasta que Rosie le dice que «deje comer en paz al hombre». De vez en cuando, Rosie mira de reojo a Audie. No lleva el mismo vestido que antes de cenar: el de ahora es más nuevo y un poco más ajustado.

Después de terminar de comer, los hombres se retiran al porche mientras Rosie quita la mesa, lava y seca los platos, limpia los bancos y hace bocadillos para el día siguiente. Audie oye cómo Billy recita el abecedario.

Ernie fuma un cigarrillo con los pies apoyados en la baranda del porche.

—Así pues, ¿qué planes tienes?

—Tengo familia en Houston.

—¿Vas a llamarlos?

—Perdí el contacto con ellos cuando me fui al oeste, hace diez años o así.

—No es fácil perder el contacto con la gente en estos tiempos. Supongo que ha sido algo voluntario.

—Supongo que sí.

Rosie está de pie en el umbral de la puerta, escuchándolos. Ernie bosteza, se despereza, dice que se va a ir a dormir. Muestra a Audie el cuarto de las literas, en el granero, y le desea buenas noches. Él se queda un momento fuera, mirando las estrellas. Cuando está a punto de darse la vuelta se da cuenta de que Rosie lo mira desde las sombras, de pie junto a un depósito para el agua de lluvia.

—¿Quién eres tú realmente? —pregunta en tono acusador.

—Un extraño que agradece tu amabilidad.

—Si tienes pensado robarnos, no tenemos dinero.

—Solo necesito un sitio para dormir.

—Le has dicho a mi padre un montón de mentiras; lo de que tu novia se escapó. Llevas tres horas aquí y no has querido usar el teléfono. ¿Qué haces aquí?

—Intento cumplir una promesa que le hice a alguien.

Rosie hace un ruido de burla. Está quieta, mitad en la sombra, mitad fuera de ella.

—¿De quién es esta ropa? —pregunta Audie.

—De mi marido.

—¿Y dónde está?

—Encontró a alguien que le gustaba más que yo.

—Lo siento.

—¿Por qué? No es culpa tuya. —Mira al otro lado de Audie, hacia la oscuridad—. Dijo que había engordado; ya no me quería tocar.

—Yo creo que eres hermosa.

Rosie le coge la mano a Audie y se la pone sobre un pecho. Audie nota los latidos del corazón. Luego levanta el rostro y aprieta sus labios contra los de él. Es un beso brusco,
hambriento, casi desesperado.

Audie nota el sabor de su dolor. La aparta, la mantiene a
distancia, la mira a los ojos. Entonces la besa en la frente.

—Buenas noches, Rosie.

4

Cada día, la cárcel trataba de matar a Audie Palmer. Despierto, dormido, mientras comía, mientras se duchaba, mientras daba vueltas en el patio de ejercicios. En todas las épocas. En el calor abrasador del verano, en el frío glacial del invierno, a veces entre uno y otro, la cárcel trataba de matar a Audie Palmer, pero de un modo u otro logró sobrevivir.

En la mente de Moss, Audie parecía existir en un universo paralelo en el que, pasara lo que pasara, su comportamiento no se veía alterado. Había visto películas de personas que habían vuelto del cielo o del infierno porque habían dejado alguna cosa por hacer en su vida. Se preguntó si quizás habían enviado a Audie de vuelta del infierno por algún error en el papeleo del diablo o por una confusión de identidad. En ese caso, era posible que un hombre agradeciese la vida carcelaria porque lo que había visto era mucho peor.

La primera vez que Moss se fijó en él fue cuando el joven subió por la rampa con el resto de los recién llegados. La rampa, tan larga como un campo de fútbol y con celdas a ambos lados, era un lugar similar a una caverna, pero con suelo encerado y lámparas fluorescentes que zumbaban colgadas del techo. La población estable de la prisión miraba desde las celdas, vociferando y silbando a los novatos. De golpe, las puertas de las celdas se abrían y empezaban a soltar gente. Esto solo pasaba una vez al día, y era como la hora punta en el metro.

Los presos ajustaban cuentas, hacían pedidos, recogían contrabando o buscaban objetivos. Era un buen momento para apuñalar a alguien y salirte con la tuya.

No pasó mucho tiempo antes de que alguien se diera cuenta de la presencia de Audie. Normalmente, lo que destacaría de él sería que era joven y guapo, pero a la gente le interesaba más el dinero. Había siete millones de razones para hacerse amigo de Audie o para darle una paliza.

Pocas horas después de llegar, el nombre de Audie se había extendido por toda la cárcel por Radio Macuto. Podría haberse puesto frenético de miedo o suplicado que lo metiesen en el Agujero, pero Audie se limitó a seguir paseando por el patio de ejercicios, el mismo lugar en el que, antes que él, un millar de prisioneros habían dado un millón de paseos.

Audie no era un pandillero, ni un asesino, ni pertenecía a ninguna familia mafiosa. Tampoco fingía serlo, y eso iba a ser un problema para él. No tenía pedigrí; no contaba con protección. Para sobrevivir en un centro penitenciario era necesario formar alianzas, unirse a un grupo o buscarse un protector. Uno no podía permitirse ser guapo, blando o rico.

Moss observaba todo esto a distancia, con curiosidad pero sin implicarse. La mayor parte de los novatos trataban de hacerse valer lo antes posible, bien fuese marcando territorio, bien fuese evitando a los depredadores. La amabilidad, la compasión, la benevolencia se veían como signos de debilidad. Tira la comida a la basura antes de permitir que se la coma otro. No ofrezcas nunca tu sitio en la cola.

El Hombre de los Dados fue el primero que lo intentó. Le dijo a Audie que le conseguiría un poco de licor. Audie se negó cortésmente. Entonces el Hombre de los Dados cambió de estrategia: al pasar junto a la mesa donde estaba sentado Audie, tiró su bandeja de comida al suelo. El chico miró el montón de jugo de carne, pollo y puré de patatas, alzó la vista y lo miró. Algunos presos se rieron. El Hombre de los Dados pareció crecer quince centímetros. Audie no dijo ni una palabra: se agachó y empezó a recoger la masa de comida, poniéndola de nuevo en la bandeja.

Los presos se apartaron un poco, deslizándose en los bancos. Todos ellos parecían estar esperando algo, como los pasajeros de un tren que se ha detenido. Audie seguía agachado en el suelo, recogiendo comida, sin hacerle caso a nadie. Es como si habitase un espacio que él mismo hubiera creado, fuera de los pensamientos de los demás, un lugar que otros hombres solo podían aspirar a alcanzar.

El Hombre de los Dados se miró los zapatos y vio que estaban salpicados de jugo.

—Límpialos con la lengua —dijo.

Audie suspiró con aire de cansancio.

—Sé lo que tratas de hacer.

—¿Ah, sí? ¿Y qué es?

—Estás intentando provocarme para que pelee contigo o me humille, pero yo no quiero pelearme. Ni siquiera sé tu nombre. Has puesto algo en marcha y crees que no te puedes echar atrás, pero no es verdad. Nadie va a menospreciarte por ello. Nadie se está riendo.

Audie se puso de pie, aún con la bandeja en la mano.

—¿Alguno de vosotros cree que este hombre es gracioso? —gritó.

Hizo la pregunta con tal seriedad que Moss vio como los presos reflexionaban acerca de qué responder. El Hombre de los Dados miró a su alrededor, con gesto de haberse perdido. Lanzó un puñetazo a Audie, porque eso era lo que hacía normalmente cuando no sabía cómo obrar. Como una exhalación, Audie balanceó la bandeja y la estrelló contra el costado de la cabeza del Hombre de los Dados. Eso, desde luego, no hizo más que enfurecerlo. Se lanzó hacia delante con un rugido, pero Audie fue más rápido: impulsó la esquina de la bandeja en la garganta del Hombre de los Dados, con tal fuerza que lo tumbó y lo dejó en el suelo, luchando por respirar. Llegaron los guardias y se llevaron al Hombre de los Dados al hospital de la prisión.

Moss pensó que Audie debía de tener ganas de que lo matasen, pero no era así. La cárcel está llena de tipos que creen

39

que el mundo solo existe dentro de sus cabezas. No se pueden imaginar la vida fuera de los muros de la prisión, así que dan vida a su propio mundo. En la cárcel, un hombre no es nada. No es más que un grano de arena pegado a un zapato, una pulga en un perro, un grano en el culo de un tipo gordo. El mayor error que un hombre puede cometer en prisión es creer que tiene alguna importancia.

Cada mañana era lo mismo. Audie debió de pelearse con una docena de tipos el primer día y con otra docena el segundo. A la hora del cierre de puertas, le habían dado tantas palizas que no podía masticar y tenía los ojos tan morados como un par de ciruelas.

El cuarto día, el Hombre de los Dados había hecho correr la voz desde el hospital de la prisión de que quería que matasen a Audie Palmer. Aquella noche, Moss se dirigió, con la bandeja de comida en la mano, a la mesa en la que se sentaba Audie, solo.

—¿Puedo sentarme?

—Este es un país libre —murmuró Audie.

—En realidad, no —repuso Moss—. Al menos, no si has pasado en la cárcel tanto tiempo como yo.

Comieron en silencio. Luego Moss dijo lo que había venido a decir:

—Mañana por la mañana te van a matar. A lo mejor deberías pedirle a Grayson que te metieran en el Agujero.

Audie levantó la vista y miró por encima de la cabeza de Moss, como si estuviese leyendo algo en el aire.

—No puedo hacer eso.

Moss pensó que Audie estaba siendo ingenuo, o estúpidamente valiente, o quizá es que quería morir. No se trataba de una pelea por un dinero que no se sabía dónde estaba. Nadie en la cárcel podía gastar siete millones de dólares, ni aunque tuviese la peor adicción del mundo o la máxima necesidad de protección. Tampoco tenía nada que ver con pequeñas cosas, como barras de chocolate o pastillas de jabón. En la cárcel, si la cagas, eres hombre muerto. Si miras a alguien de la forma equivocada, eres hombre muerto. Si te sientas en la mesa equivocada a la hora de comer, eres hombre muerto. Si caminas por el lado equivocado del pasillo o del patio de ejercicios, o si haces demasiado ruido cuando comes, eres hombre muerto. Era mezquino, estúpido y desgraciado. Y fatal.

Había códigos que seguir, pero no tenían nada que ver con un sentido de camaradería ni nada parecido. La reclusión ponía a mucha gente junta, pero no los unía.

A la mañana siguiente, a las ocho y media, las puertas se abrieron y la rampa se llenó de gente. Las tropas del Hombre de los Dados estaban a la espera. Le habían dado el trabajo a un recién llegado, que tenía un cuchillo improvisado de fibra de vidrio escondido en la manga. Los otros hacían labores de vigilancia o esperaban para ayudarlo a librarse del arma. Iban a destripar a Audie como una sardina.

Moss no quería meterse, pero Audie tenía algo que lo intrigaba. Cualquier otro se habría rendido, o habría inclinado el espinazo, o habría suplicado que lo metieran en confinamiento solitario. Cualquier otro se habría intentado ahorcar con una sábana. Audie era el cabrón más idiota de la historia o puede que el más valiente. ¿Qué es lo que veía en el mundo que nadie más era capaz de ver?

Los presos habían salido de sus celdas y fingían ir a lo suyo, pero lo que hacían sobre todo era esperar. Audie no apareció. A lo mejor se había suicidado, pensó Moss; pero entonces se oyeron unos platillos y la línea de bajo de *Eye of the Tiger* empezó a sonar a todo volumen desde la celda de Audie.

Audie apareció con el pecho desnudo, vestido con pantalones cortos de boxeo, calcetines largos y zapatillas deportivas teñidas con betún negro. Bailando sobre los dedos de los pies, lanzando puñetazos a enemigos que no estaban allí, llevaba un calcetín en cada puño relleno de papel higiénico, como un par de inmensos guantes de boxeo. Con el rostro castigado por los golpes, parecía Rocky Balboa saliendo a pelear con Apollo Creed en el asalto quince.

El chico del cuchillo no sabía si reír o llorar. Audie bailaba y lanzaba puñetazos, esquivaba y se encogía, con aquellos guantes ridículos. Y entonces sucedió una cosa extraña. Los negros empezaron a reírse, a dar palmas, a cantar. Cuando se acabó la canción, llevaron a hombros a Audie, como si hubiese ganado el campeonato del mundo de los pesos pesados.

Ese es el día que Moss recuerda con más intensidad cuando piensa en Audie Palmer: verlo salir bailando de aquella celda, lanzando puñetazos a fantasmas, agachándose y esquivando las sombras. No fue el principio de nada ni el final de nada, pero Audie había encontrado una forma de sobrevivir.

Desde luego, a la gente aún le interesaba saber qué había sido del dinero; incluso a los guardias, que se habían criado en los mismos barrios de mala muerte que los hombres a los que vigilaban, cosa que los hacía vulnerables al soborno y al contrabando. Algunos de los agentes penales femeninos le sugirieron a Audie que les pasase fondos a sus cuentas bancarias a cambio de favores sexuales. Eran mujeres capaces de comerse su propio peso en hamburguesas, pero que, después de algunos años en la cárcel, te parecían verdaderas bellezas.

Audie las rechazó a todas. Ni una sola vez en diez años mencionó el robo o el dinero. No dio esperanzas a nadie ni hizo promesa alguna. De hecho, lo que hacía era transmitir una sensación de calma e integridad, como un hombre que hubiese desterrado de su vida todo sentimiento superfluo, todo deseo y todo anhelo de cosas que no fueran esenciales. Era como Yoda, Buda y Gladiator en una sola persona.

5

*U*n rayo de luz toca el párpado de Audie, que intenta alejarlo como si fuese un insecto. La luz vuelve y oye una risita. Billy está sosteniendo un pequeño espejo y dirige la luz que entra por la puerta abierta del granero.

—Te estoy viendo —dice Audie.

Billy se agacha y se ríe de nuevo. Lleva unos pantalones cortos andrajosos y una camiseta que le va demasiado grande.

—¿Qué hora es? —pregunta Audie.

—Más de la hora del desayuno.

—¿Y tú no deberías estar en la escuela?

—Es sábado.

«Es verdad», piensa Audie, irguiéndose sobre las manos y las rodillas. Durante la noche ha rodado fuera de la litera y se ha dormido en el suelo, hecho un ovillo; la sensación era más familiar que la del colchón.

—¿Te has caído de la cama? —pregunta Billy.

—Sí, supongo que sí.

—Yo antes me caía de la cama, pero ya no. Mamá dice que ya me he hecho mayor.

Audie sale al patio iluminado por la luz del sol y se lava la cara en una bomba manual. Cuando llegó ayer ya era de noche. Ahora ve un grupo de casas pequeñas sin pintar rodeadas de coches oxidados, piezas de repuesto, un abrevadero, un molino y un montón de madera apilado contra un muro de piedra medio derruido. Un chico negro, menudo, está montando una bicicleta que le viene grande, sentado en el bastidor para poder llegar a los pedales, esquivando gallinas que revolotean a su paso.

—Ese es mi amigo Clayton —dice Billy—. Es negro.

—Ya lo veo.

—No tengo muchos amigos negros, pero Clayton es bueno. Es pequeño, pero puede correr más rápido que una bici si no vas cuesta abajo.

Audie se abrocha el cinturón para que no se le caigan los pantalones. Desde el porche de una de las casas vecinas, un hombre delgado con camisa de cuadros y chaleco de cuero negro lo está observando. Audie lo saluda con la mano, pero el hombre no le devuelve el gesto.

—El desayuno se está haciendo —dice Rosie, que aparece de repente.

—¿Dónde está Ernie?

—En el trabajo.

—Empieza temprano.

—Y termina tarde.

Audie se sienta a la mesa y come: tortas de maíz, huevos, alubias, café. Encima de los fogones hay estantes con botes de cristal que contienen harina, alubias secas y arroz. Por la ventana ve a Rosie colgando la colada en un alambre. No puede quedarse aquí; estas personas han sido amables con él, pero no quiere que tengan problemas por su culpa. Su única esperanza de mantenerse con vida es seguir con el plan y esconderse durante tanto tiempo como pueda.

Cuando Rosie regresa, le pregunta si le podría llevar a la ciudad.

—Puedo llevarte a mediodía —contesta ella, aclarando el plato vacío de Audie en el fregadero. Se aparta un mechón de pelo de los ojos—. ¿Hacia dónde vas?

—Houston.

—Puedo dejarte en la estación de la Greyhound de San Antonio.

—¿Tienes que desviarte mucho?

Rosie no responde. Audie se echa mano al bolsillo y saca dinero.

—Me gustaría pagar algo por mi alojamiento.

—Quédate con tu dinero.

—Es limpio.

—No lo dudo.

Hay sesenta y un kilómetros hasta San Antonio, dirección norte por la Interestatal 37. Rosie conduce un pequeño coche japonés con el tubo de escape roto y sin aire acondicionado. Van con las ventanillas abiertas y la radio alta.

A la hora en punto, un locutor enumera los titulares de las noticias y menciona una fuga de la cárcel. Audie empieza a hablar, tratando de que suene como algo natural. Rosie le interrumpe y sube el volumen.

—¿Ese eras tú?

—No tengo intención de hacerle daño a nadie.

—Es bueno saberlo.

—Si te preocupa, puedes dejarme aquí.

Rosie no responde y sigue conduciendo.

—¿Qué hiciste? —pregunta.

—Dicen que robé un furgón blindado.

—¿Y es verdad?

—Ahora ya no tiene mucha importancia.

Lo mira de reojo.

—O lo hiciste o no lo hiciste.

—A veces te culpan por cosas que no hiciste. Otras veces te sales con la tuya por cosas que sí hiciste. Quizás al final se compensa todo.

Rosie cambia de carril, buscando la salida.

—Yo no tengo mucha autoridad moral: hace tiempo que no voy a la iglesia. Pero si has hecho algo malo no deberías estar huyendo de ello.

—No estoy huyendo —dice Audie.

Y ella le cree.

Rosie se para junto a la estación y mira más allá de Audie, hacia la fila de autobuses que se dirigen a ciudades lejanas.

—Cuando te pillen, no digas lo que hicimos por ti.

—No me pillarán.

6

$\mathcal{L}$a agente especial Desiree Furness atraviesa la sala de camino a la oficina de su jefe. Cualquiera que levantase la mirada solo vería su cabeza por encima del nivel de los escritorios y pensaría que quizás un niño había entrado en el edificio para visitar a alguno de sus padres o para vender galletas.

Desiree se había pasado casi toda la vida tratando de crecer, si no físicamente, sí emocional, social y profesionalmente. Tanto su madre como su padre eran bajos, y la lotería genética se había inclinado por el porcentaje más bajo para su única hija. Según su permiso de conducir, Desiree medía un metro cincuenta y ocho, pero en realidad necesitaba tacones altos para alcanzar esa altura. En la universidad llevaba también unos tacones que casi la dejaron lisiada, porque quería que la tomasen en serio y porque deseaba salir con jugadores de baloncesto. Ese fue otro cruel giro del destino: su atracción por los hombres altos. O quizás es que albergaba un deseo innato de que sus descendientes fuesen altos, de ofrecerles a sus hijos unas cartas genéticas distintas. Aún ahora, a los treinta años, seguían pidiéndole identificación en los bares y restaurantes. Para la mayoría de las mujeres podía ser un halago, pero para Desiree no era más que una constante humillación.

Cuando estaba creciendo, sus padres le decían cosas como «Los mejores perfumes vienen en frascos pequeños» o «A las personas les gustan las pequeñas cosas de la vida». Estos sentimientos, por bienintencionados que fueran, no eran fáciles de aceptar para una adolescente que aún seguía comprándose su ropa en la sección de niños. La universidad, donde estudió Criminología, había sido una experiencia cruel y embarazosa. La academia había resultado humillante. Pero Desiree había desafiado a su estatura: había sido primera de su promoción en Quantico, demostrando que estaba más en forma y era más brillante y más decidida que todos los demás reclutas. Su maldición le había servido para motivarse más aún. Su estatura la había hecho llegar más alto.

Tras llamar a la puerta de Eric Warner, espera a que la invite a pasar. De cabello prematuramente canoso, Warner lleva a cargo de la oficina de Houston desde que destinaron a Desiree a su ciudad, hace seis años. Ha conocido a unos cuantos hombres poderosos, pero la autoridad y el carisma de Warner desprenden autenticidad; su ceño siempre fruncido tiñe sus sonrisas de un tono irónicamente triste, o quizá triste sin más. Warner no se mofa de la altura de Desiree ni la trata distinto por ser mujer. La gente le presta atención no porque grite, sino porque sus susurros suscitan su interés.

—El huido de Three Rivers es Audie Palmer —dice Desiree.

—¿Quién?

—El robo del furgón blindado en el condado de Dreyfus, en 2004.

—¿El tipo al que debían haber ejecutado?

—El mismo.

—¿Cuándo le tocaba salir?

—Hoy.

Los dos agentes se miran y piensan lo mismo: ¿qué clase de idiota se escapa de la cárcel el día antes de que lo vayan a soltar?

—Es uno de mis casos —dice Desiree—. He estado atenta a él desde que transfirieron a Palmer a Three Rivers por motivos legales.

—¿Qué motivos legales?

—El nuevo fiscal no estaba satisfecho con la duración de la sentencia original y quería que repitieran el proceso.

—¡¿Diez años después?!

—Cosas más raras se han visto.

Warner hace repiquetear un bolígrafo contra sus dientes, sosteniéndolo como un cigarrillo.

—¿Se sabe algo del dinero?

—No.

—Acérquese por allí, a ver qué le cuenta el alcaide.

Una hora más tarde, Desiree se encuentra en la Autopista del Sudoeste, pasando junto a Wharton. Los campos son llanos y verdes; el cielo, amplio y azul. Está escuchando las cintas del curso de español, repitiendo las frases.

«¿Dónde puedo comprar agua?»

«¿Dónde está el baño?»

Su mente deriva hacia Audie Palmer. Heredó el caso de Frank Senogles, otro agente de campo que había ascendido en el escalafón y que estaba echando sobras a Desiree.

—Este caso está más frío que el culo de un buzo —le dijo cuando le entregó sus notas del caso, mirándola a los pechos en lugar de a la cara.

Generalmente, los casos antiguos se dividían entre los agentes activos; los novatos se quedaban con los más viejos y fríos. Periódicamente, Desiree comprobaba si había nueva información, pero en los diez años pasados desde el robo no se había recuperado nada del dinero. Siete millones de dólares en billetes usados, sin marcar e imposibles de rastrear habían desaparecido. Nadie sabía los números de serie, porque aquel dinero iba a ser sacado de la circulación y destruido. Estaba viejo, sucio y roto, pero aún era de curso legal.

Audie Palmer había sobrevivido al robo, a pesar de haber recibido un tiro en la cabeza, y un cuarto miembro de la banda (se creía que era el hermano mayor de Palmer, Carl) había huido con el dinero. A lo largo de la última década había habido varias falsas alarmas. Al parecer, Carl había sido visto, pero no había confirmación alguna. La policía de Tierra Colorado, México, informó de que lo había arrestado en 2007, pero lo dejaron ir antes de que el FBI pudiese conseguir una orden judicial para extraditarlo. Un año más tarde, un turista norteamericano de vacaciones en Filipinas afirmó que Carl Palmer era el dueño de un bar en Santa María, al norte de Manila. Se dijo que se le había visto también en Argentina y en Panamá, pero no eran más que soplos anónimos que no llevaron a ningún lado.

Desiree apaga sus clases de español y contempla las tierras de cultivo. ¿Qué clase de idiota huye el día antes de que lo suelten? Ya se le había ocurrido la posibilidad de que Audie hubiese escapado para evitar encontrarse con un comité de recepción. Claro que podía haber esperado otro día: con las leyes de reincidencia de Texas, podían caerle otros veinticinco años.

50 Desiree había estado solo una vez en la prisión federal de Three Rivers, para entrevistar a Audie y preguntarle por el dinero. Hacía dos años de aquello y no le había dado la impresión de que Audie fuese idiota. Tenía un CI de 136 y había estudiado Ingeniería en la universidad antes de dejarlo. El tiro en la cabeza podía haber cambiado su personalidad, desde luego, pero le había parecido cortés e inteligente, y con una actitud como de disculpa. La llamó «señora» y no hizo comentario alguno sobre su altura, ni se había enfadado cuando ella lo había acusado de mentir.

—No recuerdo muy bien aquel día —le había dicho Audie—. Alguien me disparó en la cabeza.

—¿Qué es lo que recuerda?

—Que me dispararon en la cabeza.

Lo volvió a intentar.

—¿Dónde conoció a la banda?

—En Houston.

—¿Cómo?

—Por un primo lejano.

—¿Tiene nombre ese primo?

—Es muy lejano.

—¿Quién los contrató para el trabajo?

—Verne Caine.

—¿Cómo se puso en contacto con ustedes?

—Por teléfono.

—¿Cuál era su trabajo?

—Conducir.

—¿Y su hermano?

—No estaba allí.

—Entonces ¿quién era el cuarto miembro de la banda?

Audie se encogió de hombros. También lo hizo cuando ella habló del dinero, extendiendo los brazos como diciendo «a mí que me registren».

Hubo más preguntas (una hora entera de ellas) que los llevaron dando círculos y metiéndose por bucles hasta que los detalles del robo no eran más que un lío terrible.

—A ver si me ha quedado claro —dijo Desiree sin ocultar su frustración—: no conoció al resto de los miembros de la banda hasta una hora antes del robo. No supo sus nombres hasta después, y todos ellos llevaban máscaras.

Audie asintió.

—¿Y qué iban a hacer con el dinero?

—Íbamos a reunirnos más tarde y dividirlo en partes.

—¿Dónde?

—No me lo dijeron.

Desiree suspiró y probó una táctica distinta.

—Lo está pasando mal aquí, Audie. Sé que todo el mundo se la tiene jurada, los guardias y los presos. ¿No sería más fácil si devolviese el dinero y ya está?

—No puedo.

—¿No le preocupa que haya gente fuera gastando a manos llenas, mientras usted está aquí dentro, pudriéndose?

—El dinero nunca fue mío.

—Se debe de sentir estafado. Furioso.

—¿Por qué?

—¿No le duele que los otros se librasen?

—El resentimiento es como beber veneno y esperar a que el otro se muera.

—Seguro que usted cree que esa reflexión es muy profunda, pero a mí me parece una gilipollez.

Audie sonrió irónicamente.

—¿Alguna vez ha estado enamorada, agente especial?

—No estoy aquí para hablar de...

—Lo siento. No tenía intención de hacer que se sintiese incómoda.

Al recordar ese momento vuelve a experimentar la misma emoción: se ruboriza. Desiree no recordaba haber conocido nunca a un hombre (y menos a un preso) tan seguro de sí mismo y consciente de su propio destino. A Audie no le importaba que sus escaleras fuesen más empinadas ni encontrarse con todas las puertas cerradas. Ni siquiera se enfadó cuando ella lo acusó de mentir, sino que se disculpó.

52

—¿Puede dejar de decir que lo siente?

—Sí, perdón, lo siento.

Al llegar a la prisión federal de Three Rivers, Desiree aparca en la zona de visitantes y se queda mirando a través del parabrisas, pasando la vista de la franja de césped a la doble línea de vallas con alambre de espinos. Un poco más allá ve guardias en torres y los edificios principales de la prisión. Se sube la cremallera de las botas, sale del coche y se arregla el vestido mientras se prepara para el engorro de la recepción: rellenar impresos, entregar el arma y las esposas, dejar que le registren el bolso.

Hay un puñado de mujeres esperando las horas de visita, chicas que acabaron con los tipos equivocados o con los criminales incorrectos, aquellos a los que atraparon. Perdedores, chapuceros, timadores, tirados. No es fácil encontrar un buen criminal o un buen hombre, piensa Desiree, que ha llegado a la conclusión de que los mejores son gais, están casados o son personajes de ficción (los hombres, no los criminales). Al cabo de doce minutos la acompañan a la oficina del alcaide. No se sienta: deja que sea el alcaide el que se siente y observa cómo crece su incomodidad a medida que ella se pasea por la habitación.

—¿Cómo se fugó Audie Palmer?

—Escaló las vallas perimetrales con sábanas robadas de la lavandería y con un gancho improvisado hecho con el tambor de una de las lavadoras. Un agente novato le dejó entrar en la lavandería fuera de horas para recoger algo que había olvidado, y no se dio cuenta de que Palmer no había vuelto. Creemos que se escondió en la lavandería hasta el cambio de turno de los centinelas de las torres, a las 23:00.

—¿Y las alarmas?

—Una de ellas se disparó justo antes de las once, pero parecía un error en el circuito. Reiniciamos el sistema, que es cosa de dos minutos; Palmer debió de utilizar ese intervalo para saltar las vallas. Los perros lo siguieron hasta el pantano de Choke Canyon, pero creemos que probablemente fue una treta para que perdiesen el rastro. Nadie había huido a través del pantano, jamás. Lo más probable es que alguien estuviese esperando a Palmer al otro lado de la valla.

—¿Tiene dinero?

El alcaide se remueve en su asiento, incómodo.

—Hemos podido averiguar que Palmer ha estado sacando de su cuenta fiduciaria de preso la cantidad máxima, ciento sesenta dólares, dos veces por semana, pero que apenas ha gastado nada en el economato. Calculamos que podría tener hasta mil doscientos dólares.

Han pasado dieciséis horas desde la fuga y nadie lo ha visto.

—¿Ayer hubo algún coche en el aparcamiento que no fuera conocido?

—La policía está comprobando las grabaciones de las cámaras.

—Necesito una lista de todas las personas que han visitado a Palmer en los últimos diez años, y detalles de la correspondencia que pueda haber recibido, convencional o electrónica. ¿Tenía acceso a algún ordenador?

—Trabajaba en la biblioteca de la cárcel.

—¿Tiene conexión a Internet?

—Sí, pero vigilada.

—¿Vigilada por quién?

—Tenemos un bibliotecario.

—Quiero hablar con él. Y también con el asistente social que se encarga del caso de Palmer, con el psiquiatra de la prisión y con cualquier miembro del personal que trabajase con él. ¿Estaba especialmente unido a algún interno en particular?

—Ya los han entrevistado.

—Yo no lo he hecho.

El alcaide coge el teléfono y llama al alcaide adjunto; habla como si estuviese apretando un lápiz con los dientes. Desiree no puede oír la conversación, pero capta perfectamente el tono: es tan bienvenida como una mofeta en una barbacoa.

El alcaide Sparkes acompaña a la agente especial Furness a la biblioteca de la prisión antes de despedirse con la excusa de que tiene que hacer unas llamadas. Nota un sabor desagradable en la boca que tiene intención de eliminar con un trago de burbon. En días mejores que este bebe demasiado, y tiene que bajar la persiana y cancelar reuniones aduciendo una migraña.

Saca una botella del cajón de un archivador y se sirve un chorro en su taza de café. Lleva dos años de alcaide de Three Rivers, después de que lo ascendiesen y lo trasladasen desde una cárcel menor, de baja seguridad, por haber gastado menos del presupuesto con un número reducido de incidentes destacables, cosa que ofrecía una falsa impresión de sus aptitudes. Si fuera posible controlar a hombres como estos, no estarían encerrados.

Al alcaide Sparkes no le ha interesado nunca el debate sobre si era la genética o la educación la responsable del comportamiento criminal y el grado de reincidencia, pero sí cree que la culpa es de la sociedad, no del sistema penitenciario. Esta sensación no casa bien con el signo de los tiempos en Texas, un estado en el que los reos son tratados como ganado y que recibe a las bestias descerebradas que se merece.

El informe de Audie Palmer en la cárcel está abierto sobre su mesa. No hay historial de abuso de alcohol o drogas, ni penalizaciones, ni suspensión de privilegios. Durante el primer año fue hospitalizado una docena de veces después de altercados con otros presos. Había sido apuñalado (dos veces), apalizado, estrangulado y envenenado. Las cosas se calmaron después, aunque periódicamente alguien intentaba matarlo. Hacía un mes que un preso había echado gasolina para mecheros a través de las barras de la celda de Audie y había tratado de quemarlo vivo.

A pesar de los ataques, Palmer nunca había pedido que lo aislaran de la población general de la prisión, ni había solicitado tratamientos especiales, ni había buscado favores, ni había tratado de que se flexibilizase la interpretación de las normas para adaptarlas a sus circunstancias. Como pasaba en la mayor parte de informes de presos, no había mucha información anterior a la condena. Puede que Audie se criase en un barrio de mierda. Quizá su padre fuera alcohólico; quizá su madre fuera una furcia adicta al crac. O puede, simplemente, que hubiera tenido la mala fortuna de nacer pobre. No hay explicaciones, ni revelaciones, ni señales de alerta, pero hay algo en este informe que le toca al alcaide lo que no suena. Quizá sean los dos coches desconocidos que vio en el aparcamiento esa mañana: un Cadillac azul oscuro y una camioneta con parachoques tubular y reflectores. El hombre del Cadillac no se molestó siquiera en acercarse a la puerta de visitantes, pero salió varias veces a estirar las piernas. Era alto y delgado, no llevaba sombrero y vestía un traje negro de corte ajustado y unas pesadas botas. Su rostro era extrañamente pálido.

El segundo conductor había llegado a las ocho de la ma-

55

ñana, pero no se acercó a la zona de recepción hasta tres horas más tarde. De complexión robusta, aunque un poco grueso en la zona de la tripa, llevaba un pulcro corte de pelo por encima de unas orejas prominentes. Vestía un uniforme de *sheriff* con las rayas de planchado bien marcadas.

—Soy el *sheriff* Ryan Valdez del condado de Dreyfus —le había dicho, ofreciendo una mano fría y seca al tacto.

—Está usted muy lejos de casa, *sheriff*.

—Sí, supongo que tiene razón... Ha tenido una mañana ajetreada.

—Y aún es pronto. ¿En qué puedo ayudarle?

—Estoy aquí para ofrecer mi ayuda para buscar a Audie Palmer.

—Le agradezco su ofrecimiento, pero el FBI y la policía local tienen la situación bajo control.

—¡Los federales no saben una mierda!

—¿Cómo dice?

56 —Es un asesino a sangre fría que nunca debió haber pisado esta instalación de media seguridad. Debería haber ido a la silla eléctrica.

—No soy yo quien dicta las sentencias, *sheriff*; solo los tengo encerrados.

—¿Y cómo le va con eso?

Las mejillas del alcaide palidecieron y una roja nube de brasas palpitantes le nubló la mirada. Diez segundos, veinte, treinta. Tomó conciencia del latido de la sangre en las sienes. Finalmente, consiguió hablar:

—Un preso se fugó mientras yo estaba de guardia. Asumo la responsabilidad por ello. Es una cura de humildad. Creo que no le vendría mal.

Valdez se disculpó, separando las manos con las palmas hacia arriba:

—Siento que hayamos empezado con mal pie. Audie Palmer le interesa mucho a la oficina del *sheriff* del condado de Dreyfus. Fuimos nosotros los que lo arrestamos y los que lo hicimos procesar.

—Y yo lo respeto, pero ya no es asunto suyo.

—Creo que podría tratar de volver al condado de Dreyfus para ponerse en contacto con sus antiguos colegas de fechorías.

—¿Y qué pruebas tiene de ello?

—No estoy autorizado a divulgar esa información, pero le puedo asegurar que Audie Palmer es extremadamente peligroso y que está muy bien relacionado. Y le debe siete millones de dólares al estado.

—Eran fondos federales.

—Me parece que se está poniendo demasiado quisquilloso.

El alcaide Sparkes estudió con atención al hombre, más joven que él, y se dio cuenta de que andaba falto de sueño y de que tenía marcas de acné en las mejillas.

—¿Qué es lo que hace aquí en realidad, *sheriff*?

—Ya se lo he dicho.

—No hemos anunciado la desaparición de Audie Palmer hasta esta mañana a las siete; en ese momento ya hacía al menos una hora que estaba aparcado ahí fuera. Así que me imagino que, o bien sabía que Palmer iba a huir, o bien ha venido por alguna otra razón.

Valdez se puso en pie e introdujo los dedos en el cinturón.

—Alcaide, ¿tiene algún problema conmigo?

—Creo que daría una imagen mejor de sí mismo si dejase de actuar como un estúpido.

—En ese robo murieron cuatro personas. Palmer fue el responsable de esas muertes, tanto si fue él quien apretó el gatillo como si no.

—Es su opinión.

—No, es un hecho contrastado. Yo estuve allí aquel día, esquivando trozos de cuerpo y charcos de sangre. Vi a una mujer quemarse viva en su coche. Me parece estar aún oyendo cómo gritaba…

Cualquier pretensión de camaradería se había desvanecido, como un pez que escupe un anzuelo. El *sheriff* sonrió con la boca cerrada.

—He venido aquí para ofrecer mis servicios porque conozco a Palmer, pero parece que no le interesan.

Se cubrió la cabeza con el sombrero, se lo ajustó y salió; empujó la puerta en lugar de usar la manija y murmuró algo. Desde la ventana de la oficina, el alcaide vio salir a Valdez por la puerta principal y cruzar el aparcamiento en dirección a la camioneta. ¿Qué podía motivar a un *sheriff* de condado a recorrer trescientos kilómetros para decirle a un alcaide cómo tenía que hacer su trabajo?

7

$\mathcal{M}$oss se ha pasado la noche en vela en el Agujero, cuidando más de su ego que de sus magulladuras. No culpa a los guardias por haberle dado una paliza. Fue él quien perdió los estribos y les dio un motivo. Su loquero diría que «los posibilitó». La gestión de la furia ha sido siempre un problema para Moss. Cada vez que sufre presión o demasiados nervios, se siente como si tuviese un pajarillo atrapado dentro de la cabeza, piando como un loco, tratando de liberarse. Y él quiere aplastar ese pájaro. Quiere que deje de piar.

Los momentos en los que pierde el control por completo son casi de euforia. Todo el odio, el miedo, la ira, el orgullo, sus triunfos y sus fracasos, todos se unen, y su vida parece adquirir sentido. Se siente libre de un mundo de oscuridad e ignorancia. Se siente vivo. Ebrio. Intocable. Pero ahora comprende hasta qué punto puede ser destructiva esta fuerza. Ha trabajado mucho para controlar su genio, huir de su pasado y convertirse en una persona distinta.

Se frota el dedo en el que debería llevar la alianza de plata y piensa en Crystal y en lo que le dirá en la próxima visita. Llevan casados veinte años (de los que él se ha pasado quince en la cárcel), pero hay uniones que están escritas en las estrellas; o quizá no. Crystal tenía diecisiete años cuando se conocieron en el rodeo de San Antonio. Ella iba con un chico con dientes de conejo y la cara marcada como una pizza, pero parecía estar buscando a alguien más interesante, aunque quizás un poco menos interesante de lo que resultó ser Moss. Su madre siempre la había prevenido contra los chicos como Moss, pero eso solo había exacerbado la curiosidad de Crystal. Él descubrió que era virgen. Alguna vez había pensado que le gustaría que un chico la tirase en la cama y le enseñase de que iba todo aquello, pero tenía la voz de su madre clavada, diciendo que la lujuria era un pecado mortal y que un embarazo en la adolescencia te destrozaba la vida.

Moss había ido al rodeo para comprobar la seguridad y evaluar los ingresos por entradas, pero lo dejó correr al ver la cantidad de policía del estado que estaba de servicio. Se compró un perrito caliente y ganó un muñeco de la Pantera Rosa derribando una docena de patos metálicos en la caseta de tiro. Luego vio a Crystal, que estaba mirando el desfile del rodeo. No era ni mucho menos tan guapa como algunas de las chicas que conocía, pero tenía algo que le hizo hervir la sangre.

60   Su novio había ido a comprarle un refresco. Crystal se fue alejando con Moss, riéndose de sus cumplidos y escuchando la música. Moss quería lucirse; en la caseta de tiro y en el lanzamiento de bolas ganó para ella un peluche del pato Lucas, dos globos de helio y un muñeco de los que se sostienen con un palo. Se sentaron juntos para ver el rodeo. Moss sabía el efecto que aquello (vaqueros montando toros y caballos) iba a tener en Crystal. Desde su punto de vista, los rodeos eran culpables de más embarazos que casi cualquier otra forma de entretenimiento, salvo quizá los shows de *strippers* masculinos. Crystal estaba muy excitada, y Moss supo que ya lo había conseguido, que haría cualquier cosa por él. Se la llevaría a su casa o lo harían en el coche, o a lo mejor hasta echaban un polvo rápido detrás de la casa encantada.

Pero se equivocaba: Crystal lo besó en la mejilla, sin hacer caso de sus mejores argumentos, y le dio su número de teléfono.

—Me llamarás mañana a las siete de la tarde, ni un minuto antes ni un minuto después.

Y se alejó caminando y meneando las caderas como un

metrónomo. Moss supo que habían jugado con él como con un juguete barato, pero al mismo tiempo se dio cuenta de que le daba igual. Crystal era inteligente, *sexy* y llena de vida. ¿Qué más podía querer cualquier hombre?

Un guardia golpea la puerta. Moss se pone de pie, de cara a la pared. Le ponen unas esposas, se lo llevan a las duchas y luego a la zona de recepción; no al bloque de visitas principal, sino a un pequeño cuarto de entrevistas que suelen utilizar los abogados para visitar a sus clientes.

La loquera de la prisión, *miss* Heller, está esperándole fuera. Los reclusos la llaman señorita Silbido, porque es la única mujer de la cárcel que pesa menos de noventa kilos. Moss se sienta y espera que diga algo.

—¿Está esperando que hable yo? —pregunta.

—No estás aquí para verme a mí —responde ella.

—¿Ah, no?

—El FBI quiere hablar con nosotros.

—¿De qué?

—Audie Palmer.

Miss Heller siempre le recordaba a una logopeda que le había dado clases de dicción porque no sabía pronunciar bien las erres. La terapeuta tenía veintipico años y le metía los dedos en la boca para enseñarle cómo tenía que poner la lengua para decir determinadas palabras. Un día, Moss tuvo una erección, pero la terapeuta no se enfadó. Le sonrió con timidez y se limpió los dedos en una servilleta de papel.

Se abre una puerta y sale un asistente social, haciendo un gesto a *miss* Heller, que es la siguiente. Moss espera con las piernas separadas, los ojos cerrados, la cabeza apoyada en la pared. Los presos son expertos en matar el tiempo, porque envejecen al ritmo de los perros. Pueden leer una y otra vez las mismas revistas y libros, ver las mismas películas, tener las mismas conversaciones y contar los mismos chistes, y así hacer que se esfumen los meses y los años.

Piensa en Audie e intenta imaginarlo disfrutando de la libertad, acostándose con una aspirante a estrella de Hollywood o tirando botellas vacías de champán por la borda de un yate. Ya, lo más probable es que no sea así, pero las imágenes en su cabeza le hacen esbozar una sonrisa.

Después de que Audie sobreviviese a su «pelea por el título» empezó a sentarse con Moss a las horas de comer. En general no hablaban antes de acabar, y cuando lo hacían no solía ser más que charla intrascendente y observaciones, no grandes reflexiones sobre la vida. Audie seguía siendo un objetivo, porque era joven y limpio y el dinero hacía presa en la mente de los hombres. Solo era cuestión de tiempo hasta que otro intentase acabar con él.

Un preso llamado Roy Finster, que se hacía llamar Lobezno por el aspecto lobuno que le daba su vello facial, abordó a Audie a la salida de las duchas y empezó a darle puñetazos. Moss saltó sobre Roy y lo lanzó al suelo como a un buey; luego le puso la rodilla en el cuello.

—Necesito el dinero —dijo Roy, frotándose los ojos—. Van a echar a mi Lizzie de casa si no hago algo.

—¿Y eso qué tiene que ver con Audie? —preguntó Moss.

Roy sacó una carta del bolsillo del pantalón; Moss se la pasó a Audie. Lizzie le había escrito para decirle que el banco iba a ejecutar la hipoteca de la casa de San Antonio y que ella y los niños se volvían a Freeport a vivir con los padres de la mujer.

—Si se mudan a Freeport, ya no podré verlos —gimoteó Roy—. Dice que ya no me quiere.

—Y tú, ¿la quieres aún? —preguntó Audie, aún con la respiración forzada.

—¿Cómo?

—¿Quieres aún a Lizzie?

—Sí.

—¿Se lo dices alguna vez?

Roy puso expresión ofendida.

—¿Quieres decir que soy un blando?

—A lo mejor, si se lo dijeras, ella haría más esfuerzos por quedarse.

—¿Y eso cómo se hace?

—Escríbele una carta.

—Las palabras no se me dan bien.

—Si quieres, te puedo ayudar.

Así que Audie escribió una carta para Roy. Y debió de ser una cosa especial, porque Lizzie no se llevó a los niños a Freeport y luchó para conservar la casa, y todos siguieron viniendo a visitar a Roy cada dos semanas.

Se abre una puerta y un guardia da una patada en la silla de Moss para despertarlo. Moss se levanta y entra lentamente en la habitación, encogiendo los hombros para parecer más pequeño y más humilde. En el cuarto le está esperando una chica adolescente. No, no es una chica; es una mujer con melena corta y pendientes en las orejas. Le enseña una placa.

—Soy la agente especial Desiree Furness. ¿Prefiere que le llame Moss o Jeremiah?

Moss no responde. El tamaño de ella le tiene alucinado.

—¿Pasa algo? —pregunta.

—¿La han metido en una secadora? Es como si se hubiese encogido cinco tallas.

—No, este es mi tamaño normal.

—Pero es muy pequeña.

—¿Sabe cuál es el peor problema de ser de baja estatura?

Moss menea la cabeza.

—Que todo el día tengo el culo de alguien en el morro.

Moss parpadea, sonríe, se sienta.

—Ese es bueno.

—Sé muchos más.

—¿Ah, sí?

—Ha llamado Willy Wonka y dice que vuelvas a casa. *Ding, dong,* ¿no te has enterado de que la bruja malvada está muerta? ¿No te he visto en *El señor de los anillos*? Si fueses china, te llamarían Mi Ni... —Moss está muriéndose de risa en la silla; sus esposas tintinean—. Soy tan baja que no hago pie en la piscina de los niños. Necesito una escalera para subirme a la litera de abajo. Cuando estornudo, me doy un cabezazo en el suelo. Necesito tomar carrerilla para llegar al váter. Y no, no soy pariente de Tom Cruise. —Deja de hablar—. ¿Hemos acabado ya?

Moss se seca las lágrimas de los ojos.

—No era mi intención ofenderla.

Desiree no hace caso de la disculpa y vuelve a mirar la carpeta.

—¿Qué le pasó a su cara? —pregunta.

—Un accidente de coche.

—Muy gracioso.

—En un sitio como este no viene mal un poco de sentido del humor.

—Era amigo de Audie Palmer.

Moss no responde.

—¿Por qué? —pregunta ella.

—¿Por qué qué?

—¿Por qué eran amigos?

Es una pregunta interesante. Moss no se la había planteado nunca. ¿Por qué nos hacemos amigos de una persona? Intereses compartidos, orígenes similares, química personal. Pero nada de eso se podía aplicar a él y a Audie. Lo único que tenían en común era que ambos estaban en la cárcel. Y la agente especial está esperando que le responda.

—Porque se negaba a dejarse vencer.

—¿Qué quiere decir eso?

—Hay hombres que se pudren en sitios como este. Envejecen, se amargan, se convencen de que la culpa es de la sociedad y de que ellos no son más que víctimas de una infancia de mierda y de unas circunstancias desgraciadas. Otros se pasan el tiempo clamando contra Dios o buscándolo. Hay quien pinta, o escribe poesía, o estudia los clásicos. Otros levantan pesas, o juegan al frontón, o escriben cartas a chicas que les habían querido antes de que convirtiesen sus vidas en basura. Audie no hacía nada de eso.

—¿Y qué hacía?

—Aguantaba.

Ella seguía sin comprender.

—¿Cree usted en Dios, agente especial?

—Me criaron en una familia cristiana.

—¿Cree que tiene un ambicioso plan para cada uno de nosotros?

—No lo sé.

—Mi padre no creía en Dios, pero decía que existían seis ángeles: la Miseria, la Desesperación, la Decepción, la Desesperanza, la Crueldad y la Muerte. Solía decirme: «Acabarás por encontrarte con todos ellos; con suerte, nunca con dos al mismo tiempo». Los ángeles de Audie Palmer venían en parejas... o en tríos. Y todos los días.

—¿Cree que tenía mala suerte?

—Para él, tener suerte era no tener mala suerte.

Moss mira hacia abajo y se pasa los dedos por la cabeza.

—Audie Palmer... ¿era religioso? —pregunta Desiree.

—Nunca le oí rezar, pero tenía discusiones filosóficas profundas con el cura de la prisión.

—¿Sobre qué?

—Audie no creía que fuese una persona única, ni que estuviese predestinado o algo así. Y tampoco creía que los cristianos tuviesen el monopolio de la moral. Decía que algunos de ellos se llenaban la boca de palabras, pero sus actos eran más propios de John Wayne que de Jesús. ¿Me entiende?

—Creo que sí.

—Es lo que pasa cuando estás dos mil años manipulando la Biblia, tratando de justificar que estás lanzando bombas sobre la gente cuando el Libro dice que lo que tienes que hacer es amar al prójimo y poner la otra mejilla.

—¿Por qué huyó, Moss?

—La verdad es que no tengo ni idea.

Se pasa la mano por el rostro, notando los moretones y las magulladuras.

—Los sitios como este funcionan a base de contrabando y

de rumores. Cada tío te cuenta una historia distinta sobre Audie. Dicen que le dispararon catorce veces y vivió.

—¿Catorce?

—Es lo que he oído decir. He visto las cicatrices que tiene en el cráneo. Debió de ser como montar un rompecabezas.

—¿Y qué sabe del dinero?

Moss puso una sonrisa irónica.

—La gente dice que sobornó al juez para librarse de la silla eléctrica. Ahora dirán que ha sobornado a los guardias para que le dejasen escapar. Pregunte por ahí, cada uno tiene su historia. Hay quien dice que el dinero desapareció hace tiempo, o que Audie Palmer tiene una isla en el Caribe, o que enterró el dinero en los campos de petróleo del este de Texas, o que su hermano Carl está viviendo como un pachá en California, casado con una estrella de cine. Los sitios como este están llenos de historias. Y el combustible más eficaz para hacer hervir la sangre es una fortuna en billetes sin marcar. —Moss se inclina hacia delante; las cadenas de los tobillos tintinean contra las patas metálicas de la silla—. ¿Quiere saber lo que pienso yo?

Desiree asiente.

—A Audie Palmer no le importa el dinero. Y creo que también le daba igual estar aquí. Otros hombres contaban las horas y los días, pero Audie podía mirar lejos, en la distancia, como si mirase a través del océano, o como si estuviese contemplando las chispas que saltan de una hoguera. Podía hacer que pareciese que una celda no tenía paredes. —Moss vacila—. Si no fuese por los sueños…

—¿Qué sueños?

—Solía quedarme en la litera escuchando, preguntándome si una noche soltaría de pronto dónde había escondido el dinero, pero no lo hizo. En cambio, a menudo lo oía sollozar. Sonaba como un niño perdido en mitad de un campo de maíz llamando a su madre a gritos. Me preguntaba qué es lo que podía hacer llorar a un hombre adulto. Se lo pregunté a él, pero no quería hablar de ello. No le daba vergüenza llorar ni tenía miedo de la debilidad que parecía mostrar.

La agente especial echa una ojeada a su libreta.

—Ambos trabajaban en la biblioteca. ¿Qué es lo que hacía Audie allí?

—Estudiaba, leía, ponía libros en los estantes, se formaba, escribía cartas, preparaba recursos para otras personas, pero nunca para él.

—¿Por qué?

—Eso mismo le pregunté yo.

—¿Y qué dijo?

—Que era culpable.

—¿Sabía que iba a ser liberado ayer?

—Eso he oído.

—¿Por qué iba a huir, entonces?

—He estado pensando en ello.

—¿Y?

—Se están haciendo la pregunta equivocada.

—¿Y qué deberíamos preguntarnos?

—Casi todos los tíos de aquí piensan que son unos tipos duros, pero un día sí y otro también se dan cuenta de que no lo son. Audie se pasó diez años aquí tratando de sobrevivir. No solía pasar más de una semana sin que los guardias hiciesen una visita a su celda, le pegasen una paliza de impresión y le formulasen las mismas preguntas que usted está haciendo. Y, durante el día, era la mafia mexicana, o el sindicato del crimen de Texas, o los supremacistas arios, o cualquier cabroncete estúpido y cobarde a quien le apeteciese darle unos golpes.

»Aquí también hay personas con determinados impulsos que no tienen nada que ver con la avaricia ni con el poder. A lo mejor veían en Audie algo que querían destruir; quizá su mirada optimista o su sensación de paz interior. El tipo de escoria que no solo quiere hacer daño a otras personas, sino que desea arrancarles el corazón del pecho y comérselo hasta que la sangre corre por sus cuellos y tienen los dientes teñidos de rojo.

»Sea cual sea el motivo, había un dinero por matar a Audie desde el día en que llegó. Y la cantidad se duplicó hace un mes. Lo apuñalaron, trataron de estrangularlo, lo golpearon, lo cortaron, lo quemaron, pero nunca mostró odio, ni arrepentimiento, ni debilidad.

Moss levanta la vista y le sostiene la mirada a la agente.

—Quieren saber por qué se escapó, pero esa no es la pregunta correcta. Lo que deberían preguntarse es por qué no lo hizo antes.

8

Audie no toma el primer autobús disponible. Se pasea por las calles de San Antonio, acostumbrándose al movimiento, al ruido. Los edificios son más altos de lo que recuerda; las faldas son más cortas; la gente es más gorda; los teléfonos son más pequeños; los colores, más apagados. Las personas no miran a los ojos: pasan deprisa, de camino hacia alguna parte. Madres con carritos, hombres de negocios, oficinistas, gente que va de compras, mensajeros, escolares, repartidores, dependientes y secretarias: parece que todo el mundo trata de llegar a alguna parte o de huir de ella.

Audie ve un cartel publicitario en lo alto de un bloque de oficinas. Hay dos imágenes: en la primera se ve a una mujer con un traje chaqueta profesional, gafas y pelo recogido, trabajando delante de un portátil. En la segunda se ve a la misma mujer, en bikini, en una playa de arena blanca y aguas del color de sus ojos. Debajo, las palabras: PIÉRDETE EN ANTIGUA.

A Audie le gusta el aspecto de esas islas. Se imagina a sí mismo en esa playa, bronceándose lentamente, frotando crema solar en los hombros de una chica guapa, dejando que chorree por su espalda y se introduzca por todos los rincones. ¿Cuánto tiempo hace? Once años sin una mujer. Cualquier mujer.

Cada vez que Audie se decide a tomar un autobús, sucede algo que le distrae y pasa una hora más. Se compra una gorra y unas gafas de sol, ropa para cambiarse, un par de zapatillas deportivas, un reloj barato, pantalones cortos y una máquina cortapelo. En una tienda de teléfonos, un dependiente trata de venderle un esbelto prisma rectangular de vidrio y plástico, con una charla sobre apps, paquetes de datos y 4G.

—Lo único que quiero es poder llamar a personas —dice Audie.

Además del teléfono compra cuatro tarjetas SIM de prepago. Guarda las compras en los bolsillos de un pequeño macuto. Luego se sienta en un bar enfrente de la estación de Greyhound y mira a la gente cómo viene y va.

Hay soldados con uniforme y petates de camino entre las bases militares que salpican esta parte de Texas.

La primera vez que Carl fue a la cárcel fue por fraudes de correo y en cajeros automáticos, pero las drogas fueron su ruina. Se hizo adicto en la penitenciaría del estado, en Brownsville, y nunca abandonó el hábito. Cuando lo soltaron, Audie tenía diecinueve años y estaba en la universidad. Se acercó en coche a Brownsville para recogerlo. Cuando Carl salió, llevaba una camisa de rayas verdes, unos pantalones de poliéster y un abrigo de cuero, demasiado grueso para el tiempo que hacía.

—¿No tienes calor con eso?

—Prefiero llevarlo puesto que en la mano —contestó.

Audie aún jugaba al béisbol y había estado levantando pesas.

—Tienes buen aspecto, hermanito.

—Tú también —dijo Audie, pero no era verdad.

Carl estaba pálido y demacrado; parecía furioso, como si necesitase algo que estaba fuera de su alcance. Se decía que, en la familia, el que había recibido el cerebro era Audie, como si la inteligencia llegase por mensajería y tuvieras que estar en casa para que no devolviesen el paquete. Pero la inteligencia no tiene nada que ver: es una cuestión de coraje, experiencia, deseo y otra docena de ingredientes.

Audie dio una vuelta a Carl en coche por el viejo barrio, que era más próspero de lo que Carl recordaba, pero aún había minicentros comerciales, cadenas de tiendas, edificios en ruinas, sitios donde la gente se pinchaba y chicas ofreciéndose a los coches en Singleton Boulevard.

En un 7-Eleven, Carl se quedó mirando a un par de chicas de instituto que habían venido a comprar helados. Llevaban pantalones vaqueros cortados y camisetas ajustadas. Conocían a Audie. Sonrieron y flirtearon, pero dejaron de sonreír después de un comentario de Carl. En ese momento, Audie examinó a su hermano y reconoció algo nuevo en él: una mirada fugaz, terrible, de odio a sí mismo.

Compraron un paquete de seis cervezas y se sentaron junto al río Trinity, debajo del puente del tren. Los trenes pasaban retumbando sobre sus cabezas, dirigiéndose a Union Station. Audie quería hacerle preguntas a Carl sobre la cárcel. ¿Cómo era? ¿Eran verdad las historias que se contaban? Carl le preguntó si tenía hierba.

—Estás en libertad condicional.

—Me ayuda a relajarme.

Se quedaron sentados en silencio, mirando los remolinos de color marrón en el río.

—¿Crees que hay realmente cuerpos allá abajo? —preguntó Audie.

—No lo creo, lo sé seguro —dijo Carl.

Audie le contó a Carl lo de su beca en la Universidad de Rice, en Houston. Le pagaban la matrícula, pero él tenía que cubrir sus gastos de manutención; por eso estaba trabajando a doble turno en la bolera.

A Carl le gustaba bromear y llamarlo «el cerebrito de la familia», pero Audie pensaba que, en secreto, su hermano estaba orgulloso de él.

—¿Qué piensas hacer? —preguntó Audie.

Carl se encogió de hombros al tiempo que aplastaba una lata de cerveza en el puño.

—Papá dice que puede conseguirte un trabajo en la obra.

71

Carl no respondió.

Cuando finalmente llegaron a casa, hubo abrazos y lágrimas. Su madre no dejaba de agarrar a Carl desde atrás, como si fuera a escaparse. Su padre llegó pronto del taller, cosa que no pasaba casi nunca. Apenas habló, pero Audie sabía que estaba contento de volver a tener a Carl en casa.

Un mes más tarde, Audie empezó su segundo año en la universidad de Houston y no volvió a Dallas hasta la Navidad. Carl estaba viviendo en una casa ocupada en las Heights y haciendo trabajos esporádicos. Había roto con su novia y conducía una moto que estaba «cuidando para un amigo». Parecía nervioso y asustadizo.

—Vamos a jugar al póquer —le sugirió a Audie.

—Estoy tratando de ahorrar.

—Podrías ganar algo de dinero.

Carl le convenció, pero no hacía más que cambiar las reglas, diciendo que así era como se jugaba en la cárcel, aunque todos los cambios parecían favorecerle: Audie perdió la mitad del dinero que había estado ahorrando para la universidad. Carl salió a comprar unas cervezas. También volvió con metanfetamina y *speed*. Quería colocarse y no entendió por qué su hermano prefirió volver a casa.

El verano siguiente, Audie trabajaba en la bolera y en el taller. Carl solía pasarse para intentar que le prestase dinero. Su hermana, Bernadette, había empezado a salir con un tipo que trabajaba en un banco, en el centro. Tenía un coche nuevo y buena ropa. A Carl no le impresionaba.

—¿Quién se cree que es?

—No hace nada malo —dijo Audie.

—Cree que es mejor que nosotros.

—¿Por qué?

—Se le ve. Se cree superior.

Carl no quería saber nada de los que le decían que las personas trabajaban duro para vivir en una casa bonita o para tener un coche nuevo. Prefería tener celos de ellos. Era como si estuviese en la puerta de una fiesta, con la nariz pegada a la ventana, contemplando las faldas con vuelo de las chicas guapas que bailaban al son de la música. No miraba simplemente con envidia; sus ojos eran inquisitivos, indignados, ávidos.

A finales del verano, Audie recibió una llamada una noche, sobre las diez. Carl estaba en un bar, en el este de Dallas. Su moto se había estropeado y necesitaba que lo llevasen a casa.

—No voy a ir a buscarte.

—Un tío me ha atracado. No tengo dinero.

Audie cruzó la ciudad en coche y aparcó frente al bar, que tenía un anuncio fluorescente de cerveza Dixie y suelo de madera cubierto de quemaduras de cigarrillo que parecían cucarachas aplastadas. Había moteros jugando al billar, golpeando la bola con tal fuerza que sonaba como un latigazo. La única mujer de todo el bar tenía más de cuarenta años, vestía como una adolescente y estaba borracha, bailando delante de la máquina de discos, mientras una docena de hombres la contemplaban.

—Quédate a tomar una copa —dijo Carl.

—Pensaba que no tenías dinero.

—Lo he ganado —señaló hacia la mesa de billar—. ¿Qué quieres beber?

—Nada.

—Tómate un 7Up.

—Me voy a casa.

Audie se dirigió a la salida. Carl le siguió hasta el aparcamiento, furioso por haber sido puesto en evidencia delante de sus nuevos amigos. Sus pupilas estaban dilatadas y no acertó a agarrar el tirador de la puerta las dos primeras veces. Audie condujo hacia casa con las ventanillas abiertas por si Carl vomitaba. Viajaron en silencio. Audie pensó que Carl se había dormido. Entonces habló, con la voz de un niño extraviado.

—Nadie me va a dar nunca una segunda oportunidad.

—Dale tiempo —respondió Audie.

—Tú no sabes lo que es esto. —Carl se irguió en el asiento—. Lo único que necesito es un buen golpe. Con eso me bastaría. Podría largarme de aquí y empezar de nuevo en otra parte sin que nadie me juzgase.

Audie no comprendía.

—Ayúdame a robar un banco —dijo Carl, haciéndolo perfectamente obvio.

—¿Cómo?

—Te puedo dar el veinte por ciento. Y lo único que tendrías que hacer es conducir. No tienes ni que entrar, te puedes quedar en el coche.

Audie se rio.

—No pienso ayudarte a robar un banco.

—Solo tienes que conducir.

—Si quieres dinero, consigue un trabajo.

—Para ti es fácil decirlo.

—¿Qué quieres decir con eso?

—Tú eres el chico de los ojos azules, el favorito. A mí no me importaría ser el hijo pródigo. Dame mi parte ahora y me esfumaré para siempre.

—No tenemos partes.

—Porque tú lo tienes todo.

Volvieron a casa de sus padres. Carl dormía en su antigua habitación. Audie se despertó de noche con sed y fue a buscar un vaso de agua. Se encontró con su hermano en la cocina. Estaba sentado en la oscuridad, salvo por la luz de la nevera, que tenía la puerta abierta. Le brillaba el rostro.

—¿Qué has tomado?

—Nada, algo que me ayude a dormir.

Audie aclaró el vaso y se dio la vuelta para irse.

—Lo siento —dijo Carl.

—¿Qué es lo que sientes?

Carl no contestó.

—El hambre en el planeta, el calentamiento global, la evolución… ¿Qué es lo que sientes?

—Siento decepcionar a todo el mundo.

Audie volvió a Rice y fue el primero en casi todas sus clases en aquel segundo año. Trabajaba de noche en una panadería de veinticuatro horas y asistía a clase con la ropa manchada de harina. Una chica con aspecto de animadora y andares de supermodelo lo bautizó (con cierto éxito) con el mote del Chico del Pan.

Cuando volvió a casa en Navidad, descubrió que su coche no estaba. Carl lo había tomado prestado y no se había molestado en devolverlo. Ya no vivía en casa; estaba en un motel junto a la autopista Tom Landry, viviendo con una chica con aspecto de prostituta, que tenía un bebé. Audie lo encontró sentado junto a la piscina, con el mismo abrigo de cuero que llevaba cuando salió de Brownsville. Tenía los ojos vidriosos y un montón de latas de cerveza arrugadas debajo de la silla.

—Necesito las llaves de mi coche.

—Lo traeré más tarde.

—No, lo quiero ahora.

—No tiene gasolina.

Audie no le creyó. Se puso al volante y giró la llave. El motor no reaccionó. Volvió a tirarle las llaves a Carl, tomó el autobús hasta casa, recogió el bate de béisbol y se fue a la jaula de bateo, donde golpeó ochenta pelotas, para aplacar su frustración.

Más tarde, Audie reconstruyó lo que había sucedido aquella noche. Cuando se fue del motel, Carl había puesto gasolina en el depósito con una lata y se había dirigido a la tienda de licores del bulevar Harry Hines. Allí había cogido un paquete de seis cervezas de la nevera, unas bolsas de fritos y chicle. El dependiente era un viejo chino con uniforme y una placa con un nombre que nadie era capaz de pronunciar.

En la tienda solo había otra persona, en el pasillo más alejado, buscando un sabor en particular de Doritos para su mujer embarazada. Era un agente de policía fuera de servicio, Pete Arroyo. Su mujer, Debbie, le estaba esperando fuera, comiéndose un helado porque le apetecía algo dulce, además de algo salado.

Carl se acercó al dependiente, sacó una automática Browning del calibre 22 del abrigo y apuntó al anciano en la cabeza mientras le ordenaba que vaciase la caja registradora. El dependiente suplicó en chino y Carl no le entendió.

Pete Arroyo debió de ver a Carl en los espejos cóncavos que había sobre los pasillos. Se acercó en silencio, se echó la mano a la espalda y sacó su pistola. Se agachó, apuntó y le ordenó a Carl que levantase las manos. En ese momento, Debbie abrió la pesada puerta de entrada, con su barriga de embarazada sobresaliendo como una calabaza. Vio la pistola y lanzó un grito.

Pete no disparó; Carl sí. El agente cayó y logró disparar una vez: alcanzó a Carl en la espalda mientras se metía en el coche, que se alejó de allí. Los auxiliares sanitarios se pasaron cuarenta minutos tratando de reanimar a Pete Arroyo, pero murió antes de llegar al hospital. A esas alturas, los testigos ya le habían dado a la policía una descripción del hombre que había disparado; habían dicho, además, que podía ser que hubiese otra persona con él, al volante.

9

*E*l autobús sale hacia Houston a las siete y media de la tarde. Audie sube en el último momento y se sienta cerca de la salida de emergencia. Finge caer dormido, pero observa el vestíbulo a través de las rendijas de sus ojos apenas abiertos, esperando oír sirenas y el resplandor de las luces giratorias. Una voz pregunta:

—¿Está ocupado?

Audie no responde. Un hombre gordo sube trabajosamente una maleta al portaequipajes y pone una bolsa de comida sobre la mesa plegable.

—Me llamo Dave Myers —dice, al tiempo que tiende una mano grande y con manchas rojas en la piel. Tiene unos sesenta años, los hombros caídos y papada en lugar de mandíbula—. ¿Usted?

—Smith.

Dave se ríe.

—Un nombre tan bueno como cualquier otro.

Come ruidosamente, chupándose los dedos, sucios de sal y salsa. Luego enciende la lámpara de lectura, saca un periódico, pliega las páginas.

—Veo que van a volver a reducir las patrullas fronterizas. ¿Cómo piensan mantener a los inmigrantes ilegales fuera del estado? Les das una mano y te cogen el brazo entero.

Audie no responde. Dave vuelve la página y gruñe.

—En este país nos hemos olvidado de cómo se lucha en una guerra: solo hay que ver qué pasa en Irak. Si por mí fuese, tiraríamos bombas nucleares en todos los países árabes. Pero eso nunca va a suceder con un hombre negro en la Casa Blanca, y menos si se llama Hussein de segundo nombre.

Audie se vuelve hacia la ventana y mira hacia el paisaje oscurecido, fijándose en los puntos de luz de los ranchos y en las balizas de cumbres distantes.

—Sé de lo que hablo. Luché en Vietnam. Deberíamos haber lanzado bombas atómicas sobre esos monos de ojos rasgados. El Agente Naranja no fue suficiente. Pero no a las mujeres: esas monitas podían ser lo más. Parece que tengan doce años, pero cuando se corren parecen peces dando coletazos.

Audie hace un ruido; el hombre deja de hablar.

—¿Le estoy molestando?

—Sí.

—¿Por qué?

—Mi mujer es vietnamita.

—¿En serio? Lo siento, no quería faltarle al respeto.

—Sí quería.

—¿Cómo iba a saberlo?

—Acaba de insultar a una raza entera, a una religión entera y a las mujeres en general. Ha dicho que quería follarlos o bombardearlos: es un racista y una basura.

El rostro de Dave enrojece: su piel se tensa como si le hubiese crecido el cráneo. Se pone de pie y coge su maleta. Por un momento, Audie cree que podría sacar una pistola de ella, pero se limita a alejarse pasillo allá, buscar otro sitio, presentarse a otra persona y quejarse sobre los «capullos intolerantes» con los que te encuentras en los trenes de larga distancia.

Después de hacer parada en Seguin y Schulenburg, llegan a Houston poco antes de medianoche. A pesar de la hora, el vestíbulo está lleno de grupos de personas; algunas duermen en el suelo, otras lo hacen tumbadas en los asientos. Hay autobuses con letreros de Los Ángeles, Nueva York, Chicago y otros lugares.

Audie se dirige a los lavabos, abre el grifo y se moja la cara, pasándose la mano por la barba de dos días. Crece demasiado lenta como para servirle de disfraz. Además, en la nariz y en la frente la piel quemada por el sol está empezando a desprenderse. Cuando estaba en la cárcel se afeitaba cada mañana: eran cinco minutos de su tiempo en los que hacía algo, y era una señal de que la vida seguía importándole. Ahora, en el espejo, ve a un hombre, no a un chico: más viejo, más delgado, endurecido como nunca antes.

Una mujer y una niña entran en el baño; ambas son rubias y visten vaqueros y zapatos de lona. La mujer tendrá veintipico años y lleva el cabello recogido en una cola de caballo alta, en la parte de atrás de la cabeza. Viste una camiseta de los Rolling Stones amplia, que le cuelga de los pezones. La niña parece tener seis o siete años; le falta uno de los incisivos y lleva una mochila de Barbie en los hombros.

—Lo siento —dice la madre—, han cerrado el lavabo de mujeres para limpiarlo.

Deja junto al lavabo una bolsa de artículos de aseo, de la que saca cepillos y pasta de dientes. Humedece unas toallitas de papel, le quita la camiseta a su hija y le pasa las toallitas por las axilas y por detrás de las orejas. Luego la acerca al lavabo y le moja la cabeza con agua, utilizando jabón del dosificador para lavarle el pelo mientras le dice que no abra los ojos. Se vuelve hacia Audie.

—¿Qué está mirando?

—Nada.

—¿Es usted un pervertido o algo así?

—No, señora.

—¡No me llame señora!

—Perdón.

Audie sale deprisa, secándose las manos mojadas en los vaqueros. Fuera, en la calle, junto a la estación de autobús, hay personas que fuman y otras que simplemente dan vueltas. Algunas son camellos; otras, chulos. Otras son depredadores en busca de chicas que huyen, de chicas perdidas; de chicas a las que engañar con buenas palabras; de chicas a las que chutar droga; de chicas que dejan de gritar cuando unas manos se cierran sobre sus gargantas. Audie, que no suele buscar lo peor de las personas, piensa que tal vez ya haya perdido la ilusión.

Da la vuelta a la manzana y ve un McDonald's, con sus luces brillantes y sus colores primarios. Pide comida y un café. Luego ve a la madre y la niña del lavabo. Están sentadas a una mesa, haciendo bocadillos con una barra de pan y un tarro de mermelada de fresa.

Audie las contempla; el encargado se acerca a ellas.

—No pueden comer aquí si no compran alguna cosa.

—No hacemos nada malo —dice la mujer.

—Lo están ensuciando todo.

Audie coge su bandeja y se acerca a la mesa.

—Vamos, chicas, ¿habéis decidido ya lo que queréis? —Se sienta en el banco de delante y mira al encargado—. ¿Hay algún problema?

—No, señor.

—Muy bien, pues. ¿Podría traernos más servilletas?

El encargado murmura algo y se retira. Audie corta su hamburguesa en cuartos y la desliza en la mesa. La niña alarga la mano, pero su madre le da un manotazo en la muñeca.

—No se acepta comida de extraños —dice, lanzando a Audie una mirada acusadora—. ¿Está siguiéndonos?

—No, señora.

—¿Tengo aspecto de anciana?

—No.

—¡Entonces no me llame señora! Soy más joven que usted. Y no necesitamos caridad.

La niña da un gritito de decepción. Mira la hamburguesa y luego a su madre.

—No se crea que no sé lo que hace. Está tratando de ganarse mi confianza para luego poder hacernos cosas terribles.

—Es usted un poco paranoica —dice Audie.

—No soy una yonqui ni una prostituta.

—Me alegro —responde Audie, que sorbe su café—. Si lo prefiere, me volveré a mi sitio.

La mujer no dice nada. Las brillantes luces de neón iluminan las pecas de su nariz y los ojos, que son verdes... o azules, o algo así. La niña ha conseguido hacerse con un cuarto de hamburguesa y se la está comiendo, medio a escondidas. Alarga la mano y coge una patata.

—¿Cómo te llamas? —pregunta Audie.

—*Zcarlett*.

—¿Te han dado algo por ese diente, Scarlett?

Asiente y muestra una muñeca de trapo, muy vieja pero con aspecto de haber sido muy querida.

—¿Cómo se llama?

—Bezie.

—Es un nombre muy bonito.

Scarlett se tapa la nariz con la manga.

—Hueles mal.

Audie se ríe.

—Tengo pensado ducharme en cuanto pueda —contesta, alargando la mano—. Me llamo Spencer.

Scarlett mira la mano extendida y luego a su madre. Extiende la suya, que cabe entera dentro de la de Audie.

—¿Y usted, cómo se llama? —pregunta Audie a la madre.

—Cassie.

Cassie no le estrecha la mano. Aunque es guapa, Audie se da cuenta del caparazón que la rodea, como tejido cicatrizado de una herida antigua. Se la imagina criándose en un barrio pobre, engañando a los chicos para que le compren helados a cambio de echar un vistazo a sus bragas, utilizando su sexualidad sin ser realmente consciente de los peligros del juego.

81

—¿Y qué están haciendo dos damas como ustedes aquí a estas horas? —pregunta.

—No es asunto suyo —dice Cassie.

—*Eztamoz* durmiendo en *nueztro* coche —dice Scarlett.

Su madre le chista para que se calle. Scarlett mira al suelo y abraza su muñeca.

—¿Conoce algún motel barato por aquí? —pregunta Audie.

—¿Cómo de barato?

—Barato.

—Están a distancia de taxi.

—No hay problema. —Se levanta de la mesa—. Bueno, será mejor que me vaya. Encantado de conoceros. —Hace una pausa—. ¿Cuándo fue la última vez que os disteis una ducha caliente?

Cassie se le queda mirando; Audie levanta las manos.

—Lo siento, eso ha sonado muy mal. Es solo que me han robado la cartera en el autobús y me va a costar reservar una habitación en un motel sin identificación. Dinero sí tengo; lo que no tengo es un carné.

—¿Y eso qué tiene que ver conmigo?

—Si puede reservarme la habitación, yo la pagaré. Pagaré dos: usted y Scarlett se pueden quedar en una de ellas.

—¿Por qué hace esto?

—Yo necesito una cama, y los dos necesitamos una ducha.

—Usted podría ser un violador... o un asesino en serie.

—Claro. O un preso huido.

—Exacto.

Cassie examina el rostro de Audie, como tratando de determinar si está a punto de tomar una decisión estúpida.

—Tengo una pistola eléctrica —dice de pronto—. Si intenta hacer algo raro, la usaré.

—No me cabe duda.

Υ

El coche de Cassie es un viejo Honda CRV aparcado en un descampado, debajo de un cartel de Coca-Cola. Saca una multa de debajo del limpiaparabrisas y hace una bola con ella. Audie lleva en brazos a Scarlett, dormida, con la cabeza apoyada en su pecho. Es tan pequeña y frágil que tiene miedo de que se le rompa. Recuerda la última vez que llevó a un niño en brazos, un pequeño con los ojos de un profundo color pardo.

Cassie se inclina hacia el coche, aparta unos sacos de dormir, mete ropa en una maleta, reorganiza sus posesiones. Audie deja a Scarlett en el asiento trasero con una almohada bajo la cabeza. El motor gira un par de veces antes de arrancar. «El motor de arranque está prácticamente acabado», piensa Audie, recordando los años que pasó en el taller, mirando cómo su padre trabajaba. El chasis rasca el bordillo al enfilar la calle desierta.

—¿Cuánto tiempo hace que vivís en el coche? —pregunta.

—Un mes —dice Cassie—. Estábamos en casa de mi hermana hasta que nos echó. Decía que yo flirteaba con su marido, pero era él el que no podía tener las manos quietas. Te lo juro, no queda ni un tío decente en esta maldita ciudad.

—¿Y el padre de Scarlett?

—Travis murió en Afganistán, pero el ejército no quiere pagarme una pensión ni reconocer a Scarlett porque Travis y yo no estábamos casados. Estábamos comprometidos, pero eso no cuenta. Lo mató un explosivo improvisado, ¿sabes a lo que me refiero?

—Una bomba casera junto a la carretera.

—Eso es. Cuando me lo dijeron, yo no sabía qué era. Es asombroso lo que se aprende. —Se rasca la nariz con la muñeca—. Sus padres me tratan como si fuese una especie de bruja que se sacó un bebé del aire solo para que le diesen una ayuda del Gobierno.

—¿Y tus padres?

—No tengo madre; murió cuando yo tenía doce años. Mi padre me echó de casa cuando me quedé embarazada. No le importó que Travis y yo fuéramos a casarnos.

Sigue hablando, tratando de superar los nervios. Le cuenta a Audie que es una esteticista calificada, «con diploma y todo». Le enseña las uñas: «Mira, fíjate». Tienen mariquitas pintadas.

Toman la salida hacia la Autopista Norte. Cassie se sienta erguida, con ambas manos en el volante. Audie se imagina a la persona que había esperado ser: universidad, vacaciones en Florida, bikinis, mojitos y patinaje en el paseo marítimo, un empleo, un marido, una casa... En vez de eso, está durmiendo en un coche y lavándole el pelo a su niña en la pila del lavabo de un cuarto de baño público. «Es lo que pasa con las expectativas», piensa. Algo inesperado o una decisión errónea pueden cambiarlo todo. Puede ser el reventón de una rueda, salir de la acera en el momento equivocado, pasar con el coche junto a un explosivo casero. Audie no cree en eso de que son las personas las que se fabrican su propia suerte. Y tampoco considera la idea de justicia, a menos que esté hablando de palacios.

Al cabo de unas seis millas toman la salida del aeropuerto y se detienen en el motel Star City Inn, con palmeras a ambos lados de la puerta de entrada y fragmentos de vidrio en el aparcamiento. Un grupo de tipos negros con vaqueros amplios y chaquetas de chándal merodean junto a una de las habitaciones de la planta baja. Al ver a Cassie, la observan como leones acechando a un ñu herido.

—No me gusta este sitio —le susurra a Audie.

—No te van a hacer nada.

—¿Cómo lo sabes? —Toma una decisión—. Cogemos una sola habitación, pero con dos camas. No pienso acostarme contigo.

—De acuerdo.

Una habitación individual en el primer piso cuesta cuarenta y cinco dólares. Audie deja a Scarlett en una de las camas dobles; la niña se duerme de inmediato mientras se chupa el pulgar. Cassie lleva una maleta al baño, llena la bañera de agua y espolvorea detergente para ropa.

—Deberías descansar un poco —dice Audie.

—Quiero que esto esté seco por la mañana.

Audie cierra los ojos y dormita, escuchando el suave movimiento del agua y el ruido de escurrir la ropa. En algún momento, Cassie se mete en la cama junto a su hija y se queda mirando a Audie.

—¿Quién eres? —susurra.

—Nadie a quien haya que temer.

10

*E*n la sala de baile se agolpan un millar de invitados; hombres con corbata negra y mujeres con tacones altos y vestidos de cóctel de amplio escote o espalda descubierta. Son parejas de gente de carrera, inversores de capital riesgo, banqueros, contables, hombres de negocios, promotores inmobiliarios, empresarios y miembros de grupos de presión, y han venido para conocer al senador Edward Dowling, recién elegido y agradecido por su apoyo, su hombre en la cámara alta de Texas.

El senador se pasea por la sala como un profesional en su ambiente, estrechando manos con gesto firme, tocando brazos, dirigiendo la palabra de forma personal a cada uno de los asistentes. Las personas parecen contener la respiración a su lado, deleitándose del reflejo de su gloria; sin embargo, a pesar del lustre y del encanto obvio que desprende, las interacciones de Dowling siguen estando teñidas de las formas de un vendedor de coches usados, como si la confianza en sí mismo la hubiese aprendido en casetes de autoayuda y libros motivacionales.

Victor Pilkington se ha mantenido apartado de las bandejas de champán y está bebiendo té frío en un vaso esmerilado. Su altura de más de metro noventa le permite mirar por encima del mar de cabezas y ver las alianzas que se forman o quién no habla con quién.

Su mujer, Mina, está entre la multitud, con un vestido de seda con vuelo y elegantes pliegues en la parte baja de la espalda y en el escote. Aunque tiene cuarenta y ocho años, parece que tenga diez años menos, gracias al tenis tres veces por semana y a un cirujano plástico de California que se llama a sí mismo «el escultor de cuerpos». Mina se crio en Angleton y jugó al tenis en el primer equipo del instituto local antes de ir a la universidad, casarse, divorciarse e intentarlo de nuevo. Veinte años más tarde sigue siendo atractiva, en el campo y fuera de él, tanto cuando juega a dobles mixtos como cuando flirtea con hombres más jóvenes en el salón de baile Magnolia.

Pilkington sospecha que tiene una aventura, pero al menos lo lleva con discreción. Él intenta también serlo. Duermen en habitaciones diferentes, llevan vidas distintas, pero mantienen las apariencias porque lo contrario sería demasiado caro.

Un hombre pasa a su lado, rozándolo. Pilkington levanta la mano y le agarra el hombro.

—¿Cómo van las cosas, Rolland? —le dice al jefe de personal del senador Dowling.

—Estoy un poco ocupado en este momento, señor Pilkington.

—Él sabe que quiero verle.

—Lo sabe.

—¿Le dijiste que era importante?

—Lo hice.

Rolland desaparece en la multitud. Pilkington se hace con otro vaso de té y habla de trivialidades con varios conocidos, sin quitar la vista de encima al senador. Los políticos no le gustan demasiado, a pesar de que en su familia ha habido unos cuantos. Su bisabuelo, Augustus Pilkington, fue congresista en la Administración Coolidge. En aquella época, la familia era propietaria de la mitad del distrito de Bellmore y tenía intereses en petróleo y transportes, hasta que el padre de Pilkington consiguió perderlo todo durante la crisis del petróleo, en los años setenta. Habían hecho falta seis generaciones para construir la fortuna de la familia, pero bastaron seis meses para acabar con ella; tales eran los avatares del capitalismo.

Desde entonces, Victor había hecho lo posible para restituir el buen nombre de la familia: había recuperado el terreno, por así decirlo, hectárea a hectárea, manzana a manzana, ladrillo a ladrillo. Pero no sin un coste personal. Alguna gente tiene éxito gracias a sus padres; otra, a pesar de ellos. El padre de Pilkington se había pasado cinco años en la cárcel y había terminado limpiando lavabos de hospital. Victor despreciaba la debilidad de aquel hombre, pero admiraba su fecundidad. Si no hubiese dejado embarazada a aquella dependienta adolescente en 1955, cuando la violó en el asiento trasero de su Daimler clásico (que se había hecho traer especialmente de Inglaterra), Victor no habría nacido jamás.

Es extraño cómo una familia puede festejar su grandeza, rastreando sus ancestros hasta los padres fundadores de Texas, sus cargos políticos, sus empresas y sus matrimonio dinásticos, mientras que el logro fundamental de otra familia puede simplemente ser su supervivencia. Había hecho falta una bancarrota y el encarcelamiento de su padre para que Victor aprendiese hasta qué punto es una proeza elevarse por encima del común de los mortales; pero hoy, en esta sala, sigue sintiéndose un fracasado.

Al otro lado del salón de baile, el senador Dowling está rodeado de lisonjeros, aduladores y manipuladores de la política. A las mujeres, sobre todo a las matriarcas, les gusta. Aquí están todas las familias de «dinero antiguo», incluido un joven Bush que cuenta historias de fútbol americano universitario. Todo el mundo se ríe: cuando uno es un joven de la familia Bush, no hace falta que las anécdotas tengan gracia.

Las puertas de la cocina se abren y salen cuatro camareros llevando un pastel de cumpleaños de dos pisos con velas. La banda de música *dixieland* empieza a tocar *Cumpleaños feliz*. El senador, con la mano en el corazón, hace reverencias en todas direcciones. Los fotógrafos están a la espera. Los *flashes* se reflejan en sus brillantes dientes brillantes. Su esposa se materializa a su lado, vestida con un diáfano vestido de noche negro y un collar de zafiros y diamantes. Lo besa en la mejilla y deja una marca de carmín, justo la imagen que llegará a las páginas de sociedad del Houston Chronicle el domingo.

Tres hurras, aplausos. Alguien bromea acerca del número de velas. El senador responde ingeniosamente. Pilkington se ha dado la vuelta y se ha acercado al bar. Necesita algo más fuerte: burbon con hielo.

—¿Qué edad tiene? —pregunta un hombre inclinándose hacia él, con la pajarita deshecha y colgando sobre el pecho.

—Cuarenta y cuatro. El senador del estado más joven en los últimos cincuenta años.

—No parece muy impresionado.

—Es un político; lo normal es que en algún momento resulte ser una decepción.

—Quizás él sea distinto.

—Espero que no.

—¿Y por qué?

—Sería como descubrir que Santa Claus no existe.

Pilkington se ha cansado de esperar. Tras caminar entre la multitud, llega al senador y le interrumpe a media anécdota.

—Lo siento, Teddy, te necesitan en otra parte.

La irritación se refleja en el rostro de Dowling mientras se excusa.

—Creo que deberías llamarme senador —le dice a Pilkington.

—¿Por qué?

—Porque lo soy.

—Te conozco desde que te la meneabas con el catálogo de JC Penney de tu madre, así que puede que tarde un poco en acostumbrarme a llamarte «senador».

Los dos hombres empujan una puerta y bajan a la cocina en el ascensor de servicio. En los fregaderos están lavando ollas de acero inoxidable; los platos de postre se acumulan en los mostradores. Cuando salen al exterior, el aire huele a lluvia recién caída y la luna se refleja en los charcos. En Main Street, el tráfico está parado en ambos sentidos.

El senador Dowling se deshace la pajarita. Tiene unas manos delicadas, femeninas, que combinan con sus pómulos y su pequeña boca, y un corte perfecto en el cabello oscuro, peinado con raya en el lado izquierdo. Pilkington saca un cigarro y pasa la lengua por el extremo, pero no lo enciende.

—Audie Palmer huyó de la cárcel hace dos noches.

El senador intenta evitar una reacción, pero Pilkington se da cuenta de la tensión en sus hombros.

—Dijiste que lo tenías controlado.

—Y lo está. Los perros rastrearon la pista hasta el pantano de Choke Canyon. Mide cinco kilómetros de ancho; lo más probable es que se ahogase.

—¿Y la prensa?

—Nadie ha reaccionado ante la noticia.

—¿Y si empiezan a hacer preguntas?

—No lo harán.

—¿Y si lo hacen?

—Cuando eras fiscal del distrito, ¿a cuántas personas procesaste? Hiciste tu trabajo. No hace falta que digas nada más.

—¿Y si no está muerto?

—Lo volverán a pillar y lo enviarán de vuelta a prisión.

—¿Y hasta entonces?

—Esperamos sin hacer nada. Toda la gente de los bajos fondos del estado estará buscando a Palmer. Lo atarán a una silla y le arrancarán las uñas una a una para descubrir qué pasó con el dinero.

—Aún podría hacernos daño.

—No. Recuerda que tiene una lesión en el cerebro; y procura también recordárselo a todo el mundo. Diles que Audie Palmer es un preso huido peligroso que debería haber acabado en la silla eléctrica, pero que los federales la cagaron. —Pilkington aprieta el cigarro entre los dientes, chupando las hojas a medio mascar—. Mientras, quiero que muevas unos cuantos hilos.

—Dijiste que estaba todo controlado.

—Para curarnos en salud.

11

*T*res guardias sacan a Moss arrastrando de la litera y lo obligan a arrodillarse, semidesnudo, en el suelo de hormigón. Uno de ellos le da un golpe de porra en la espalda, por puro rencor o resentimiento; tal vez por el sentimiento sádico que infecta a los hombres a quienes ponen al cargo de los presos.

Lo obligan a levantarse y le arrojan a los brazos un montón de ropa antes de sacarlo a la pasarela y obligarlo a pasar por dos puertas y a bajar por las escaleras. Sus calzoncillos baratos de algodón están perdiendo la elasticidad, por lo que se ve obligado a sostenerlos con una mano. ¿Por qué será que nunca lleva ropa interior decente cuando lo sacan de la celda?

Un guardia le ordena que se vista. Luego le ponen grilletes en las muñecas y en los tobillos, enganchados a una cadena que le rodea el torso. Sin más explicaciones, le hacen bajar la rampa y lo guían a un autobús de transporte de presos aparcado en el patio central. En él hay ya unos cuantos presos, encerrados en jaulas. Lo van a trasladar. Siempre lo hacen así: en mitad de la noche, cuando es menos probable que haya problemas.

—¿Adónde vamos? —le pregunta a otro preso.

—A alguna otra parte.

—Hasta ahí llego.

La puerta se cierra. Hay ocho presos aislados en jaulas metálicas de gruesos barrotes, con desagües en el suelo, cámaras de seguridad y asientos en los laterales. Un alguacil federal está sentado dando la espalda a la cabina del conductor, con una escopeta en el regazo.

Moss pregunta en voz alta:

—¿Adónde vamos?

No hay respuesta.

—Tengo mis derechos. Tienen obligación de decírselo a mi esposa.

Silencio.

El autobús atraviesa la puerta de entrada y enfila hacia el sur. Mientras los demás presos dormitan, Moss observa las señales de la carretera e intenta averiguar adónde se lo llevan. Los traslados nocturnos suelen ser de un estado a otro. Tal vez ese sea su castigo: le van a enviar a una cárcel de mierda en Montana, en el culo del mundo, a ochocientos kilómetros de casa. Una hora después, el autobús se detiene en la Unidad de Traslados de West Gaza, cerca de Beeville. Sacan a todo el mundo del autobús, excepto a Moss.

El autobús se vuelve a poner en marcha; Moss es el único preso que queda en él. El alguacil federal se ha ido y la otra persona que hay en el autocar es el conductor, cuya silueta se recorta detrás de una sucia mampara de plástico. Se dirigen hacia el nordeste, avanzando por la US 59 durante un par de horas antes de llegar a las afueras de Houston y girar hacia el sudeste. Si lo estuviesen trasladando a otro estado lo habrían llevado a un aeropuerto. Esto no tiene buen aspecto.

Justo antes del amanecer, el autobús sale de la vía de cuatro carriles y acaba por detenerse en un área de descanso desierta. Mirando a través de la malla de acero, Moss distingue sombras de árboles. No hay focos, ni torres de vigilancia, ni vallas de alambre de espino.

El conductor uniformado avanza por el pasillo central y se detiene junto a la jaula.

—En pie.

Moss se gira y mira hacia la ventana. Escucha cómo se abre

el candado y se corre el cerrojo; le cubren la cabeza con un saco de arpillera que huele a cebollas. Lo empujan hacia delante, con una porra o con el cañón de un arma; se cae por las escaleras, parando el golpe con las manos y las rodillas. Nota el tacto de gravilla, que se le clava en las palmas. El aire tiene un olor fresco, como el de un nuevo día a punto de empezar.

—Quédate aquí; no te muevas.

—¿Qué va a pasar?

—¡Cállate!

Oye pasos que se alejan, sonidos de insectos, su propia sangre palpitando en los oídos. Los minutos siguientes parecen horas. Moss distingue formas vagas a través del tejido holgado de la bolsa. Unos faros le cruzan la mirada; son dos vehículos. Rodean el autobús y se detienen un poco más allá.

Se abren puertas, se cierran. Dos hombres caminan sobre gravilla y se paran delante de él. Moss distingue las formas. Uno de ellos lleva un par de zapatos formales negros, muy limpios. Tiene sobrepeso, pero de pie y erguido da la impresión de ser más esbelto. El otro está más en forma, posiblemente sea más joven, y lleva botas de vaquero y pantalones marrones. Nadie parece tener demasiada prisa por hablar.

—¿Van a matarme? —pregunta Moss.

—Aún no lo he decidido —dice el hombre de más edad.

—¿Puedo decir algo?

—Depende.

Moss oye el sonido de una pistola al sacarla de la funda y quitar el seguro.

—No va a decir ni una palabra a menos que le haga una pregunta directa, ¿entendido?

Moss no responde.

—Esto era una pregunta directa.

—Sí, entendido.

—¿Dónde está Audie Palmer?

—No lo sé.

—Es una lástima. Albergaba la esperanza de que iba a poder llegar a algún acuerdo con usted.

93

La pistola se apoya en la cabeza de Moss, en el hueco debajo de la oreja derecha.

—Podemos llegar a un acuerdo —dice Moss.

—Dígame dónde está Audie Palmer.

Moss escucha amartillar la pistola.

—No puedo decirle algo que no sé.

—Ya no está en la cárcel. No hay motivo para que siga callado.

—Si lo supiese, se lo diría.

—A lo mejor solo está siendo leal.

Moss menea la cabeza. Ve colores danzar frente a sus ojos. Quizás es a lo que se refiere la gente cuando hablan de ver la luz o de ver sus vidas pasar por delante de los ojos cuando están a punto de morir. Moss está decepcionado: ¿dónde están las mujeres, las fiestas, los buenos tiempos? ¿Por qué no son esas las imágenes que ve?

El hombre joven hace un movimiento repentino y hunde el puño en el estómago de Moss. El golpe, profundo e inesperado, alcanza un lugar blando debajo del esternón. Moss abre la boca, exhala aire, no inhala; quizá nunca más vuelva a respirar. Una bota le patea la espalda, le hace caer de frente, de cara contra la hojarasca. Moss babea, se moja la barbilla.

—¿Qué sentencia tiene?

—Todo el día.

—La perpetua, ¿eh? ¿Cuántos años lleva?

—Quince.

—¿Tiene posibilidad de libertad provisional?

—Vivo con esa esperanza.

El hombre de más edad está en cuclillas al lado de Moss. Tiene una voz y una dicción melódicas, casi hipnóticas. Es un caballero del sur de la vieja escuela.

—Le voy a ofrecer un trato, señor Webster. Es un buen trato. Se podría decir que es un trato de los que solo pasan una vez en la vida, porque la alternativa es ver salir una bala por la órbita de su ojo.

Hay una pausa prolongada. La bolsa se ha arrugado y

Moss puede ver un trozo de hierba y una oruga avanzando hacia su boca.

—¿Qué trato es ese? —pregunta Moss.

—Voy a darle un momento para pensar en él.

—Pero no sé qué trato es.

—Quince segundos.

—No me ha dicho…

—Diez, nueve, ocho, siete, seis, cinco…

—¡Lo acepto!

—Buena decisión.

Obligan a Moss a sentarse. El olor de la orina le llena las fosas nasales y siente la humedad pegajosa que empapa la entrepierna de sus pantalones.

—Cuando nos vayamos de aquí, quiero que cuente hasta mil antes de quitarse la bolsa de la cabeza. Encontrará una camioneta aparcada por aquí, con las llaves en el contacto. En la guantera encontrará mil dólares, un teléfono móvil con un dispositivo GPS de seguimiento y un permiso de conducir. Si apaga el teléfono, lo pierde o alguien contesta cuando suene, la policía local informará al FBI de su huida de la prisión de Darrington, en el condado de Brazoria. También enviaré a seis hombres a la casa de su mujer (sí, sé dónde vive), que jugarán con ella de la forma que usted no ha podido hacerlo en los últimos quince años.

Moss no responde, pero nota que se le tensan los puños. El hombre del traje se ha vuelto a agachar. Los grilletes de las piernas se suben y dejan ver unos tobillos pálidos y sin pelo por encima de los calcetines negros. Aun sin poder ver los ojos del hombre, Moss sabe que lo está mirando fijamente, con la misma intensidad de un *catcher* de béisbol a la espera de una pelota rápida o de una nube de polvo.

—A cambio de su libertad, va usted a encontrar a Audie Palmer.

—¿Cómo?

—Utilizando sus contactos en los bajos fondos.

Moss tiene que contener la carcajada.

—Llevo quince años en la cárcel.

El comentario provoca una patada rápida. Moss se está cansando de recibir golpes.

—¿Es por el dinero? —pregunta, aguantando el dolor.

—Por mí, como si te lo quedas. Solo estamos interesados en Audie Palmer.

—¿Por qué?

—Tuvo la culpa de que muriesen personas. El único motivo de que se librase de ser procesado por asesinato fue que recibió un balazo en la cabeza.

—Y si lo encuentro, ¿qué pasa?

—Se pone en contacto con nosotros en el número que está programado en el teléfono.

—¿Y qué le pasará a Audie?

—Eso no es problema suyo, señor Webster. Ha bateado tres veces y no ha logrado dar ni un golpe. Ahora es su oportunidad de volver al juego. Encuentre a Audie Palmer y me aseguraré de que le conmuten el resto de la sentencia. Será libre.

—¿Cómo sé que puedo fiarme de usted?

—Hijo, he conseguido que le trasladen de una cárcel federal a una granja prisión del estado en la que ni siquiera le esperan. Si no encuentra a Palmer, pasará el resto de su miserable vida en la penitenciaría más dura y cruel de Texas. ¿Me ha entendido?

El hombre se inclina más cerca de Moss y tira el extremo empapado de un cigarro sin encender cerca de su rostro.

—Tiene usted una sola opción, señor Webster, y cuanto antes se dé cuenta de ello, más fácil será. Recuerde lo que le he dicho sobre ese teléfono móvil. Si lo pierde, se convertirá en un fugitivo.

12

Cada vez que Audie cierra los ojos, se enamora de nuevo. Ha sido así durante una docena de años, desde el primer momento que vio a Belita Ciera Vega y ella le cruzó la cara de un bofetón.

Belita llevaba un cántaro de agua desde la cocina, por un camino de cemento, para llenar el recipiente de una jaula en la que había dos loros grises africanos. El cántaro era pesado y el agua se desplazaba de lado a lado, derramándose por la parte de delante de su fino vestido de algodón. Parecía poco más que una adolescente, con un cabello largo tan oscuro que tenía una tonalidad violeta, como raso iluminado por una lámpara de luz negra, y trenzado como la cola de un caballo. Le llegaba hasta los riñones, donde se cruzaba con un lazo que sostenía el vestido.

Audie no esperaba encontrarse con nadie que viniese del lateral de la casa, y Belita tampoco. El cemento estaba caliente, y ella no llevaba puestas las sandalias; daba pequeños saltos de un pie a otro para evitar quemarse. Esto hacía que se derramase más agua; la parte de delante del vestido se le pegaba a la piel y los pezones destacaban como dos bellotas en el tejido.

—Deja que te ayude —dijo Audie.

—No, *señor*.[1]

---

1. En español en el original. A partir de este momento, se emplea la cursiva cuando esto sucede. *(N. de la E.)*

—Parece pesado.

—Soy fuerte.

Hablaba español. Audie sabía lo bastante como para entenderla. Le quitó el cántaro de las manos y lo llevó hasta la jaula. Belita se cubrió los pechos con los brazos y se quedó en la sombra, apartada del cemento caliente, esperando. Tenía los ojos pardos jaspeados de dorado, como canicas.

Audie miró más allá de los jardines y de la piscina hacia los espectaculares acantilados. En un día más claro podría haber visto el Pacífico.

—Menuda vista —dijo, con un leve silbido.

Belita miró hacia arriba al mismo tiempo que Audie se giraba. Los ojos del chico bajaron desde su rostro hacia su garganta y hacia sus pechos. Belita le dio una sonora bofetada en la mejilla izquierda.

—No me refería a ellos —dijo.

Ella le miró con desprecio y se dio la vuelta hacia la casa.

Él lo intentó de nuevo, en un español deficiente.

—*Lo siento, señorita. No quería mirar... eh... ah... sus...*

—No lograba recordar la palabra en español: ¿era «*tetas*» o «*pechos*»?

Ella no respondió. Actuó como si él no existiese. Se alejó balanceando de lado a lado su oscura melena y cerró la mosquitera dando un portazo. Audie esperó fuera, con la gorra de camionero en las manos. Sentía como si hubiera sucedido alguna cosa, una especie de revelación, pero era incapaz de comprender el significado. Echó una mirada hacia atrás, al camino de hormigón en el que los charcos de humedad ya se habían evaporado. No quedaba nada del incidente, salvo lo que él conservaba en la memoria.

Cuando ella volvió a aparecer, llevaba otro vestido, aún más gastado que el primero. De pie detrás de la mosquitera dijo, en mal inglés:

—*Señor* Urban no en casa. Tú vuelves más tarde.

—He venido a recoger un paquete, *sobre amarillo*. —Audie indicó sus dimensiones con gestos—. Dijo que estaría en la mesa lateral del estudio.

Ella lo miró con desdén y desapareció de nuevo. Audie contempló el vaivén del tejido al ritmo del movimiento de sus caderas. Lo hacía sin esfuerzo alguno, como agua deslizándose por una lámina de vidrio.

Volvió con el sobre. Audie lo cogió.

—Me llamo Audie.

Ella cerró la mosquitera y se giró, desapareciendo en la oscuridad y el frescor de la casa. Audie se quedó allí de pie, como un tonto. Ya no había nada que ver, pero siguió mirando de todos modos.

Según los números rojos del reloj digital, son poco más de los ocho, pero ya hace una hora que entra luz por el borde de la cortina. Cassie y Scarlett siguen dormidas. Audie se levanta en silencio y va al baño. Al pasar junto al pequeño escritorio ve las llaves del coche sobre la madera chapada. El llavero es una pata de conejo de color rosa.

Se pone los vaqueros y un suéter, baja la tapa del váter y se sienta para escribir una nota en papel del motel:

> He tomado prestado tu coche. Volveré dentro de un par de horas.
> Por favor, no llames a la policía.

Sale, se sienta al volante y toma la rampa de entrada a la Interestatal 45, que sale de Houston y se dirige hacia el norte. Como es domingo por la mañana, la autopista está tranquila; al cabo de media hora, ya ha salido de la ciudad y ha tomado la salida 77 hacia la avenida Woodlands, que transcurre junto a campos de golf, lagos y calles con nombres rústicos como Aserradero, Sendero de ciervos o Clerodendro. Se imagina mentalmente el mapa que memorizó al buscar una dirección en el ordenador de la biblioteca de la prisión de Three Rivers.

Deja el coche en el vacío aparcamiento de la Escuela Elemental Lamar, se pone unos pantalones cortos y sus zapatillas deportivas nuevas. Empieza poco a poco, trotando por senderos para bicicleta bajo los robles, arces y castaños. En las intersecciones hay señales de stop, y las casas están separadas de la calle por extensiones de césped y parterres con flores. Un chico que reparte periódicos pasa a su lado con una bicicleta con un pequeño remolque. Tira los periódicos como quien lanza un hacha, haciéndolos girar sobre sí mismos hasta que aterrizan en los porches o los caminos delanteros. Cuando Audie era adolescente, también repartía periódicos; pero su ruta no pasaba por barrios como este.

La luz del sol brilla a través de los árboles, creando patrones de luces y sombras en el asfalto debajo de sus pies. Ve hombres en el campo de golf, gordos como faraones, montados en brillantes carros eléctricos de color blanco. Este es su territorio: blanco, limpio, respetuoso con la ley, un retiro semicerrado, lleno de casas fabulosas, con mástiles de bandera y sofás-columpio en el porche, dando permanentemente la espalda a los vecinos.

Audie hace una pausa y apoya la pierna en una boca de riego, estirando los gemelos. Echa una ojeada a una casa de dos pisos con tejado a dos aguas y un porche que la rodea en tres de los lados. Un chico monta un monopatín en un cuadrado de hormigón, en la parte exterior de las puertas triples del garaje. El chico, de piel olivácea y cabello oscuro, se mueve grácilmente, con agilidad. Se ha fabricado una rampa con un trozo de contrachapado y dos bloques de hormigón. Se da impulso en el monopatín, un par de zancadas enérgicas antes de enfilar la rampa, hace girar el patín con un movimiento de los pies y aterriza.

Mira hacia arriba, haciéndose sombra en los ojos, y siente una pausa en la respiración. Debería seguir corriendo, pero se ha quedado paralizado en el lugar. Se inclina hasta que la frente casi le toca la espinilla. Detrás de él, un coche entra en el camino, aplastando cáscaras de nuez con los neumáticos. El chico impulsa el monopatín con el pie, lo hace girar en el aire y lo atrapa con la mano. Se aparta mientras se abre la puerta del garaje y el coche entra. De su interior sale una mujer con una bolsa de la compra de papel manila. Lleva vaqueros de color azul, zapatos planos y una blusa blanca. Le pasa la bolsa con las compras al chico y se dirige hacia donde está Audie por el camino. Durante un momento, Audie casi siente pánico. La mujer se inclina para recoger el periódico y lo mira disimuladamente, observando los cercos de sudor bajo sus brazos y el mechón de cabello pegado a la frente.

—Bonita mañana para salir a correr.

—Sí que lo es.

Se aparta un rizo dorado, dejando al descubierto el verde de los ojos y el brillo de los pendientes de diamantes en el lóbulo de las orejas.

—¿Vive por aquí?

—Me acabo de mudar.

—Creo que no lo había visto antes por aquí. ¿Dónde vive?

—Riverbank Drive.

—Es un sitio bonito. ¿Tiene familia?

—Mi mujer murió hace poco.

—Lo siento.

Se pasa la lengua por los dientes, blancos y pequeños. Audie mira al otro lado del césped; el chico está haciendo piruetas con el monopatín. Pierde el equilibrio y casi se cae, pero lo intenta de nuevo.

—¿Qué le ha hecho mudarse a las Woodlands? —pregunta ella.

—Trabajo en la auditoría de una empresa. Será solo cosa de unos meses, pero me han buscado una casa. Es demasiado grande, pero como pagan ellos... —Audie nota el sudor chorreando por la espalda. Se mueve hacia la casa—. No es tan bonita como esta.

—Debería hacerse socio del club de campo. ¿Juega al golf?

—No.

—¿Tenis?

Audie menea la cabeza. Ella sonríe.

—Eso limita bastante sus opciones.

El chico la llama, gritando algo sobre estar hambriento. Ella mira por encima del hombro y suspira.

—Max sería incapaz de encontrar leche en la nevera ni aunque el envase soltase un mugido.

—¿Se llama así?

—Sí. —Alarga la mano—. Yo soy Sandy. Mi marido es el *sheriff*. Bienvenido al barrio.

13

$\mathcal{M}$oss se palpa el bolsillo de la camisa, comprobando que tiene el sobre de dinero. Satisfecho, examina el menú plastificado, tragando la saliva que se acumula en su boca. Mira los precios. ¿Seis pavos por una hamburguesa?

La camarera tiene los ojos oscuros y la piel de color miel. Lleva pantalones cortos blancos, una blusa roja, y una actitud entusiasta que le debe de hacer ganar un montón de propinas.

—¿Qué le traigo? —pregunta; en la mano no lleva una libreta, sino una especie de cajita negra.

Moss señala con la uña en el menú.

—Tortitas, gofres, beicon, salchichas, huevos revueltos, huevos escalfados, huevos fritos... ¿Y qué es esa salsa cremosa?

—Salsa holandesa.

—Sí, de eso también. Y *hash browns*, judías y bizcochos con jugo de carne.

—¿Espera a alguien más?

—No.

La chica vuelve a mirar el pedido.

—¿Me toma el pelo?

Moss mira la placa del nombre.

—No, Amber, no te tomo el pelo.

—¿Se va a comer todo eso?

—Sí. Voy a salir de aquí andando como un pato, sosteniéndome el estómago.

Amber arruga la nariz.

—Querrá algo de beber, ¿no?

—Café y zumo de naranja. —Hace una pausa, piensa—. ¿Tienes pomelo?

—Sí.

—Empezaré con eso.

Amber se dirige a la cocina y Moss saca el teléfono móvil. Se maravilla de lo pequeño que es. Los teléfonos móviles solían ser ladrillos que solo usaban espías y tipos con traje. Ahora parecen pequeñas joyas o encendedores. Los ha visto en películas y en televisión, sonando con tono de niño malhumorado, y ha visto cómo la gente tocaba con los dedos la parte de delante, como si estuviesen enviando mensajes en morse.

¿A quién podía llamar? Para empezar, a Crystal, pero no quiere implicarla en esto. Hace quince años desde la última vez que la abrazó en condiciones. En circunstancias normales hablaban a través de una pantalla de Perspex, sin siquiera poderse tocar las manos; pasaban una hora juntos hasta que Crystal se volvía a San Antonio, donde trabajaba como enfermera en una clínica dental.

¿Y si espían sus llamadas? ¿Pueden hacerlo? ¿Mantendrán su parte del trato si consigue encontrar a Audie Palmer? Probablemente no. Lo van a joder haga lo que haga; le dirán que hacen una cosa y harán lo contrario, y sin dejar de sonreír todo el rato.

A lo mejor hay alguna otra forma de encontrar el dinero. Con siete millones de dólares, un hombre puede comprar un reino, o una isla, o una identidad nueva, o una nueva vida. Si conoce al agente de viajes del diablo, puede comprar un billete de salida del infierno.

Audie y él han sido amigos durante mucho tiempo, pero ¿qué importa eso cuando es tu vida lo que está en juego? En la cárcel, las amistades tienen que ver con la supervivencia y con el beneficio mutuo. ¿Por qué no le dijo Audie que iba a huir? Moss lo había ayudado a seguir vivo. Le había cubierto las espaldas. Le había conseguido un trabajo en la biblioteca de la cárcel y lo había organizado para que lo pusieran en la celda contigua para poder jugar al ajedrez por la noche, escribiendo cada movimiento en un trozo de papel y pasándoselo por el suelo de cemento. Audie tendría que habérselo dicho: se lo debía.

El cocinero sale de la cocina. Es un mexicano rechoncho y de piel oscura, con las mejillas tan marcadas por el acné que parece un lápiz mascado. La camarera señala a Moss. El cocinero asiente, con aspecto satisfecho. Amber le trae a Moss café y zumo de naranja.

—¿Pasa alguna cosa?

—El jefe quiere que pague por adelantado.

—¿Por qué?

—Cree que se largará antes de que le traigan la cuenta.

Moss se saca el sobre del bolsillo y cuenta tres billetes de veinte.

—A ver hasta dónde me alcanza con esto.

Amber mira el sobre con los ojos como platos. Moss le da otro billete, de diez esta vez.

—Esto es para ti.

Amber se mete el dinero en el bolsillo de atrás; su voz es ahora más baja, casi ronca. Moss nota cierta sensación. Es lo bastante viejo como para ser su padre, pero una sensación es una sensación. Esta chica no tiene amarguras ni rencores; la vida no la ha contaminado, ni lleva tatuajes, ni *piercings*, ni está desvaída, ni gastada, ni cansada. Se la imagina pasando con facilidad por el instituto, popular entre los chicos, agitando unos pompones en el campo de fútbol, haciendo la rueda y enseñando las bragas y una sonrisa luminosa. Ahora está en la universidad, trabajando a media jornada, el orgullo de sus padres.

—¿Tenéis cabina de teléfonos? —pregunta.

Amber echa un vistazo al teléfono móvil, pero no hace comentario alguno.

—En la parte de atrás, entre las puertas de los lavabos.

Le trae unas monedas. Moss marca el número, escucha los timbres. Crystal descuelga.

—Hola, cariño, soy yo —dice.

—¿Moss?

—El mismo.

—No sueles llamarme los domingos.

—Nunca adivinarías dónde estoy.

—¿Es una pregunta trampa?

—Estoy en un bar, a punto de comerme un desayuno fantástico.

Dos segundos de silencio.

—¿Estás colocado?

—No, cariño, estoy completamente sobrio.

—¿Te has escapado?

—No.

—¿Qué ha pasado?

—Me han dejado salir.

—¿Por qué?

—Es una larga historia. Te la contaré cuando llegues.

—¿Dónde estás?

—En el condado de Brazoria.

—¿Vas a venir a casa?

—Antes tengo que terminar un trabajo.

—¿Qué trabajo?

—He de encontrar a un tipo.

—¿A quién?

—A Audie Palmer.

—¡Ha huido! Lo he visto en las noticias.

—Creen que yo sé dónde está.

—¿Y lo sabes?

Moss se ríe.

—No tengo ni idea.

Crystal no le ve la gracia.

—¿Quién te ha pedido que lo encuentres?

—Mis patrones.

—¿Te fías de ellos?

—No.

—Moss, mira en qué lío te has metido.

—Calma, cielo, está todo controlado. Tengo que verte, en serio. Tengo la polla tan dura que hasta Dumbo estaría celoso, ¿me explico?

—No seas tan grosero —le riñe.

—Te lo digo de verdad, es tan grande que no me queda piel para pestañear.

—Cállate ya.

Moss le da su número de móvil y le dice que se encontrará con ella en Dallas.

—¿Por qué en Dallas?

—Es donde vive la madre de Audie Palmer.

—No puedo dejarlo todo y salir hacia Dallas.

—¿No me has oído? Tengo la polla…

—Vale, vale.

14

*E*l día que su hermano Carl disparó contra el policía fuera de servicio, Audie no llegó a casa hasta después de la hora de cenar. Había estado bateando en la jaula del instituto antes de pasar por casa de un amigo para tomar prestado un cortacésped. Tenía pensado sacar algo de dinero cuidando jardines antes de volver a la universidad.

Empujando el cortacésped por la acera resquebrajada, Audie volvió la esquina y cruzó la calle para pasar lejos del perro de los Henderson, que se desgañitaba ladrando cada vez que alguien pasaba junto a su casa. En ese momento vio los coches de policía con las luces intermitentes. El viejo Chevy de Audie estaba aparcado contra el bordillo, con las puertas y el maletero abiertos.

Los vecinos (los Prescott, los Walker, los gemelos Mason; Audie los conocía a todos) estaban de pie fuera de sus casas, viendo como una grúa enganchaba el Chevy.

Audie dio un grito: un agente se arrojó sobre el capó del coche con los brazos estirados, sosteniendo la pistola con las dos manos, con un ojo cerrado.

—¡MANOS ARRIBA! ¡YA!

Audie dudó. Un foco lo cegó. Apartó las manos de la segadora y las subió, como agarrando dos puñados de cielo. Más agentes surgieron de las sombras, como cangrejos.

—¡AL SUELO!

Audie se arrodilló.

—¡DEL TODO!

Se tumbó sobre el estómago. Alguien se sentó en su espalda mientras otro le presionaba el cuello con la rodilla.

—Tiene derecho a permanecer en silencio y a no contestar preguntas. ¿Lo ha entendido?

Audie no podía asentir porque tenía a alguien de rodillas en el cuello.

—Cualquier cosa que diga puede ser utilizada en su contra en un tribunal. ¿Lo ha entendido?

Audie trató de hablar.

—Si no puede pagar a un abogado, se le proporcionará uno de oficio, sin coste alguno.

Lo esposaron, le dieron la vuelta, rebuscaron en los bolsillos, se llevaron el dinero, lo metieron en el asiento trasero de un coche patrulla. Un *sheriff* se sentó a su lado.

—¿Dónde está tu hermano?

—¿Carl?

—¿Tienes más hermanos?

—No.

—¿Dónde está?

—No lo sé.

Llevaron a Audie a la comisaría de policía Jack Evans, en la calle South Lamar, y lo hicieron esperar dos horas en una sala de interrogatorios. Finalmente, vino un oficial, que se presentó como Tom Visconte. Tenía el pelo rizado, como un policía de serie de televisión de los años setenta, y unas gafas de sol encima de la cabeza. Se sentó delante de Audie y cerró los ojos. Pasaron unos minutos. Audie pensó que quizás el oficial se había quedado dormido; en ese momento, abrió los ojos y dijo en voz baja.

—Queremos tomar una muestra de tu ADN.

—¿Por qué?

—¿Te niegas?

—No.

Un segundo oficial entró, pasó un bastoncillo de algodón

109

por la parte de dentro de la mejilla de Audie, lo metió en un tubo de ensayo de cristal y tapó el tubo.

—¿De qué se me acusa?

—Cómplice de asesinato.

—¿Qué asesinato?

—El de esta tarde, en la tienda de licores de Wolfe.

Audie parpadeó.

—Buena mirada. Puede que al jurado le guste. Vieron tu coche alejándose de la tienda de licores.

—Yo no estaba conduciendo mi coche.

—¿Quién, entonces?

Audie duda.

—Sabemos que Carl estaba contigo.

—Yo no fui a la tienda de licores. Estaba bateando en la jaula.

—Si estabas bateando, ¿dónde está tu bate?

—En casa de mi amigo, el que me ha prestado el corta-césped.

—¿Esa es tu historia?

—Es la verdad.

—No me la creo —dijo Visconte—. Y creo que tú tampoco, así que te voy a dar un minuto para reflexionar.

—No cambiará nada.

—¿Dónde está Carl?

—Ya me lo ha preguntado.

—¿Por qué le disparó al agente Arroyo?

Audie negó con la cabeza. Se movían en círculos: el oficial le diría lo que había pasado como si tuvieran el caso perfectamente cerrado, con vídeo y testigos presenciales. Mientras, Audie menearía la cabeza y les diría que se equivocaban. Entonces recordó que se había tropezado con una chica con la que había ido a la escuela: Ashleigh Knight. Audie la ayudó con los neumáticos en la estación de servicio. Le preguntó por la universidad: Ashleigh estaba trabajando en Wal-Mart e iba a la academia de estética.

—¿A qué hora fue eso?

—Sobre las seis.

—Lo comprobaré —dijo Visconte, sin creerle—. Pero deja que te diga que las cosas no pintan bien para ti, Audie. La gente que mata a un policía, incluso como cómplice, va a la silla eléctrica. El jurado no va a distinguir quién de los dos fue el que apretó el gatillo. A menos, claro está, que tú seas el que coopera con la policía y entrega al otro.

Audie empezaba a sentirse como si oyera un disco rayado. No importaba las veces que contase la misma historia, manipulaban sus palabras y trataban de liarlo. Le dijeron que Carl había recibido un disparo, que estaba sangrando y que, si no recibía ayuda médica, podía morir. Que Audie podía salvarlo.

Treinta y seis horas más tarde, el interrogatorio terminó. A esas alturas, Visconte ya había hablado con Ashleigh y había examinado el vídeo de la estación de servicio. Audie no tenía dinero, así que regresó a su casa andando. Su madre y su padre no habían salido de casa en dos días. Había reporteros fuera, llenando el jardín de vasos de plástico y metiendo micrófonos delante de la cara de la gente.

En la mesa, a la hora de la cena, nadie habló. La comida pasaba de mano en mano, los cuchillos y los tenedores rascaban en los platos, el reloj hacía tictac en la pared. El padre de Audie parecía haberse encogido, como si el esqueleto se estuviese contrayendo dentro de la piel. Bernadette vino desde Houston cuando se enteró. Acababa de terminar su formación de enfermera y había encontrado trabajo en un gran hospital de la ciudad. El cuarto día, el número de periodistas se había reducido. Nadie tenía ninguna noticia de Carl.

Aquel domingo, Audie llegó tarde al trabajo en la bolera porque tuvo que tomar dos autobuses y caminar casi un kilómetro. La policía no le había devuelto el Chevy, que seguía siendo la prueba A del homicidio. Audie se disculpó por llegar tarde.

—Ya te puedes volver a casa —dijo el propietario.

—Pero hoy tengo turno.

—Ya lo he ocupado.

111

Abrió la caja registradora y le dio a Audie veintidós dólares de salario atrasado.

—También necesitaré que me devuelvas la camisa.

—No tengo otra para cambiarme.

—No es problema mío.

El propietario esperó mientras Audie se quitaba la camisa. No le dejaron subir en el autobús por no llevar camisa, así que se dispuso a caminar las siete millas hasta su casa. En el bulevar Singleton, delante de Gary's Car Yard, una camioneta se paró. La conducía una chica, Colleen Masters, una de las amigas *drogatas* de Carl. Era guapa, con el pelo teñido y demasiado rímel. Estaba nerviosa, inquieta.

—Entra.

—No llevo camisa.

—No estoy ciega.

Se deslizó en el asiento del pasajero, tímido por el hecho de llevar al descubierto el pecho, pálido y con manchas. Colleen se incorporó al tráfico, mirando los retrovisores.

—¿Hacia dónde vamos?

—A ver a Carl.

—¿Está en el hospital?

—¿Por qué no dejas de hacer preguntas?

No volvieron a cruzar palabra. Colleen condujo la renqueante camioneta hasta una chatarrería de Bedford Street, junto a las vías del tren. Audie vio una bolsa de papel en el asiento. Vendas, analgésicos, whisky.

—¿Está muy mal?

—Tú mismo.

Aparcó debajo de un enorme roble y le dio la bolsa a Audie.

—No voy a volver a hacer esto. Es tu hermano, no el mío.

Le tiró las llaves del coche a Audie y se fue caminando. Audie encontró a Carl en la oficina, encogido en una litera; la sangre empapaba los vendajes. El olor le hizo venir una arcada.

Carl abrió un ojo inyectado en sangre.

—Hola, hermanito. ¿Me has traído algo de beber?

Audie dejó la bolsa, echó whisky en un vaso y lo puso junto

a los labios de Carl. Su piel tenía un tono amarillo enfermizo que pareció pegarse a las yemas de los dedos de Audie.

—Voy a llamar a una ambulancia.

—No —susurró Carl—, no lo hagas.

—Te vas a morir.

—Todo irá bien.

Audie miró alrededor.

—¿Qué es este sitio?

—Antes era una chatarrería. Ahora no es más que un terreno lleno de chatarra.

—¿De qué lo conocías?

—Un colega mío trabajaba aquí. Siempre escondía las llaves en el mismo sitio.

Carl se puso a toser, contrayendo todo el cuerpo. Se tumbó, hizo una mueca; tenía sangre en los dientes.

—Tienes que dejarme que vaya a buscar ayuda.

—He dicho que no.

—No pienso quedarme viendo cómo te desangras.

Carl sacó una pistola de debajo de la almohada y apuntó a la cabeza de Audie.

—Y yo no voy a volver a la cárcel.

—No me vas a disparar.

—¿Estás seguro?

Audie se volvió a sentar, con las rodillas tocando el borde de la litera. Carl alcanzó la botella de whisky y miró en la bolsa de papel manila.

—¿Dónde están mis cosas?

—¿Qué cosas?

—¡Zorra traidora! Me lo prometió. Te voy a dar un consejo, hermanito: no te fíes nunca de un yonqui.

Las manos de Carl temblaban; el sudor perlaba su frente. Cerró los ojos con fuerza y las lágrimas brotaron de las arrugas.

—Por favor, deja que llame una ambulancia —-dijo Audie.

—¿Quieres hacer desaparecer el dolor?

—Claro.

—Te diré lo que tienes que comprar.

—No voy a comprarte drogas.

—¿Por qué? Tienes dinero. ¿No has estado ahorrando? Podrías dármelo.

—No.

—Lo necesito más que tú.

Audie meneó la cabeza. Carl respiró ruidosamente. Durante un rato, nadie dijo nada. Audie miró cómo una mosca se paseaba por el fétido vendaje, chupando pus y sangre seca. Luego, Carl preguntó:

—¿Recuerdas cuando íbamos a pescar al lago Conroe?

—Sí.

—Dormíamos en esa cabaña de madera cerca de Wildwood Shores. No era gran cosa, pero se podía pescar desde el mismo embarcadero. ¿Recuerdas aquella vez que pescaste un róbalo de siete kilos? Tío, pensé que aquel pez te iba a tirar de la barca. Tuve que aguantarte por el cinturón.

—Estabas gritándome para que mantuviese tenso el sedal.

—No quería que lo perdieses.

—Pensaba que estabas furioso conmigo.

—¿Por qué?

—Porque aquel pez deberías haberlo pescado tú. Me dejaste la caña para que la aguantase mientras sacabas una cerveza de la nevera para papá. Fue entonces cuando picó.

—No estaba furioso: estaba orgulloso de ti. Fue un récord júnior del estado. Hasta te sacaron en el periódico y todo. —Carl sonríe; puede que sea una mueca de dolor—. Qué buenos tiempos, tío. El agua era cristalina. No como en el río Trinity; allí solo se pescan cadáveres o peces aguja. —Volvió a respirar con dificultad—. Quiero ir allí.

—¿Al lago Conroe?

—No, al río. Quiero ver el río.

—No te voy a llevar a ninguna parte que no sea un hospital.

—Llévame al río y luego puedes hacer lo que quieras, te lo prometo.

—¿Y cómo voy a llevarte allí?

—En la camioneta.

Audie miró por la ventana hacia el patio de maniobras, a los vagones oxidados que hacía veinte años que no se movían. Las cortinas hechas jirones ondeaban como apariciones. ¿Qué podía hacer?

—Te llevaré al río, pero luego iremos al hospital.

La mente de Audie regresa al presente. Está debajo de las ramas dobladas de un sauce, mirando en secreto la misma casa y pensando en el chico. Ella dijo que se llamaba Max. Parecía tener quince años; era de complexión delgada, rostro triangular y ojos marrones separados. Estaría en octavo curso. ¿Qué les gusta a los chicos de quince años? Las chicas, las películas de acción, las palomitas, los héroes, los videojuegos.

Es domingo al mediodía y las sombras se encorvan debajo de los árboles, como tratando de ocultarse de la parte más cálida del día. Max sale de la casa y se impulsa por la acera sobre el monopatín, saltando por encima de las grietas y evitando a una mujer que está paseando al perro. Cruzando Woodlands Parkway, se dirige al norte, hacia la calle Market y The Mews, donde se compra un refresco y se sienta al sol en un banco de Central Park, balanceando el monopatín entre sus deportivas.

Mira en ambas direcciones por encima del hombro, se pone un cigarrillo en los labios y lo enciende con una cerilla, protegiéndolo con las manos; luego la agita en el humo. Audie sigue su mirada hasta una chica que trabaja en el escaparate de una de las tiendas. Está poniéndole un vestido a un maniquí, pasándolo por la calva cabeza de plástico, por los hombros y el cuerpo con curvas de reloj de arena. La chica tiene aproximadamente la edad de Max; puede que sea un poco mayor. Cuando se inclina, se le sube la falda y casi se le pueden ver las bragas. Max recoge el monopatín y se lo pone en el regazo.

—Eres demasiado joven para fumar —dice Audie.

—Tengo dieciocho años —contesta Max, girándose bruscamente e intentando hablar con una voz una octava más grave.

—Tienes quince años. —Audie se sienta y abre un brik de
batido de cacao.

—¿Cómo lo sabe?

—Lo sé.

Max apaga el cigarrillo y mira a Audie con dureza, tratando
de averiguar si quizá podría conocer a sus padres.

Audie alarga la mano y se presenta con su nombre real.
Max mira la mano extendida.

—Estaba hablando con mi madre esta mañana.

—Así es.

—¿Va a decirle que fumo?

—No.

—¿Qué hace aquí sentado?

—Estoy descansando.

Max vuelve a mirar hacia el escaparate de la tienda; la chica
le está poniendo un aparatoso collar al maniquí. Se da la
vuelta, mira por el escaparate y saluda con la mano. Max devuelve el saludo tímidamente.

—¿Quién es?

—Una chica de la escuela.

—¿Cómo se llama?

—Sophia.

—¿Es tu novia?

—¡No!

—Pero te gusta.

—Yo no he dicho eso.

—Es guapa. ¿Has hablado con ella alguna vez?

—Vamos juntos.

—¿Y eso qué quiere decir?

—Que estamos en el mismo grupo, o algo así.

Audie asiente y da otro trago al batido de chocolate.

—Cuando yo tenía más o menos tu edad me gustaba una
chica, Phoebe Carter. Me daba miedo pedirle que saliese conmigo. Creía que solo quería ser amiga mía.

—¿Y qué pasó?

—La llevé a ver *Parque jurásico*.

—Todo el mundo ha visto esa película.

—Bueno, entonces era una novedad y daba bastante miedo. Y cuando Phoebe se asustaba, se sentaba en mi regazo. Es lo único que recuerdo de esa película.

—Qué tontería.

—Seguro que si Phoebe Carter se sentase en tu regazo no pensarías que es una tontería.

—Seguro que sí, porque Phoebe Carter ya debe de ser vieja.

Audie se ríe; Max también.

—A lo mejor deberías decirle a Sophia si quiere ir al cine contigo.

—Tiene novio.

—¿Y qué? No tienes nada que perder. Una vez conocí a una mujer que tenía un novio realmente malo. Yo trataba de hacer que lo dejase, pero ella creía que no necesitaba que nadie la rescatase. La verdad era que sí lo necesitaba.

—¿Qué tenía de malo su novio?

—Era un delincuente, y ella era una esclava.

—Ya no quedan esclavos. Se emanciparon en 1865.

—Ya, pero eso solo fue un tipo de esclavitud. Hay muchos más.

—¿Y qué pasó?

—Se la tuve que arrebatar.

—¿Era un tipo peligroso?

—Sí.

—¿Fue a buscarte?

—Sí y no.

—¿Qué quiere decir eso?

—Un día te contaré la historia.

Un policía de uniforme los observa a unos cincuenta metros. Se está comiendo un sándwich. Después de terminar el último bocado se acerca al banco, limpiándose las migas de la camisa. Max mira hacia arriba.

117

—Hola, agente Gerard.

—¿Dónde está tu padre?

—Hoy trabaja.

El agente mira a Audie con curiosidad.

—¿Y quién es este?

—Max y yo estábamos dándole a la sinhueso —dice Audie.

—¿Vive por la zona?

—Me acabo de mudar a la otra esquina de la casa de Max. Esta mañana he conocido a su madre.

—Sandy.

—Parece muy amable.

El agente asiente y tira el envoltorio del bocadillo en la papelera. Se toca el borde de la gorra con el dedo para despedirse. Y Audie y el chico lo miran alejarse.

—¿Cómo sabía mi nombre? —pregunta Max.

—Me lo dijo tu madre —dice Audie.

—¿Y por qué me mira fijamente todo el rato?

—Me recuerdas a alguien.

El adolescente vuelve a mirar hacia el escaparate; Sophia ya no está.

—Recuerda lo que te he dicho —dice Audie, poniéndose de pie.

—¿Lo que me ha dicho sobre qué?

—Sobre que le pidas salir.

—Sí, claro —dice Max con sarcasmo.

—Mientras, quiero que me hagas un favor: deja de fumar. No es bueno para tu asma.

—¿Cómo sabe que tengo asma?

—Lo sé.

*C*assie le da un puñetazo en el estómago a Audie. Fuerte.

—¡Me has robado el coche!

—Lo he tomado prestado —dice Audie, sin aliento.

—¡No intentes tomarme el pelo! Para eso tendrías que habérmelo preguntado antes.

—Estabas dormida.

—Veremos qué opina un juez. ¿Es que tengo aspecto de estúpida? —Cassie se masajea la mano—. Dios, eso ha dolido. ¿Estás hecho de cemento o algo así? ¿Adónde has ido?

—Tenía que ir a anular las tarjetas de crédito.

—Es domingo. Los bancos no abren.

—Tenía que ver a unas personas.

—¿A quién?

—Mi hermana vive en Houston.

—¿Tu hermana?

—Sí.

—¿Por qué no te quedas en su casa?

—Hace tiempo que no nos vemos.

Cassie no acaba de creérselo; sostiene en alto la pistola eléctrica.

—¿Quieres una dosis de esto?

La dulzura que en algún momento hubiera podido ver en Cassie se ha esfumado bajo una armadura de ira y resentimiento, sus defensas naturales. La chica se da la vuelta y arrastra la maleta a la cama en la que está tumbada Scarlett, viendo el canal Disney.

—Venga, que nos vamos.

—Pero me gusta este sitio —dice Scarlett.

—¡Haz lo que te digo!

Cassie recoge la ropa húmeda del baño y la mete en la maleta.

—Siento mucho lo del coche —dice Audie—. No volverá a pasar.

—Eso seguro.

—Venga, os llevo a cenar. Iremos a algún sitio bonito.

Scarlett mira a su madre, expectante.

—¿Has gastado toda la gasolina? —pregunta Cassie.

—He llenado el depósito.

—De acuerdo. Cenamos y nos vamos.

Cassie elige el restaurante. Conducen a un Denny's; en el menú plastificado hay fotos de todos los platos.

—Me gusta ver lo que voy a comer —explica ella, y pide un bistec y una patata rellena.

Scarlett come espaguetis con albóndigas. Entre bocado y bocado colorea un dibujo con trozos de lápices de cera que coge de una caja. Después de acabar de comer, de que retiren los platos y de que se pongan a comentar lo que van a tomar de postre, Cassie parece haberse sosegado.

—¿Qué harías si tuvieras un millón de dólares? —le pregunta a Audie, como si formase parte natural de la conversación.

—Le compraría un riñón nuevo a mi madre.

—¿Qué le pasa al suyo?

—No funciona muy bien.

—¿Cuánto costaría un riñón nuevo?

—No estoy seguro.

—Pero te quedaría dinero, ¿no? Un solo riñón no costará un millón, ¿no?

Audie asiente y le pregunta a Cassie qué haría ella con un millón de dólares.

—Me compraría una casa, ropa bonita y un coche nuevo. Abriría mi propio salón de belleza…, o a lo mejor una cadena de ellos.

—¿Irías a visitar a tu padre?

—Solo para restregárselo por la cara.

—Con la exaltación del momento, decimos muchas cosas que no pensamos.

Cassie se queda callada, pasando el dedo por un cerco de condensación que hay en la mesa.

—¿Quién es ella?

—¿Cómo?

—Anoche, cuando dormías, no hacías más que repetir un nombre de mujer.

Audie se encoge de hombros.

—Debe de ser alguien. ¿Tu novia?

—No.

—¿Esposa?

Audie cambia de tema: le habla a Scarlett de su dibujo y la ayuda a elegir los colores. Después de pagar la cuenta se pasean y curiosean por las paradas de baratijas.

De vuelta al motel, Audie entra en el baño, pasa el cerrojo de la puerta y examina su reflejo en el espejo. Saca de la bolsa el cortapelo y se lo pasa una y otra vez por el cuero cabelludo, como si estuviese segando el césped de un jardín en miniatura. Los mechones oscuros caen en el lavamanos. Luego se mete bajo la ducha, extendiendo los brazos y poniendo la cara bajo el chorro. Cuando sale, parece como si se hubiese alistado en el ejército.

—¿Por qué te *haz* cortado el pelo? —pregunta Scarlett.

—Quería un cambio.

—¿Lo puedo tocar?

Se pone de pie en la cama y pasa la palma de la mano por el pelo, cortísimo, mientras se ríe. De golpe, se para.

—¿Qué ez *ezto*?

Ha visto las cicatrices. Ahora, con el pelo tan corto, son más visibles. Cassie cruza la habitación y agarra la cabeza de

Audie con las dos manos, orientándola hacia la luz. Es como si le hubiesen hecho añicos el cráneo y lo hubiesen vuelto a pegar como si fuera un jarrón roto. Tiene más cicatrices en los antebrazos, como gusanos grises y planos que se enrollan alrededor de sus músculos. Heridas defensivas; recuerdos de la cárcel.

—¿Quién te hizo esto?

—No le pregunté el nombre.

Cassie le da un empujón y se dirige al baño. Llena la bañera para Scarlett y no vuelve hasta que la niña está jugando en ella. Se sienta en la cama de enfrente, apoya las manos en el regazo y mira fijamente a Audie, que se ha puesto una camisa de manga larga para ocultar los antebrazos.

—¿Qué significa todo esto?

Audie la mira e intenta entender la pregunta.

—Llevas gafas oscuras y gorra de béisbol, y bajas la cabeza cada vez que pasamos por delante de una cámara. Y ahora te has cortado el pelo. ¿Eres un fugitivo?

Audie exhala, casi sintiendo alivio.

—Hay gente que me busca.

—¿Traficantes de droga, delincuentes, gente que quiere que pagues una deuda, policía?

—Es una larga historia.

—¿Le has hecho daño a alguien?

—No.

—¿Has quebrantado alguno de los diez mandamientos?

—No.

Cassie suspira y pone un pie encima del otro, como si fuese una niña. Tiene el pelo tan rubio que sus cejas oscuras, que suben y bajan cuando habla, contrastan como si fueran pintadas.

—Ya es lo bastante malo que me mintieras y que robases mi coche...

—No soy ningún criminal.

—Actúas como si lo fueras.

—No es lo mismo.

Scarlett aparece en la puerta del baño, envuelta en una toalla. El vapor le ha alisado los rizos.

—No quiero dormir en el coche, mamá. *¿Podemoz quedarnoz* aquí?

Cassie vacila; abraza a su hija con los brazos y las piernas, como quien se agarra a un árbol en una inundación. Luego mira hacia Audie por encima del hombro desnudo de la niña.

—Una noche más.

123

16

$\mathcal{G}$eneralmente, Ryan Valdez no lleva el coche patrulla a su casa. Prefiere usar la camioneta porque es menos llamativa, aunque más popular que los coches de sus vecinos en The Woodlands: BMW, Mercedes o todoterrenos de lujo.

Sandy dice que, cuando lleva la camioneta, parece un paleto.

—A lo mejor es que soy un paleto.

—No digas eso.

—¿Por qué?

—Porque así no vas a encajar nunca.

Encajar es importante para Sandy, y a veces a Valdez le parece que su mujer se siente más avergonzada por su uniforme que por el coche que lleva. No es que los vecinos no respeten a la policía o no crean que lleva a cabo una función vital, pero eso no significa que les apetezca socializar con un *sheriff* del condado. Es un exceso de cercanía; como cenar con tu proctólogo.

A Valdez le había costado casi un año que lo admitieran para hacerse socio del club de campo, incluso después de que su tío, Victor Pilkington, moviera algunos hilos. Antes, Ryan y Sandy habían celebrado barbacoas y noches de cata de vinos, y ella había iniciado un club de lectura, pero nada de eso les había abierto puertas ni había hecho que recibiesen más invitaciones. Vivir en Woodlands era como volver al instituto; solo que, en lugar de frikis, deportistas, músicos de la banda y animadoras, ahora había personajes de la sociedad, padres con los hijos fuera de casa, miembros del club de campo, republicanos (patriotas) y demócratas (socialistas). Valdez no sabía en qué grupo encajaba él.

Enfila el camino, espera a que las puertas del garaje se abran y echa un vistazo al glorioso edificio de teja y ladrillo que le costó más de un millón de dólares. Las altas ventanas en arco reflejan el sol de la tarde y las sombras caen sobre el jardín como charcos de aceite.

Entra en la casa y llama; parece que no hay nadie. Coge una cerveza de la nevera y sale al patio. Entonces ve al chico haciendo largos, recorriendo la piscina de lado a lado con brazada fácil. Max se da la vuelta y mira hacia el cielo mientras se impulsa de espaldas, el agua lamiendo sus hombros. Cuando llega al otro extremo, se detiene y se pone de pie.

—Hola.

Max no responde.

—¿Dónde está tu madre?

Se encoge de hombros.

Valdez trata de pensar en otra pregunta. ¿Cuándo se hizo tan difícil hablar con su hijo? El chico sale del agua y se pone una toalla atada en la cintura, a modo de *sarong*. El sol de la tarde ilumina el césped con un tono amarillento. Max se sienta en una tumbona y bebe de una lata de vivos colores con una pajita.

—¿Dijo algo de la cena? —pregunta Valdez.

—No.

—Improvisaré alguna cosa.

—Voy a salir.

—¿Adónde vas?

—A casa de Toby. Tenemos un trabajo de Biología.

—¿Por qué no puede venir Toby aquí?

—Es él quien tiene las cosas.

—¿Conozco a Toby?

—No lo sé, papá. ¿Conoces a Toby? Tendré que preguntárselo a él.

—No me hables de esa forma.

—¿De qué forma?

—Ya sabes a lo que me refiero.

Max se encoge de hombros como si no tuviera ni idea. Valdez siente que algo hace clic en su interior y agarra al chico del pelo, irguiéndolo. Su campo de visión se ha reducido y parece estar viendo el mundo a través de un cristal tintado.

—¿Crees que puedes hablarme así? Pongo un techo sobre tu cabeza. Pongo comida en tu estómago. Pago ese teléfono que llevas, la ropa que te pones y el ordenador de tu habitación. Trátame con respeto o te ahogo en la puta piscina. ¿Me has entendido?

Max asiente, conteniendo las lágrimas.

Valdez lo empuja, avergonzado, queriendo disculparse, pero el adolescente ya se dirige hacia la cabaña junto a la piscina, cierra la puerta y abre la ducha. Maldiciendo, Valdez tira la lata de cerveza al otro lado del jardín, donde rebota y escupe espuma. El chico lo ha provocado. ¡¿Con qué derecho?! Ahora se lo dirá a su madre y aún habrá más problemas. Tomará partido por Max, como hace siempre. El chico también podría poner las cosas un poco más fáciles, mostrar más respeto. Ya no hay terreno común. Ya no miran partidos de los Rangers juntos, ni juegan con la Xbox, ni le toman el pelo a Sandy sobre su forma de cocinar.

Le viene a la memoria una imagen de Max: un niño disfrazado con un sombrero vaquero, cogiendo la mano del *sheriff*. Eran grandes amigos, padre e hijo, socios. Estaban cerca el uno del otro. Su cólera se disuelve. No es culpa de Max; tiene quince años y hace lo que hacen todos los adolescentes: rebelarse contra sus padres, forzar los límites. Valdez tenía una relación complicada con su padre cuando tenía más o menos la misma edad, y su padre no toleraba que le contestasen con impertinencia.

Según Sandy, es una fase por la que pasan los chicos. Las hormonas, la adolescencia, la presión de los demás, las chicas. ¿Por qué Max no se limita a masturbarse cuatro veces al día, como cualquier otro adolescente? O mejor aún, Valdez podría llevarlo a un burdel, uno de los limpios, para hacerle pasar la amargura al chico. Sandy siempre decía que tenían que hacer más cosas de las de padre e hijo. Sonríe para sí: si se llevase a Max a acostarse con una mujer, le daría un síncope.

Oye deslizarse una puerta y se da la vuelta. Sandy entra en el patio y lo rodea con los brazos. Está despeinada y tiene ese *sexy* olor a sudor.

—¿Dónde has estado? —pregunta.

—En el gimnasio.

Por encima de ellos, Valdez oye el grito de un halcón, o quizás es un águila pescadora. Levanta la barbilla y se hace sombra en los ojos, pero solo es capaz de ver una silueta.

—Hoy te he intentado llamar. Tu móvil estaba apagado.

—Anoche lo dejé en alguna parte y hoy no lo encontraba.

Max sale de la cabaña y cruza el césped. Le da un beso a Sandy en la mejilla. Ella le desordena el pelo húmedo. «¿Qué tal la escuela? ¿Tienes deberes? ¿A casa de Toby? De acuerdo. No vuelvas tarde».

Más tarde, Valdez se sienta en el banco de la cocina y observa a Sandy preparar la comida. Tiene el rubio pelo corto, rizado en las puntas; sus ojos verdes poseen una cualidad misteriosa que hace que los hombres se la queden mirando más tiempo del que debieran. ¿Cómo logró convencerla para que se casase con él? Espera que fuese amor, y que lo siga siendo.

—He pensado en llevarme a Max de *camping* el fin de semana que viene.

—Ya sabes que no le gusta mucho la naturaleza.

—¿Recuerdas unas vacaciones en que fuimos a Yosemite? Max debía de tener siete años. Aquel viaje le encantó. —Sandy lo besa en la coronilla—. Tienes que dejar de forzar tanto la situación.

Valdez mira hacia las puertas del patio; dos patos se han posado en la piscina. No quiere dejar de forzar la situación. Si pudiese volver el tiempo atrás, a la época en que Max era feliz dando patadas a un balón o jugando al corre que te pillo…

—Dale tiempo —dice Sandy—. Ahora mismo, no se gusta tal como es.

—¿Y quién crees tú que es?

—Es nuestro hijo.

Después de terminar de comer se sientan juntos en el sillón-columpio del porche. Sandy tiene la rodilla apoyada en el hueco del codo y se pinta las uñas de los pies con un minúsculo pincel que sostiene entre el pulgar y el índice.

—¿Cómo ha ido el trabajo? —pregunta.

—Tranquilo.

—¿Me vas a contar por qué tuviste que ir hasta el condado de Live Oak?

—Iba a visitar a alguien.

—¿A quién?

—A un preso que estaba a punto de ser puesto en libertad. Se fugó un día antes.

—¿Por qué iba a hacer una cosa así?

—Eso no es lo más importante.

Sandy baja la pierna y se lo queda mirando, a la espera de una explicación.

—¿Recuerdas el tío que sobrevivió al asalto del furgón blindado?

—¿Al que le disparaste?

—Ese mismo. Intenté que siguiera encerrado, pero la junta de libertad condicional decidió soltarlo. Si no se hubiera fugado, estaría fuera de todos modos. Fui a la prisión para hablar con el alcaide, pero Palmer ya se había esfumado.

Sandy se sienta más erguida y entorna los ojos.

—¿Es peligroso?

—Probablemente, a estas alturas, ya esté en México.

Valdez la abraza y ella se apoya contra él, poniendo su antebrazo entre los pechos y la cabeza en el hombro de él. Valdez quiere dejarlo correr, pero alcanza el teléfono y rebusca entre las imágenes.

—Este es el aspecto de Palmer —dice, enseñándole a Sandy una fotografía reciente.

—¡Yo lo he visto! —dice, con los ojos abiertos como platos.

—¿Cómo?

—Hoy. Al lado de casa —dice, tartamudeando—. Estaba corriendo, haciendo deporte. Me ha dicho que se acababa de mudar a la otra esquina. Pensé que se refería a la casa donde vivían los Whitaker.

Valdez se ha puesto de pie y está deambulando por la casa, mirando a través de las cortinas, con los pensamientos activados. Comprueba las cerraduras en puertas y ventanas.

—¿Viste algún vehículo?

Sandy niega con la cabeza.

—¿Qué más dijo?

—Dijo que era viudo… y que estaba haciendo una especie de inspección. ¿Por qué vino aquí?

—¿Dónde está la pistola que te compré?

—En el piso de arriba.

—Ve a buscarla.

—Me estás asustando.

Valdez marca un número en el teléfono y comunica con una centralita. Transmite la información, solicita una orden de busca y captura para Audie Palmer y coches patrulla adicionales en el barrio.

—Pero has dicho que a estas alturas ya estaría en México —recuerda Sandy—. ¿Por qué iba a venir aquí?

Valdez ha ido a por la pistola y le ha puesto el cargador.

—A partir de ahora, llévala a todas partes.

—No pienso llevar una pistola.

—Haz lo que te digo.

Valdez coge las llaves.

—¿Adónde vas?

—A buscar a Max.

129

17

*E*l motel Shady Oaks está al lado mismo de la Autopista Tom Landry. Es un edificio funcional de los años setenta, y más feo que pegarle a un padre. Moss aparca la desvencijada camioneta enfrente de su habitación y se da una ducha antes de tumbarse en la cama, mientras espera a Crystal. Cuando llega, lleva gafas oscuras y un impermeable negro brillante, como si se estuviese ocultando de los *paparazzi*. Moss abre la puerta y Crystal se lanza a sus brazos, rodeándole la cintura con las piernas y besándolo con pasión mientras lo empuja hacia atrás a la habitación. Mira alrededor.

—¿No has podido encontrar un sitio mejor?

—Hay un *jacuzzi*.

—¿Qué quieres, que me contagie de cólera?

La coge de la mano.

—No, quiero que sientas esto.

Sus ojos se abren como platos.

—Me estás malcriando.

—Cuanto más blando es el pan, más dura es la mantequilla. Y tu pan es muy blando, nena.

Crystal se ríe, deja caer el abrigo y le desabrocha el cinturón.

—¿De dónde has sacado la ropa?

—Me la dejaron en el coche.

—¿Tienes un coche?

—Sí.

Lo empuja hasta la cama y se monta sobre él. Ninguno de ellos dice una palabra hasta que no están sudorosos y exhaustos. Mientras Crystal va al baño, Moss se queda tumbado en la cama, medio tapado con una toalla.

—No te pongas demasiado cómoda —grita.

—¿Por qué no?

—Porque voy a repetir lo que acabo de hacer en cuanto se me pase la caraja.

Crystal tira de la cadena y se vuelve a tumbar en la cama, a su lado. Saca un cigarrillo del bolsillo del impermeable, lo enciende y se lo pone a Moss entre los labios antes de encenderse uno para ella.

—¿Cuánto tiempo hacía?

—Quince años, tres meses, ocho días y once horas.

—Veo que llevas la cuenta.

—No, pero es más o menos eso.

Crystal quiere que Moss le hable de Audie Palmer y de los millones perdidos. Lo escucha sin interrumpir, aunque hay fragmentos de la historia que la hacen removerse de incomodidad.

—¿Quiénes son esa gente?

—No tengo ni idea, pero deben de ser muy poderosos para conseguir sacarme de allí.

—¿Y te van a dejar quedarte con el dinero?

—Eso es lo que me dijeron.

—¿Y te lo crees?

—No.

Crystal tiene la cabeza apoyada en el brazo de Moss, y la pierna sobre su cintura.

—Entonces ¿qué piensas hacer?

Moss aspira el cigarrillo y hace un aro de humo, que sube hacia el techo hasta que la corriente del aire acondicionado deshace esa forma fantasmal.

—Encontrar a Audie Palmer.

—¿Cómo?

—Su madre vive en Westmoreland Heights, a menos de dos kilómetros de aquí.

—¿Y si ella no sabe nada?

—Le preguntaré a su hermana.

—¿Y luego?

—¡Por Dios, mujer, estoy intentando no adelantar acontecimientos! Un poco de fe, por favor. Si alguien puede encontrar a Audie, ese soy yo.

Crystal aún no está del todo convencida.

—¿Cómo es?

Moss piensa un momento en la respuesta.

—Audie es inteligente, en el sentido de los libros, pero no es muy listo. Yo le enseñé a cuidarse las espaldas; él, a cambio, me enseñó otras cosas.

—¿Qué cosas?

—Filosofía y cosas así.

Crystal suelta una risita.

—¿Qué sabes tú de filosofía?

Moss le da un pellizco por reírse de él.

—Bueno, un día yo estaba tratando de escribir una carta al tribunal de apelación y me estaba frustrando, así que le dije a Audie «Solo sé que no sé nada», y él me dijo que acababa de citar a un filósofo famoso, un tal Sócrates. Audie dice que es inteligente tener dudas y cuestionarlo todo. Lo único que podemos saber con seguridad es que no sabemos nada con seguridad. —Mira a Crystal—. No sé si eso tiene mucho sentido.

—No, pero suena inteligente.

Crystal se da la vuelta de costado y aplasta la colilla en el cenicero. Una voluta de humo se eleva hacia el techo. Crystal le coge la mano a Moss y se da cuenta de que no lleva la alianza. Se sienta en la cama y le dobla el dedo hacia atrás hasta que grita de dolor.

—¿Dónde está?

—¿Dónde está qué?

—La alianza.

—Se la llevaron cuando me metieron en confinamiento solitario y no me la devolvieron.

—¿Se lo pediste amablemente?

—Luché por ella, nena.

—No estarás haciéndote pasar por soltero, ¿verdad?

—Ni en sueños.

—Porque, si pensara que estás siendo infiel, te cortaría en
trocitos y te tiraría a los perros. ¿Está claro?

—Como el cristal.

18

*E*l teléfono móvil está dando saltitos sobre la mesa de la cocina. La agente especial Desiree Furness lo atrapa antes de que se caiga al suelo. La llama su jefe, con la voz ronca y tono de estar medio dormido. No es una persona de mañanas.

—Ayer por la mañana vieron a Audie Palmer en The Woodlands.

—¿Quién lo vio?

—La esposa de un *sheriff*.

—¿Y qué hacía Palmer en The Woodlands?

—Corría.

Desiree coge la chaqueta y se guarda la pistola en la funda sobaquera. Mascando aún un trozo de tostada, baja las escaleras exteriores y saluda a su casero, el señor Sackville, que vive en el piso de abajo y vigila sus idas y venidas por una rendija en las cortinas. Conduce hacia el norte, en sentido contrario al tráfico de la hora punta, y se detiene al cabo de veinte minutos delante de una gran casa, oculta a medias por los árboles. En el camino de entrada hay aparcado un coche patrulla, con dos agentes de uniforme en el interior, jugando a algo en sus teléfonos.

Desiree se yergue, como suele hacer para parecer más alta, les enseña su placa y se acerca a la puerta principal. Lleva el flequillo demasiado corto para ponerse un pasador, así que le cae sobre la cara y le tapa un ojo. Avisó al peluquero de que no se lo cortase demasiado, pero no le hizo caso.

Sandy Valdez abre la puerta sin quitar la cadena de seguridad y habla a través del espacio de quince centímetros. Lleva un top ajustado, *leggings* elásticos, calcetines tobilleros y zapatillas de deporte.

—Mi marido ha ido a dejar a Max en la escuela —dice, con el tono de voz de las mujeres educadas del sur.

—Quería verla a usted.

—Ya se lo he contado todo a la policía.

—Le estaría muy agradecida si fuera tan amable de explicármelo también a mí.

Sandy desengancha la cadena y acompaña a Desiree hasta el solarium. No es una mujer menuda; rubia, con la piel suave, guapa. La casa está decorada con gusto, aunque da la ligera sensación de haber intentado ser elegante en exceso, siguiendo las indicaciones de las revistas de interiorismo sin acabar de decidirse por un estilo.

Le ofrece algo para tomar, que Desiree rechaza amablemente. Durante un breve lapso de tiempo, a ambas mujeres se les acaba la conversación casual y Desiree mira a su alrededor, como si estuviese planteándose la posibilidad de realizar una oferta. Sandy se fija en los zapatos de Desiree.

—Deben de hacerle daño en los pies… y en la espalda.

—Te acabas acostumbrando.

—¿Cuánto mide?

—Lo suficiente. —Desiree va al grano—. ¿De qué habló con Audie Palmer?

—Del barrio —responde Sandy—. Me dijo que se acababa de trasladar a una casa a la vuelta de la esquina. Yo le dije que debía hacerse socio del club de campo para hacer unos cuantos amigos. Me dio pena.

—¿Por qué?

—Me dijo que su mujer había muerto.

—¿Qué más le contó?

Sandy trata de recordar.

—Dijo que estaba haciendo una especie de inspección para

su empresa. Pensé que debía de haberse mudado a la antigua casa de los Whitaker. Lo atraparán, ¿verdad?

—Hacemos todo lo que podemos.

Sandy asiente, pero no parece quedarse muy tranquila.

—¿Lo vio alguien más?

—Max, nuestro hijo.

—¿Dónde estaba?

—Montando en monopatín delante del garaje. Yo volví a casa del supermercado y Palmer estaba de pie junto al camino, haciendo estiramientos.

—¿Max habló con él?

—En ese momento, no.

—¿Qué quiere decir?

—Lo vio más tarde en The Mews; está aquí cerca. Max montaba en el monopatín y Palmer estaba sentado en un banco del parque. Todo esto ya se lo conté a los otros agentes. —Sandy se está retorciendo las manos en el regazo—. Ryan quería que Max se quedase en casa hoy; pero en la escuela estará seguro, ¿verdad? Quiero decir que hacemos lo correcto haciendo como que no pasa nada, ¿no? No quiero que Max crezca con la idea de que el mundo está lleno de monstruos.

—No me cabe duda de que han tomado la decisión correcta —contesta Desiree, que no está acostumbrada a hacer de hermana mayor—. ¿Había visto alguna vez a Audie Palmer antes de ayer?

—No.

—¿Por qué cree que vino a su casa?

—Es obvio, ¿no?

—Para mí no.

—Fue Ryan quien le disparó; lo sabe todo el mundo. Audie Palmer recibió un tiro en la cabeza. Debió haber muerto y ahorrar un montón de problemas a todo el mundo. O ir a la silla eléctrica. Yo no creo en ejecutar a la gente así porque sí, ¡pero, por Dios, murieron cuatro personas!

—¿Cree que Audie Palmer quiere vengarse?

—Sí.

—¿Podría describirme su actitud?

—¿Cómo dice?

—¿Le pareció que estaba agitado o tenso… o furioso?

—Estaba sudando mucho, pero imaginé que era porque había estado corriendo.

—¿Y aparte de eso?

—Parecía relajado, como si no tuviese ninguna preocupación en la vida.

A menos de tres kilómetros, Ryan Valdez atraviesa las puertas de la escuela y apaga la radio. No dejan de sorprenderle las personas que llaman a programas de entrevistas para soltar en público sus prejuicios y su ignorancia. ¿Es que no tienen nada mejor que hacer que quejarse sobre cómo están las cosas, que siempre eran mejores en «los viejos tiempos», como si el tiempo hubiera suavizado sus recuerdos y hubiera convertido el vinagre en vino?

—A ver, vamos a repasar: esperas a que te recojamos, no sales de la escuela, no vuelves a hablar con extraños…

Max se saca un auricular de la oreja.

—¿Qué es lo que hizo este tipo?

—No importa.

—Creo que debería saberlo.

—Robó un montón de dinero.

—¿Cuánto?

—Mucho.

—¿Y tú lo arrestaste?

—Sí.

—¿Y le disparaste?

—Recibió un disparo.

Max parece realmente impresionado.

—¿Y ahora ha venido a por ti?

—No.

—¿Y por qué iba a venir a casa, si no?

—Deja que me ocupe yo de eso. Y no disgustes a tu madre con preguntas.

—Ese Audie Palmer ¿da miedo?

—Sí.

—No parecía muy peligroso.

—Las apariencias engañan. Es un asesino: recuérdalo.

—Quizá deberías dejarme llevar una pistola.

—No vas a llevar una pistola a la escuela.

Max suspira, indignado, abre la portezuela y se une a la marea de estudiantes que se agolpan en la entrada. Valdez lo mira pasar por la puerta principal, pensando si se girará a saludar. No lo hace.

Cuando el chico desaparece de la vista, saca el móvil y llama a la oficina del *sheriff* del condado de Dreyfus. Habla con su agente más veterano y le pide que se ponga en contacto con todas las centralitas policiales de Houston y de los condados circundantes.

—Si alguien ve a Audie Palmer, quiero ser el primero en enterarme.

—¿Algo más? —pregunta Hank.

—Sí, hoy no iré a la oficina.

19

*E*l taxi circula por el tráfico de la autopista bajo el brillo rojizo del sol. Audie mira por las ventanillas tintadas hacia el océano de centros comerciales, casas de tejado rojo y naves de almacén prefabricadas con alambre de espino en los tejados y barrotes en las ventanas. ¿Cuándo se convirtió Houston en esta especie de pueblo de zombis? Siempre había sido una ciudad extraña; un conjunto de barrios, como Los Ángeles, en los que las personas iban de casa al trabajo y apenas se relacionaban entre sí. La única diferencia es que Houston es un destino, mientras que Los Ángeles no es más que una parada en un viaje hacia algún lugar mejor.

El taxista es extranjero, pero Audie no tiene ni idea de dónde viene. Supone que debe de ser de alguno de esos países trágicos, asolados por los dictadores, por los fanáticos o por el hambre. Su piel es oscura, olivácea más que marrón, y tiene profundas entradas, tanto que parece que el cabello le caiga desde la parte de atrás de la cabeza. Abriendo la ventana deslizante que le separa del habitáculo trasero, trata de iniciar una conversación, pero a Audie no le interesa. Su mente divaga hasta el momento en que dejó a Carl en la orilla del río Trinity.

En la vida hay instantes en los que deben tomarse decisiones importantes. Si tenemos suerte, somos nosotros los que las tomamos, pero a menudo alguien las toma por nosotros. Cuando Audie volvió con la policía y los primeros auxilios, Carl no estaba en el río. Nada de vendas ensangrentadas, ni mensajes, ni disculpas. Audie sabía lo que había pasado, pero no se lo dijo a nadie, más por respeto a sus padres que a Carl. La policía quería acusar a Audie por hacerles perder el tiempo y lo tuvieron bajo custodia otras doce horas antes de dejarlo marcharse a casa.

Pasaron semanas. El nombre de Carl desapareció de los titulares. En enero, cuando Audie volvió a la universidad, lo llamaron a la oficina del decano. Le dijeron que le retiraban la beca porque estaba «implicado» en el asesinato de un policía.

—Yo no hice nada —dijo Audie.

—No me cabe duda de que dices la verdad —contestó el decano—. Y, cuando todo esto se aclare y encuentren a tu hermano, puedes volver a solicitarla y el encargado de Admisiones evaluará tu idoneidad y tu reputación.

Audie hizo las maletas, retiró sus ahorros del banco, se compró un coche barato y se dirigió al oeste, alejándose del pasado y de lo que estuviese por venir. El viejo Cadillac estuvo traqueteando durante dos mil quinientos kilómetros, siempre con la amenaza de estar a punto de perecer, pero con una voluntad de supervivencia que uno solo espera de los seres vivos. Audie nunca había visto una puesta de sol en el océano; tampoco había visto a nadie practicar surf en la vida real. En el sur de California pudo disfrutar de ambas cosas. Bel-Air, Malibu, Venice Beach... Nombres famosos, imágenes del cine y la televisión.

La costa oeste era otra cosa. Las mujeres olían a bronceador y crema hidratante, en lugar de a lavanda y talco. Hablaban de sí mismas y estaban obsesionadas con el materialismo, el espiritualismo, las terapias y las modas. Los hombres estaban bronceados y llevaban peinados espesos y brillantes o calvas relucientes, camisas de cien dólares y zapatos de trescientos. Eran camellos, buscavidas, colgados, soñadores, actores, escritores, agitadores.

Viajando hacia el norte, Audie llegó hasta Seattle y trabajó como barman, portero, empaquetador, recolector de fruta y repartidor. Se alojaba en moteles baratos y pensiones y, ocasionalmente, con mujeres que lo llevaban a su casa. Después de viajar durante seis meses, un día entró en el club de *striptease* de Urban Covic, a treinta kilómetros al norte de San Diego. Era más oscuro que una cueva, salvo por el escenario iluminado por focos en el que una chica pálida con michelines estaba puliendo una barra plateada con los muslos. Una docena de hombres con traje la animaban o fingían no hacerle caso. La mayor parte de ellos eran universitarios o empresarios estirados tratando de impresionar a sus socios japoneses.

Estas chicas del sur de California parecían disfrutar con su trabajo, retorciéndose sensualmente como uno espera que lo hagan, ganándose cada uno de los billetes que les metían en las tiras del sujetador y del tanga.

El encargado llevaba un peine que sobresalía del bolsillo de la camisa y el cabello peinado hacia atrás, con aspecto húmedo y tan perfecto como un campo acabado de arar.

—¿Tienen trabajo para mí? —preguntó Audie.

—No necesitamos músicos.

—No soy músico. Puedo ocuparme del bar.

El encargado sacó el peine y se lo pasó por la cabeza, de delante hacia atrás.

—¿Cuántos años tienes?

—Veintiuno.

—¿Experiencia?

—Alguna.

Le dio un formulario para que lo rellenase y le dijo que podía trabajar un turno sin sueldo como prueba. Audie demostró que era un buen trabajador. No bebía, ni fumaba, ni esnifaba, ni jugaba, ni intentaba tirarse a las chicas.

Aparte del bar y de las habitaciones, Urban Covic era también el propietario del restaurante mexicano de al lado y de la estación de servicio de enfrente del club. Estos negocios atraían a las familias y le ayudaban a blanquear parte del dinero que conseguía con las actividades algo menos legales. Audie empezaba a trabajar a las ocho casi todas las noches, hasta las cuatro de la mañana. Al principio le dejaban comer en el restaurante. Tenía un patio trasero con una celosía emparrada con vides y paredes estucadas con hileras de botellas de vino.

Al cabo de dos semanas de estar en su nuevo trabajo se dio cuenta de que en el aparcamiento esperaba un vehículo con la matrícula ilegible. Llamó a la policía y vació las cajas registradoras, escondiendo el dinero debajo del fregadero. Los hombres entraron en el local, armados con escopetas de cañones recortados y cubiertos con pasamontañas. Audie reconoció uno de los tatuajes: pertenecía a un tipo que salía con una de las bailarinas y que solía quedarse para comprobar que ninguno de los clientes se ponía demasiado pulpo con ella.

Audie levantó las manos. La gente se metió debajo de las mesas. La chica que estaba bailando se cubrió los pechos y cruzó las piernas.

Los hombres armados rompieron las cajas y se pusieron furiosos al ver que casi no había nada. El tipo del tatuaje señaló con el arma al chico, que no perdió la compostura. Las sirenas se acercaron; hubo disparos. Una de las balas hizo añicos el espejo de detrás de la barra. Nadie resultó herido.

Urban Covic llegó temprano, con marcas de almohada en la cara. El encargado le contó lo sucedido y Urban llamó a Audie a su oficina.

—¿De dónde eres, chico?

—De Texas.

—¿Y adónde vas?

—Aún no lo he decidido.

Urban se rascó la barbilla.

—Alguien de tu edad debería decidir si se está escapando de algo o corriendo hacia algo.

—Supongo que tiene razón.

—¿Tienes permiso de conducir?

—Sí, señor.

—A partir de ahora serás mi conductor. —Le tiró a Audie las llaves de un todoterreno Cherokee negro—. Me recogerás cada mañana a las diez, si no te digo lo contrario. Harás los recados a los que te envíe. Me dejarás en casa cuando yo te diga. Duplicaré tu sueldo, pero estarás listo para trabajar las veinticuatro horas del día. Si eso significa dormir en el coche, duermes en el coche.

Audie asintió.

—Ahora mismo, quiero que me lleves a casa.

Y así es como empezó su nuevo periplo profesional. Le dieron una habitación encima del bar. Estaba apretada bajo la cima del tejado y era apenas más ancha que un pasillo, pero venía gratis con el trabajo. Había una claraboya y una cama de pino sin desbastar. En un rincón tenía sus libros y una mochila. Había conservado los libros de ingeniería porque tenía la idea nebulosa de, quizás, acabar sus estudios algún día.

Audie llevaba a Urban a reuniones, o recogía a personas del aeropuerto, o iba a buscar ropa a la tintorería, o entregaba paquetes. Así fue como conoció a Belita, yendo a recoger un sobre en casa de Urban. No sabía que era la amante de Urban (ni le importaba), pero, desde el momento en que la vio, tuvo la extraña sensación de que su sangre empezaba a circular más rápido, de que las válvulas del corazón funcionaban al revés, de que el flujo no llegaba a las extremidades, sino que partía de ellas.

A veces sabes que has conocido a la persona que va a cambiarte la vida para siempre.

20

$\mathcal{M}$oss se da cuenta de que los pájaros están piando, y escucha el sonido, que le parece alegre y enigmático a un tiempo, del timbre de una bicicleta. Durante los últimos quince años se ha despertado con un coro de golpes, eructos, toses y pedos, y cada nuevo día prometía la misma luz: una ventana pequeña y cuadrada encima de la cabeza. Aunque la cama a su lado esté vacía, Moss decide que este despertar es claramente mejor. Crystal ha regresado temprano a San Antonio. Moss aún tiene presente su peso encima de él, mientras se sentaba sobre sus muslos con las piernas abiertas, lo besaba para despedirse y le decía que tuviese cuidado.

Apoyando los pies en el suelo, abre una rendija de la cortina y examina el aparcamiento. A lo lejos se ven las brillantes torres de los rascacielos de Dallas, reflejando la luz del sol. Se pregunta si no será que los ricos están tratando de construir escaleras al cielo porque es más fácil que meter un camello por el ojo de una aguja.

Después de ducharse, afeitarse y vestirse, Moss conduce en dirección norte, hacia Westmoreland Heights, donde la mayor parte de las calles transcurren entre hileras de casitas de madera, más baratas que los vehículos aparcados delante de ellas. Algunos de esos vehículos están apoyados en bloques de hormigón o destruidos por el fuego. En aquellas calles ruinosas hay manchas de esperanza (un edificio nuevo o un almacén prefabricado), pero cualquier pared sin marcas es una invitación a los grafitis; y una ventana sin romper, un aliciente para una pedrada.

Moss aparca delante de un supermercado en Singleton Boulevard. Las ventanas del piso de arriba están cubiertas con paneles de madera; en las del piso de abajo hay barrotes metálicos, tan gruesos que no dejan leer los carteles pegados en la parte de dentro del cristal.

Cuando entra, suena un timbre. Hay cajas apiladas hasta el techo y palés envueltos en láminas de plástico, con latas de alubias, maíz y zanahorias. Algunas de las etiquetas están en idiomas extranjeros. La mujer de la caja está sentada en un gran sillón de brazos cubierto con una manta de cuadros escoceses. Está mirando un programa publicitario en la televisión, en el que aparece una pareja sonriente metiendo verduras en una batidora.

—Tiren sus viejos electrodomésticos, este lo hace todo —dice el sonriente presentador.

—Es un milagro, Steve —añade la mujer.

—Así es, Brianna: un milagro en la cocina. Es la licuadora que Dios utiliza en el cielo.

El público del estudio se ríe, pero Moss no entiende por qué.

—¿Puedo ayudarle en algo? —pregunta la mujer, sin despegar los ojos de la pantalla. Tendrá cincuenta y pico años; sus rasgos son afilados y dan la impresión de estar apiñados en el centro de la cara.

—Necesito indicaciones. Un amigo mío vivía por aquí, y creo que su madre aún vive en el mismo sitio.

—¿Cómo se llama?

—Irene Palmer.

Moss no ve la mitad inferior de la mujer, pero se da cuenta de que ha alargado la mano. Suena un timbre en el interior de la casa.

—¿Está buscando a Irene Palmer?

—Eso es.

—No conozco a nadie que se llame así.

—¿Sabe cómo sé que está mintiendo? —dice Moss—. Porque ha repetido la pregunta antes de responderla. Algunas personas hacen eso cuando se inventan cosas.

—¿Cree que estoy mintiendo?

—¿Ve? Esa es otra técnica: contestar a una pregunta con otra pregunta.

La mujer ha cerrado los ojos hasta convertirlos en rendijas.

—No me haga llamar a la policía.

—No tengo pensado causar ningún problema, señora. Dígame dónde puedo encontrar a Irene Palmer, nada más.

—Deje en paz a esa pobre mujer. Una madre no es responsable de todo lo que hacen sus hijos.

Habla adelantando la barbilla, como desafiando a Moss a discrepar. En el umbral de la puerta aparece un hombre de poco más de veinte años, en pantalones de chándal y con tatuajes. Musculoso y con la actitud de alguien que va armado.

—¿Tienes algún problema, mamá?

—Está buscando a Irene.

—Dile que se vaya a la mierda.

—Ya lo he hecho.

En la cintura del pantalón de chándal, el joven lleva una pistola automática; es lo primero en lo que se fija Moss.

—Soy amigo de Audie Palmer. Tengo un mensaje para su madre.

—Puede decírnoslo a nosotros. Nos aseguraremos de que lo reciba.

—Me dijeron que se lo diese en persona.

Suena el timbre y una anciana negra, más arrugada que una rosa roja marchita, entra en la tienda. Moss le sostiene la puerta; la señora le da las gracias.

—¿Qué necesitas, Noelene? —pregunta la encargada.

—Este joven estaba antes que yo —contesta, indicando a Moss.

—Ya se iba.

Moss decide no discutir. Sale y busca un lugar en la sombra, mientras espera que la anciana salga. Lleva un carro de la compra de cuadros con ruedas de plástico rígido.

—¿Puedo ayudarla, señora?

—Ya me las arreglo.

Pasa a su lado por la acera, que está salpicada de socavones. Moss la sigue durante treinta metros; la mujer se detiene.

—¿Tiene pensado robarme?

—No, señora.

—¿Por qué me sigue?

—Estoy buscando a Irene Palmer.

—Pues yo no soy.

—Ya lo sé. Soy amigo de su hijo.

—¿De cuál de ellos?

—De Audie.

—Me acuerdo de Audie. Solía cortarme el césped y limpiar el jardín. El autobús de su escuela pasaba por delante de mi casa. Era un chico brillante, inteligente y siempre educado. Nunca daba ningún problema…, no como su hermano.

—¿Carl?

—¿Lo conocía?

—No, señora.

Menea la cabeza. Su cabello plateado tiene unos rizos tan tupidos que parece un estropajo metálico pegado al cráneo.

—Carl nació con mala estrella, ¿me comprende?

—No mucho.

—Siempre estaba metido en problemas. Sus padres lo intentaron todo. Su padre tenía un taller mecánico en Singleton Boulevard; ahora está cerrado. Las fábricas ya no están. ¿La fundición de plomo? Adiós, adiós, por suerte. Envenenaba a los críos. ¿Sabe lo que el plomo les hace a los niños?

—No, señora.

—Los vuelve estúpidos.

—No lo sabía.

147

Le cuesta arrastrar el carro por el asfalto resquebrajado. Moss lo coge como si fuera una maleta y lo lleva.

—¿Qué le pasó a Carl?

Noelene frunce el ceño.

—Creí que me dijo que era amigo de Audie.

—Nunca hablaba de su hermano.

—Entonces no es asunto mío decírselo. No soy ninguna chismosa, como algunas que podría señalar. —Enseguida se pone a decirle a Moss a quién debe evitar. Los llama «inútiles».

—Hay unos cuantos inútiles por aquí: gente peligrosa. ¿Ha oído hablar de los Gator Boyz? —Moss menea la cabeza—. Reclutan a chicos adolescentes para vender drogas. El líder lleva un cocodrilo con una correa, un cocodrilo de verdad, como si fuera un perrito. Espero que un día le arranque la pierna de un mordisco.

Hace una pausa para recuperar el resuello y se apoya en el brazo de Moss; se fija en los tatuajes.

—Ha estado en la cárcel. ¿Es allí donde conoció a Audie?

—Sí, señora.

—¿Está buscando el dinero?

—No.

La mujer lo mira con ojos dubitativos. Han llegado a la puerta de una pequeña casa de madera que está sin pintar y tiene un jardín bien cuidado. Toma el carrito, recorre el camino y sube a un estrecho porche, haciendo chocar las ruedas con los escalones. Saca una llave y abre la mosquitera; se da la vuelta justo antes de cerrar.

—Irene Palmer se trasladó a Houston. Ahora vive con su hermana.

—¿Tiene una dirección?

—Creo que sí. Espere aquí.

La anciana se esfuma en el oscuro interior de la casa; Moss se pregunta si no estará llamando a la policía. Mira hacia la calle sin bordillo; hay un parque para niños debajo de un grupo de pinos. El columpio está roto y alguien ha tirado un colchón sucio debajo de las barras de trepar.

Se abre la mosquitera y una mano le alarga un trozo de papel perfumado.

—Irene me envió una tarjeta de Navidad. Esta es la dirección del remitente.

Moss toma la nota y se lo agradece con una inclinación de cabeza.

21

*E*l taxi deja a Audie en el exterior del Hospital para Niños de Texas. El dinero cambia de manos y el chófer, mirando los billetes, sugiere que se merece una propina. Audie le dice que le dará un consejo valioso: que sea más bueno con su madre. La respuesta que recibe no hubiera sido del agrado de ninguna madre.

Después de comprarse un café y un bollo en un lugar al otro lado de la calle, Audie se sienta en un bolardo de hormigón y observa la entrada principal del hospital. Las enfermeras del turno de noche se van a dormir; salen en grupos de dos o de tres. Las sustitutas llegan con el pelo húmedo, pantalones azules bien planchados y blusas estampadas. Audie se limpia las migas de los dedos con la lengua y espía a Bernadette por encima del borde del vaso de papel. Está guapa, con su aspecto hogareño. Lleva dos chapas en la blusa y camina ligeramente encorvada, porque es más alta de lo que le gustaría ser.

Cuando era niño, Audie no tenía muchas cosas en común con su hermana, que era doce años mayor que él y le parecía una sabelotodo. Recuerda a Bernadette llevándolo a la escuela el primer día, poniéndole tiritas en las rodillas y contándole mentiras para que dejase de portarse mal. Le decía que, si jugaba con su pene, se le caería; que si estornudaba, parpadeaba y se tiraba un pedo al mismo tiempo, la cabeza le explotaría.

Con la gorra de béisbol tirada hacia delante, Audie entra en el hospital y sigue a Bernadette a distancia. Se mete en un ascensor lleno de gente y marca la novena planta. Audie mantiene la cabeza baja y finge leer mensajes en el móvil. Cuando Bernadette se mete en el cuarto de las enfermeras, él espera al final del pasillo, con la sensación de que todo el mundo lo ve. Al lado hay una puerta con el cartel SOLO PERSONAL. Se cuela dentro y ve que es un vestuario. Se mete la gorra en el bolsillo, coge una bata blanca de médico de una percha y se pone un estetoscopio al cuello, rezando para que nadie le pida que haga un masaje cardiaco o una respiración artificial. Toma una tabla con clip que está colgada de una camilla y camina por el pasillo con aire de saber a dónde se dirige.

Bernadette está haciendo una cama en una habitación vacía, metiendo las esquinas y estirando las sábanas para que queden muy tensas. Así es como les enseñó su madre a hacer la cama. Audie recuerda que casi necesitaba una palanqueta para meterse entre las sábanas.

—Hola, hermanita.

Bernadette se yergue y frunce el ceño mientras sostiene una almohada contra el pecho. Por su rostro parece pasar un arcoíris de emociones y su cabeza se balancea de un lado a otro, negando la evidencia que los ojos le muestran. Parece asustada, de él o quizá de sí misma. Pero algo hace clic en su interior, se acerca a él y lo abraza con fuerza. Audie huele su pelo y su infancia entera parece volver a él, como una inundación.

Bernadette le pellizca la mejilla.

—Sabes que es ilegal hacerse pasar por médico.

—Creo que ese es el menor de mis problemas.

Lo aparta de la puerta abierta y la cierra. Le pasa los dedos por las cicatrices visibles debajo de su corto pelo.

—Asombroso. ¿Cómo lograste sobrevivir a esto, por el amor de Dios?

Audie no responde.

—La policía vino a verme —dice ella.

—Supuse que lo harían.

—¿Por qué, Audie? Solo te quedaba un día.

—Será mejor que no te cuente el motivo.

En la habitación, el único sonido es el zumbido del aire acondicionado, que mece un mechón del cabello de Bernadette, que se ha soltado del moño. Audie se da cuenta de que tiene canas.

—Te estás abandonando, ¿no?

—Dejé de teñirme.

—Pero solo tienes…

—Cuarenta y cinco años.

—No eres vieja.

—Ponte en mi lugar.

Audie le pregunta cómo le va; ella le contesta que bien. Ninguno de ellos sabe cómo empezar. Su divorcio ya está formalizado. Su exmarido era una persona afectuosa, inteligente y de éxito, y también un borracho violento: por suerte, el alcohol afectaba a su puntería y Bernadette sabía protegerse. Su nuevo novio trabaja en los pozos de petróleo. Viven juntos, pero nada de niños.

—Soy demasiado vieja, ya te lo he dicho.

—¿Cómo está mamá?

—Enferma. Necesita diálisis.

—¿Y un trasplante?

—Los médicos creen que no sobreviviría. —Sigue haciendo la cama, pero de repente la mirada se le nubla—. ¿Por qué has vuelto?

—Tengo que arreglar un asunto.

—No creo que tú robases el furgón blindado.

Audie la toma de la mano, con fuerza.

—Necesito tu ayuda.

—No me pidas dinero.

—¿Y un vehículo?

Bernadette se cruza de brazos.

—Mi novio tiene un coche. Si desapareciese, yo podría tardar una semana en darme cuenta.

—¿Dónde está?

—Aparcado en la calle.

—¿Y las llaves?

—¿Es que no te han enseñado nada en la cárcel?

—No sé hacer un puente.

Apunta su dirección.

—Las dejaré puestas.

Entra otra enfermera; la supervisora de Bernadette.

—¿Va todo bien? —dice dirigiéndose a Audie, preguntándose por qué estaba cerrada la puerta.

—Muy bien —responde.

La mujer asiente y espera. Audie sostiene su mirada hasta que la hace sentirse incómoda e irse.

—Harás que me despidan —susurra Bernadette.

—Necesito algo más.

—¿Qué?

—¿Imprimiste esos archivos que te pasé?

Ella asiente.

—Dentro de uno o dos días te llamaré y te diré lo que tienes que hacer con ellos.

—¿Me voy a meter en problemas?

—No.

—¿Voy a volver a verte?

—Lo dudo.

Bernadette se aparta de él; luego se vuelve a acercar y abraza a Audie, con tanta fuerza que apenas puede respirar.

—Te quiero, hermanito.

153

22

Cassie ha hecho las maletas, las ha deshecho, las ha vuelto a hacer, pero aún no se ha ido del motel. Mira fijamente el reloj digital que hay entre las camas y lo oye hacer tic-tac dentro de la cabeza, como si la estuviese desafiando para que tomase una decisión.

La mochila de Spencer está debajo de su cama. ¿Será ese su nombre real? ¿Cómo se haría las cicatrices de la cabeza? Se imagina la violencia y siente un estremecimiento en su interior.

Scarlett está mirando *Dora, la Exploradora* en la tele, tumbada boca abajo con la barbilla apoyada en las manos. Ya ha visto todos los episodios, pero le sigue entusiasmando. Quizás es que a los niños les gusta saber lo que va a suceder a continuación.

Cassie agarra la mochila y empieza a revisar los bolsillos, a abrir cremalleras, a rebuscar. Encuentra una libreta, se la lleva al baño y cierra la puerta. Se sienta en el váter con el vestido estirado entre las rodillas. Abre la libreta y una fotografía cae de dentro. Cassie la recoge del suelo embaldosado. En ella se ve a una joven, muy hermosa, de piel oscura, con un ramo de flores. Cassie siente un pinchazo de celos y no entiende por qué.

Desliza la fotografía entre las páginas, presionándola contra el lomo, y vuelve al principio. En el interior de la portada hay un nombre escrito: Audie Spencer Palmer. Debajo hay una etiqueta de precio y otra que dice «PF Three Rivers».

Las páginas están escritas a mano; la caligrafía es apretada y difícil de leer. Cassie intenta entender algunas frases. Parece poesía, suena a poesía, con frases como «percepciones de la verdad» y «patetismo de la ausencia», sea lo que sea eso.

Saca el móvil y consulta una página que rompió de una guía telefónica. Una mujer contesta; parece que esté leyendo un guion:

—Hola, ha llamado a Luchadores contra el Crimen de Texas. Todas nuestras llamadas son confidenciales. Mi nombre es Eileen. ¿En qué puedo servirla?

—¿Ofrecen recompensas?

—Ofrecemos remuneraciones financieras a cambio de información que conduzca al arresto y acusación de un sospechoso de haber cometido un delito.

—¿Cuánto?

—Eso depende de la gravedad del delito.

—¿Cuánto podría ser?

—Cinco mil dólares.

—¿Y si supiese el paradero de un preso que ha huido?

—¿Cómo se llama?

Cassie duda.

—Creo que se llama Audie Spencer Palmer.

—¿Cree?

—Sí.

Cassie echa una ojeada a la puerta cerrada, como pensándolo mejor.

—¿Querría darme su nombre?

—No.

—Audie Palmer tiene una orden federal para su arresto. Dígame dónde está. Puedo mandar agentes de policía para que vayan a buscarla.

—Me dijo que esta llamada era confidencial.

—¿Cómo vamos a pagarle el dinero si no sabemos cómo se llama?

Cassie hace una pausa.

—¿Qué sucede? —pregunta Eileen.

—Estoy pensando.

—Está en peligro.

—Volveré a llamar.

—¡No cuelgue!

23

$\mathcal{M}$oss conduce hasta Houston con las ventanillas bajadas y la radio a todo volumen. Nada de *country*; prefiere el *blues* clásico del sur, que habla de sufrimiento, salvación y mujeres que te rompen el corazón. Al final de la tarde se para junto a una iglesia baptista pintada de blanco con una cruz de madera en la fachada, encima de un cartel que dice JESÚS NO NE-CESITA TUITEAR.

Aparca a la sombra de un olmo con el tronco deformado, cuyas raíces están resquebrajando la acera de cemento, como si fuesen el terremoto más lento del mundo. Las puertas de la iglesia están cerradas, pero Moss sigue un camino lateral hacia una pequeña casita de madera elevada sobre bloques de hormigón, a la sombra de unos árboles. Hay cuidados parterres con flores, con los bordes moldeados con una pala.

Moss llama; una mujer mayor aparece detrás de la puerta exterior, apoyándose en un bastón.

—No voy a comprar nada.

—¿Es usted la señora Palmer?

Se pone las gafas que lleva colgadas de un cordel alrededor del cuello y lo mira. Moss retrocede, como no queriendo asustarla.

—¿Quién es usted?

—Soy amigo de Audie.

—¿Dónde está el otro?

—¿Quién?

—El que llamó antes. Dijo que conocía a Audie. No le creí a él y tampoco le creo a usted.

—Me llamo Moss Webster. A lo mejor Audie ha hablado de mí en sus cartas. Sé que le escribía cada semana.

La mujer vacila.

—¿Cómo sé que es usted?

—Audie me contó que no estaba bien de salud, señora. Me dijo que necesitaba un riñón nuevo. Solía escribirle en papel rosado con flores en el margen. Tiene usted una letra muy bonita, señora.

—Ahora me está dando coba —dice, indicando a Moss que dé la vuelta por la parte de atrás de la casita.

Cuando gira la esquina de la casa, ve sábanas ondeando por encima de su cabeza. La mujer lo llama desde la cocina y le hace llevar una jarra de limonada y dos vasos a una mesa exterior cubierta de cáscaras de nuez. Cuando trata de limpiarla, Moss observa que tiene un feo bulto morado en el antebrazo, como si tuviese burbujas de sangre atrapadas debajo de la piel.

—Es una fístula —explica—. Voy a diálisis dos veces por semana.

—Lo siento.

Ella se encoge de hombros y dice, con tono filosófico:

—He estado perdiendo trozos de mí desde que empecé a tener niños.

Moss sorbe la limonada, que está ácida y le hace fruncir los labios.

—¿Está buscando el dinero?

—No, señora.

La mujer sonríe.

—¿Sabe usted cuántas personas me han venido a ver durante los últimos once años? Algunas traen fotografías; otras, cartas que dicen que están firmadas por mi Audie. Otras vienen con amenazas. Pillé a uno cavando en mi jardín, justo ahí. —Señala la base del nogal.

—No estoy aquí por el dinero.

—¿Es usted un cazarrecompensas?

—No.

—¿Por qué estaba en la cárcel?

—Hice algunas cosas de las que no me siento orgulloso.

—Al menos lo admite.

Moss se sirve otro vaso de limonada. La condensación ha dejado un cerco de humedad en la mesa de madera. Moss hace un segundo cerco y dibuja una línea húmeda entre los dos.

A la señora Palmer se le humedecen los ojos hablando de la beca que Audie obtuvo para ir a la universidad y de cómo estudiaba Ingeniería hasta que Carl lo echó todo a perder.

—¿Dónde está Carl ahora? —pregunta Moss.

—Muerto.

—¿Habla literalmente o en sentido figurado?

—No utilice palabras floridas conmigo —le riñe—. Una madre sabe si su hijo está muerto.

Moss levanta las manos.

—Sé que ha hablado con la policía, señora Palmer, pero ¿hay algo que no les dijera? Lugares donde Audie podría haber ido... o amigos...

Ella niega con la cabeza.

—¿Y su novia?

—¿Quién?

—Tenía una fotografía que llevaba con él a todas partes. Era un bombón, pero él nunca hablaba de ella; solo en sueños. Belita, eso es, así se llamaba. La única vez que vi a Audie ponerse furioso fue una vez que alguien le robó la fotografía.

La señora Palmer se concentra. Por un momento, Moss cree que podría recordar algo, pero se le va de la cabeza.

—Solo lo he visto dos veces en catorce años: una vez cuando estaba en coma y decían que se iba a morir. Luego dijeron que iba a sufrir daños en el cerebro por culpa de una bala en la cabeza, pero salió de aquella. Lo vi el día que lo condenaron, y me dijo que no me preocupase. ¿Qué madre no se preocuparía?

—¿Sabe por qué se fugó?

—No, pero no creo que cogiese ese dinero.

—Confesó.

—Entonces, si lo hizo, es porque tenía algún motivo.

—¿Motivo?

—Audie nunca hace nada por impulso. Él siempre piensa, y es más listo que un lince. No necesitaba robar a nadie para ganarse la vida.

Moss mira al cielo; cada vez hay menos luz y en el alero se ve claramente el perfil de tres pájaros, como patos colgados delante de un muro blanco. La señora Palmer aún está hablando.

—Si encuentra a mi Audie, dígale que le quiero.

—Creo que ya lo sabe, señora.

Al salir del jardín de la iglesia, Moss se da cuenta de que hay un hombre al otro lado de la calle. Lleva un traje negro demasiado ajustado, cabello de color marrón sucio con patillas que terminan en una barba que parece el barboquejo de un casco. Lleva un viejo macuto de plástico colgado del hombro; la cremallera está rota, y el interior es como un agujero negro.

Está acuclillado detrás de un árbol; tiene una mano apoyada en la rodilla mientras, con la otra, sostiene un cigarrillo. Moss cruza la carretera; el hombre mira hacia él y enseguida aparta la mirada hacia una hilera de hormigas que marchan junto a sus zapatos. De vez en cuando mueve el dedo y crea un surco en la tierra. Las hormigas se dispersan y se agrupan de nuevo. Aspira del cigarrillo y sostiene la brasa cerca de la hilera de hormigas, observando cómo los insectos se retuercen con el calor. Algunas retroceden en actitud belicosa; otras cojean y saltan, como tratando de reparar sus cuerpos mutilados.

—¿Lo conozco? —pregunta Moss.

El hombre levanta la mirada y suelta el humo por las comisuras de los labios. Su mirada es profunda pero inhóspita, casi cruel.

—No lo creo.

—¿Qué está haciendo aquí?

—Lo mismo que usted.

—Me parece que no.

—Los dos estamos buscando a Audie Palmer. Deberíamos colaborar, compartir información. Dos cabezas piensan mejor que una, amigo.

—Yo no soy su amigo.

El hombre se muerde la uña del pulgar. Moss se acerca a él y el hombre se pone de pie. Es más alto de lo que Moss pensaba. Coloca el pie derecho detrás del izquierdo en ángulo, en la postura de alguien entrenado en artes marciales. Las pupilas parecen dilatarse y abarcar toda la córnea; sus aletas nasales se ensanchan.

—¿Ha estado molestando a la señora Palmer?

—No más que usted.

—Quiero que la deje en paz.

—Lo tendré en cuenta.

Moss no intenta hacer que baje la mirada; sabe que no lo conseguirá. Lo que quiere es irse lo más lejos posible y no volver a pensar nunca en este hombre. Al mismo tiempo se da cuenta de que no va a ser así. Es como saber que vas a volver la página del periódico y las noticias van a empeorar. Y saber que no te queda más remedio que hacerlo.

24

$\mathcal{U}$rban Covic era un jefe generoso; trataba a Audie con respeto y le pagaba un salario justo. Fuera a donde fuera en el sur de California, todo el mundo parecía conocer a Urban. Tenía reserva en las mejores mesas de los restaurantes, se le abrían las puertas del Ayuntamiento y nunca había problema alguno. Y, sin embargo, a pesar de su riqueza y su influencia, que eran obvias, Urban parecía notar que las personas lo consideraban despreciable. No era un hombre guapo; Dios lo había castigado con un cuerpo rechoncho, pies vueltos hacia dentro y ojos saltones. Una vez le dijo a Audie: «Podría haber nacido guapo y estúpido, pero me tocó feo y sabio. Lo prefiero así».

Las personas que, en su juventud, habían abusado de Urban habían sido silenciadas o convenientemente castigadas. Con tal propósito, disponía de unos cuantos lugartenientes de confianza, la mayoría primos o sobrinos, que se encargaban del trabajo sucio; no tenían su cerebro, pero la intimidación física se les daba bien.

Urban tenía una flota de vehículos, todos ellos norteamericanos, porque consideraba que apoyar el empleo local era un deber patriótico. Audie iba a recogerlo cada mañana; Urban le indicaba cuál de los coches había que lavar y sacar del garaje. Se sentaba en el asiento de atrás. Cuando no estaba hablando por teléfono, le gustaba leer libros sobre mitos griegos y citar los titulares de los periódicos; no el *Los Angeles Times* o el *San Diego Tribune*, sino los panfletos de supermercado con artículos sensacionalistas sobre abducciones alienígenas, abortos de famosas y adopciones de niños-simio.

«Este país está hecho una mierda, y que siga así por mucho tiempo», solía decir.

También le contaba a Audie historias sobre cómo se fue de Las Vegas porque la Oficina de Control del Juego de Nevada se lo había puesto «superjodido»; la mayor parte de los mafiosos se habían visto obligados a dedicarse a negocios marginales, como la prostitución de calle y las partidas de dados ilegales.

«Así que vine aquí y me busqué la vida.»

Audie pensaba que era una forma curiosa de describir los distintos intereses de Urban, que abarcaban granjas, clubes, restaurantes y moteles.

Pasó un mes. A pesar de que cada día pasaba a recoger a Urban y lo dejaba en casa, Audie no había visto a Belita. Urban dejó el teléfono y le preguntó:

—¿Juegas al póquer?

—Conozco las reglas.

—Tengo una partida en casa esta noche. Hay un sitio libre.

—Demasiado lujo para mí.

—Si la cosa se pone complicada, te retiras. Nadie va a desplumarte.

Audie pensó que quizá pudiese volver a ver a Belita y dijo que sí. Se puso una camisa nueva, se limpió las botas y se echó brillantina en el pelo.

En la partida había otros tres jugadores. Uno de ellos era un concejal de San Diego, otro era un hombre de negocios y el último parecía un gánster italiano, con los dientes como lápidas antiguas, manchados de vino tinto y sarro.

La mesa estaba instalada en un comedor con vistas al valle, pero la luz estaba tan baja y era tan intensa que Audie era incapaz de ver nada que no fuese su propio reflejo. Notó el

163

olor a comida que salía de la cocina y el rumor de alguien que se movía en ella.

Poco después de las nueve, Urban sugirió hacer una pausa. Pulsó un timbre en el aparador y Belita apareció con una bandeja de alitas de pollo, frutos secos y caviar de Texas: nachos con guacamole. Llevaba un vestido y un delantal largo ceñido a la cintura. La trenza en la que llevaba recogido el pelo era tan larga que se le hubiese metido entre las nalgas si hubiese ido desnuda.

Audie llevaba un mes fantaseando con esa chica y sintió cómo se ruborizaba en su presencia. Ella no miró a los ojos a nadie. Cuando se fue, el gánster se chupó los dedos para limpiar la salsa de barbacoa y le preguntó a Urban de dónde la había sacado.

—Estaba recogiendo fruta en la granja.

—Así que es una *espalda mojada* —dijo el hombre de negocios.

164 —Se supone que ya no debemos llamarlos así —dijo el concejal.

—¿Y cómo debemos llamarlos? —preguntó el hombre de negocios.

—Piñatas —dijo el gánster—. Si les das suficiente caña, se vacían enteras encima de ti.

Los otros se rieron; Audie no dijo nada. Siguieron jugando, bebieron, comieron. Audie permaneció sobrio. Belita trajo más comida. El gánster le puso la mano en la pierna y la subió hasta meterla entre los muslos. Belita se estremeció y miró a Audie por primera vez, avergonzada.

El gánster la hizo sentarse en su regazo. Ella levantó la mano para darle una bofetada, pero él la agarró y le retorció la muñeca hasta hacerla gritar de dolor. Luego la dejó caer bruscamente al suelo. Audie empujó su silla hacia atrás y apretó los puños, listo para pelear.

Urban intervino y le dijo a Belita que volviese a la cocina. El gánster se olisqueó los dedos.

—¿Es que no aguanta ni siquiera una broma?

—Creo que debería disculparse —dijo Audie.

—Y yo creo que deberías sentarte y cerrar el puto pico —respondió el gánster. Miró a Urban—. ¿Te la tiras?

Urban no respondió.

—Si no lo haces, deberías.

—Vamos a seguir con el juego —dijo Urban, repartiendo otra mano.

A las dos de la mañana, el concejal y el empresario ya se habían ido. Audie tenía un buen montón de fichas delante, pero el que más tenía era el gánster. Urban estaba borracho.

—Odio este juego —dijo tirando sus cartas.

—¿Y si te doy la oportunidad de recuperarlo todo? —preguntó el gánster.

—¿Qué quieres decir?

—Una mano a todo o nada.

—No me he hecho rico apostando en una racha perdedora.

—Apuesta a la chica.

—¿Cómo?

—A tu asistenta. —Cogió un montoncito de fichas entre los dedos y las dejó caer en la pila—. Si ganas, te lo llevas todo. Si pierdes, me quedo con la chica toda la noche.

Audie echó un vistazo hacia la puerta de la cocina; Belita estaba llenando el lavavajillas y limpiando vasos. Urban miró la mesa: estaba perdiendo cinco o seis mil dólares.

—Vamos a dejarlo aquí —dijo Audie.

—Quiero jugar otra mano —repuso el gánster—. Tú no tienes por qué jugar. —Sonrió, retrayendo los labios y mostrando los dientes careados.

—Esto es una locura —dijo Audie—. Usted no es su propietario.

Habló dirigiéndose a Urban, que replicó de inmediato:

—¿Cómo dices?

Audie trató de arreglar la situación.

—Lo que digo es que no ha hecho nada malo. Nos lo hemos pasado bien esta noche. Vámonos a casa.

El gánster puso todas sus fichas en el centro de la mesa.

—Una mano. El ganador se lo lleva todo.

Urban empezó a barajar. Audie contuvo el deseo de tumbar la mesa y tirar todas las cartas por ahí. Urban cortó.

—*Texas Hold'em*, una mano. —Miró a Audie—. ¿Qué eliges: ser un hombre o ser un gallina?

—Me quedo.

Urban dio un grito hacia la cocina; Belita acudió. Con la mirada gacha, se secaba las manos en el delantal. Su cabello brillaba a la luz de la lámpara, haciendo un halo en su cabeza.

—Estos caballeros quieren apostarlo todo, pero yo no tengo más fichas —dijo Urban, con un aspecto extrañamente activado—. Me han sugerido que te utilice a ti de garantía.

Belita no comprendió.

—Si pierdo, uno de ellos te gana a ti durante toda la noche —dijo—, pero estoy seguro de que el caballero será generoso con el resto de sus ganancias. —Luego repitió la frase en español.

166 Belita abrió unos ojos como platos; estaba asustada.

—Bueno, ya sabes que tú y yo tenemos un trato. Yo no diría que no demasiado rápido.

Ella negó con la cabeza y lo miró con expresión de súplica. Él respondió con una voz que pareció helarle la sangre en las venas.

—¡Piensa en el niño!

Audie no sabía si aquello era una simple afirmación o una amenaza. Belita se secó una lágrima con el dorso de la mano.

—¿Por qué estamos haciendo esto? —preguntó Audie.

—Yo solo estoy jugando a las cartas —contestó Urban—. Sois vosotros los que os la queréis follar.

Audie era incapaz de mirar a Belita, que se irguió y trató de mantener la dignidad, apartándose de la mesa. Pero, de camino a la cocina, las piernas le temblaban.

—Quiero que se quede a mirar —dijo el gánster.

Urban la volvió a llamar y repartió las cartas. Las cartas descubiertas de Audie eran un siete y un rey. En las cartas cubiertas consiguió un nueve, una reina y otro siete.

Tenía una pareja de sietes. Se dio la vuelta a las cartas de segunda y tercera fase. Audie cerró los ojos y los abrió: un as y otro siete.

Urban no los hizo esperar; tenía dos parejas. Miraron a Audie: tres sietes. El gánster se pavoneó:

—Pero qué guapas son estas damas, sobre todo de tres en tres.

Audie se quedó mirando a las reinas en la mesa y notó cómo su estómago se encogía. Lo que le preocupaba no era el dinero perdido, sino la mirada en el rostro de Belita. No fue de asombro, sorpresa o ira, sino de resignación, como si esta no fuese más que otra situación degradante en una larga serie.

Urban se puso de pie y se desperezó; la barriga sobresalía por fuera de la camisa desabotonada. Se tomó la derrota con filosofía: habría más noches, mejores manos.

—Espero que no la tengas como la de un caballo —comentó, mientras se ponía la chaqueta—. Y nada de maltratos, moratones o lo que sea. ¿Está claro?

El gánster asintió.

—Estoy alojado en el Park Hyatt.

—Que esté de vuelta a mediodía.

—Estoy demasiado borracho para conducir.

Urban miró a Audie.

—Llévalos tú. Y asegúrate de traerla de vuelta.

En el viaje desde la montaña, Belita se sentó junto a la ventana, como si tratase de hacerse más pequeña o de desaparecer por completo. El gánster intentó iniciar una conversación, pero ella no respondió.

—Sé que hablas inglés —dijo arrastrando las palabras.

Ella mantuvo la cabeza baja; rezando, quizá, o llorando. Cuando Audie se paró frente al hotel, salió y abrió la puerta trasera como un chófer de verdad.

—Necesito un momento con Belita.

—¿Para qué? —preguntó el gánster.

—Para quedar con ella para recogerla.

167

Audie la llevó al otro lado del coche. Ella lo miró con ojos dubitativos, en los que se reflejaba la luz del vestíbulo del hotel.

—Prepárale una bebida y échale esto en ella —susurró, poniéndole cuatro pastillas para dormir en la mano y cerrándole los dedos—. Finge que te acostaste con él. Déjale una nota y dile que te lo pasaste bien. Yo estaré esperando.

Una hora después, Belita salió del hotel, sin hacer caso de las ofertas de los taxistas. Audie le abrió la puerta de atrás, pero ella prefirió sentarse delante, a su lado. Condujeron hacia las montañas. Ella permaneció en silencio durante quince kilómetros, abrazándose las rodillas con los brazos. Le habló en español:

—¿Qué habrías hecho si me hubieras ganado?

—Nada.

—¿Por qué lo has hecho?

—No me parecía justo.

—¿Cuánto dinero has perdido?

—No lo sé.

—No valgo tanto.

—¿Por qué dices eso?

Belita tenía las ojos llorosos. Meneó la cabeza sin poder hablar.

25

$\mathcal{L}$a biblioteca pública de Houston, en la calle McKinney, es el equivalente arquitectónico del hijo engendrado por el amor entre una hormigonera y un pintor cubista. Aun después de que le hayan limpiado la fachada y hayan plantado árboles en los espacios abiertos, el edificio carece por completo de encanto.

La mujer de mediana edad sentada tras el mostrador no levanta la vista hasta que Moss ha terminado de hablar. Pone un sello en un formulario, lo mete en una bandeja y lo mira con sus ojos azules y su sombra de ojos aún más azul.

—¿Para qué?

—¿Cómo dice?

—He oído lo que pide; le pregunto para qué.

—Estoy interesado en ello.

—¿Por qué?

—Es una cuestión privada, y esto es una biblioteca pública.

Moss y la bibliotecaria se miran fijamente durante unos segundos; luego ella le indica que vaya arriba, al octavo piso, en el que otro bibliotecario, esta vez de mejor humor, le enseña a leer las fichas de los libros y a rellenar un formulario de solicitud para el *Houston Chronicle* de enero de 2004.

Los microfilms llegan del archivo, en el sótano. Moss mira las cajas.

—¿Qué hago con ellos?

El bibliotecario señala hacia una hilera de máquinas.

—¿Cómo funcionan? —pregunta Moss.

Con un suspiro, el hombre toma las cajas de su mano y le enseña a fijar la bobina roja y a pasar la película por la ventana de visionado.

—Con esto se mueve hacia delante; con esto, hacia atrás. Este es el mando de enfoque.

—¿Le importaría prestarme papel y un bolígrafo, por favor? —pregunta Moss, algo incómodo por su ignorancia.

—No somos una papelería.

—Sí, lo entiendo.

El bibliotecario cree que con eso resuelve la cuestión, pero Moss sigue de pie frente al mostrador, esperando, cosa que se le da muy bien. El bibliotecario le da papel y un bolígrafo barato de color amarillo.

—Tiene que devolverlo luego —dice el bibliotecario.

—Sí, jefe.

Sentado frente a la máquina, Moss busca en los ejemplares del *Chronicle*. Se concentra en las portadas hasta que encuentra la primera mención del robo, un titular:

ASALTO A FURGÓN BLINDADO

Unos pistoleros disfrazados de trabajadores de mantenimiento de la carretera asaltaron ayer, a última hora de la tarde, un furgón blindado de transporte de dinero norteamericano en una audaz operación a plena luz del día en las afueras de Conroe, Texas.

Dos guardias de seguridad fueron golpeados y un tercero está desaparecido tras la emboscada al furgón de Armaguard, que acababa de salir de un área de descanso para camiones en la I-45, poco después de las tres de la tarde.

Un grupo de hombres armados vestidos de operarios de mantenimiento de la autopista obligaron a dos guardias a salir del vehículo y les quitaron las armas antes de apoderarse del furgón. Cuando los pistoleros se fueron, un tercer guardia seguía en el interior.

«Pusimos controles en las carreteras antes de quince minutos, pero no hemos dado con ellos», dijo el agente Peter Yeomans del condado de Dreyfus. «Obviamente, nuestra principal preocupación es el paradero y el bienestar del tercer guardia.»

Denise Peters, testigo presencial de los hechos, declaró que los asaltantes llevaban chalecos reflectantes y cascos. «Pensaba que llevaban palas, pero eran escopetas. Estaban usando una sierra circular para hormigón y tenían un cartel con una señal de STOP», dijo.

La camarera Gail Malakhova confirmó que los guardias habían estado comiendo en el bar poco antes: «Reían y hacían bromas; pero, poco después de que saliesen, se desató el infierno. Daba mucho miedo».

171

Moss avanza rápido hasta el día siguiente. 28 de enero de 2004.

CUATRO MUERTOS EN ASALTO A FURGÓN BLINDADO

Cuatro personas han muerto y una quinta está entre la vida y la muerte después de un sangriento tiroteo con la policía ayer en el condado de Dreyfus. Los muertos son una conductora, un guardia de seguridad y dos de los miembros de la banda que había asaltado antes un furgón blindado de transporte de dinero. Otro de los sospechosos del robo recibió un disparo de la policía y se encuentra en estado crítico.

El drama se inició ayer, poco después de las tres de la tarde, cuando el furgón de Armaguard fue detenido por unas obras falsas al norte de Conroe. Dos guardias fueron reducidos y un tercero quedó atrapado en la parte de atrás del furgón cuando lo secuestraron y se lo llevaron.

Cinco horas más tarde, dos agentes de la oficina del *sheriff* del condado de Dreyfus vieron el furgón en un área de descanso junto a la carretera secundaria 830, al noroeste de Conroe. Cuando los agentes de policía los abordaron, los pistoleros dispararon contra ellos y se pusieron en marcha a gran velocidad. La persecución policial se extendió durante más de veinte minutos y alcanzó velocidades de hasta ciento cuarenta kilómetros por hora por la carretera antigua de Montgomery antes de que el furgón blindado perdiera el control al coronar una colina y chocase contra un vehículo que circulaba en sentido contrario. La conductora de este vehículo resultó muerta, como también el guardia atrapado en el interior del furgón.

En el tiroteo que tuvo lugar a continuación, dos miembros de la banda resultaron muertos y un tercero fue herido de gravedad. Se cree que un cuarto sospechoso huyó en un todoterreno de color oscuro, que fue hallado más tarde, abandonado y quemado cerca del lago Conroe.

Durante los siguientes días, el robo siguió ocupando las primeras planas, sobre todo desde que se confirmó la cuantía del botín, el 30 de enero. El *Houston Chronicle* informaba:

LOS 7 MILLONES DE DÓLARES SIGUEN SIN SER LOCALIZADOS

Asaltante en soporte vital

El furgón blindado asaltado el martes cerca de Conroe, Texas, transportaba más de siete millones de dólares, uno de los golpes más suculentos en la historia de Estados Unidos, según el FBI, que sigue tratando de recuperar el dinero.

Cuatro personas murieron en el robo, incluido un guardia de seguridad y dos de los asaltantes, mientras que otro de los miembros de la banda se encuentra en estado crítico y, según los médicos, es posible que no recupere el conocimiento. El sospechoso, cuyo nombre no se ha revelado, sufrió graves heridas en la cabeza y se le ha situado en coma inducido.

«Está en soporte vital y su estado ha empeorado desde ayer —confirmó un portavoz del hospital—. Se le ha sometido a cirugía para reducir la presión en el cerebro, pero sus heridas son de consideración».

El asalto terminó en una espectacular persecución a gran velocidad y un accidente. Dos miembros de la banda fueron abatidos a tiros por la policía, y un guardia de seguridad y una conductora murieron en la escena de los hechos. Se cree que un cuarto miembro de la banda logró huir en un Land Cruiser robado de color oscuro, que más tarde encontraron abandonado y calcinado cerca del lago Conroe.

Miembros del servicio forense estuvieron ayer recogiendo pruebas en el lugar del choque y se espera que la carretera siga cerrada durante otras veinticuatro horas.

Moss busca más noticias del robo, pero las informaciones se fueron haciendo más escasas a lo largo de los días posteriores. El pezón de Janet Jackson en la edición trigésimo octava de la Superbowl pareció acabar con el interés de la historia, pues un desnudo es más noticia que una muerte a tiros o que un robo. La policía hizo públicos los nombres de los miembros de la banda que habían muerto: Vernon Caine y su hermano menor Billy, de Luisiana. También nombraron a Audie Palmer y dijeron que su hermano, Carl, fugitivo y famoso asesino de policías, podía estar implicado en el robo. Ocho semanas después del tiroteo, Audie salió del soporte vital, pero no recobró el conocimiento hasta un mes después.

Moss ha estado tomando notas mientras lee, trazando líneas entre nombres de personas y dibujando diagramas. Disfruta usando el cerebro. Se pregunta dónde habría podido llegar si no se hubiese criado en los barrios bajos y no hubiese empezado a robar coches a los once años. En aquel momento creía que todas sus opciones estaban por venir; ahora, la mayoría han quedado atrás.

Sale de la biblioteca con las páginas dobladas en el bolsillo de la camisa. Siguiendo el mapa dibujado a mano, conduce hacia el norte por la I-45 antes de tomar la circunvalación sur de Conroe y dirigirse al oeste, donde enlaza con la carretera antigua de Montgomery, de dos carriles y que discurre por entre densas poblaciones de pinos y robles.

Se detiene en el arcén y descansa las manos en el volante. Una hoja solitaria cae de la fronda que lo cubre. Delante tiene un tramo recto del camino, con un punto alto y una pronunciada curva a la derecha al final de una pendiente. Moss sale del coche y camina, examinando una canalización de aguas pluviales llena de agua cenagosa y hierbas hasta la altura de la cintura, flanqueada por sendas zonas boscosas. Entre los árboles se puede ver una línea eléctrica; se da cuenta de que hay una pequeña cabaña construida con restos de madera, chapas metálicas y trozos de tela asfáltica. Por uno de los lados del patio delantero circula un riachuelo natural, medio tapado por la vegetación, a la sombra de viejos robles y de tocones de otros que han caído o han sido sacrificados.

Moss salta la zanja y, por entre las hierbas, sigue un camino fangoso que lleva al porche de delante. Llama con los nudillos, pero nadie contesta. Retrocede, seguro de que alguien lo observa, pero no ve huellas de neumáticos, ni pisadas, ni ninguna señal de vida. Da la vuelta a la casa y descubre el botón de plástico de un timbre.

Lo pulsa con el pulgar y oye el inconfundible sonido que se produce al accionar la corredera de una escopeta y meter un cartucho en la recámara. La puerta se abre y un hombre lo mira a través de la mosquitera. Lleva unos pantalones con el cinturón suelto y la tripa le sobresale de la camisa desabotonada, como si estuviera embarazado.

—Eres un negrata muy valiente —dice el hombre.

—¿Y eso por qué?

—Por entrar en una propiedad sin haber recibido una invitación.

—Era implícita.

—¿Cómo?

—¿Ves el timbre?

—No funciona.

—Eso da igual. Si uno tiene un timbre, quiere decir que tiene visitantes de vez en cuando, así que hay una invitación implícita.

—¿Qué cojones me estás contando?

—Desde el punto de vista legal, yo tenía una invitación implícita porque, en caso contrario, tú no tendrías timbre.

—Te acabo de decir que no funciona. ¿Estás sordo o qué?

Moss no está llegando a ningún lado.

—¿Cuánto tiempo llevas viviendo aquí, viejo?

—Treinta años.

—¿Te acuerdas de algo que pasó hará unos once años, un accidente allá abajo, detrás de los árboles? La policía perseguía un furgón blindado, que chocó.

—¿Cómo voy a olvidarme?

—Debiste de oír el tiroteo desde aquí.

—Oír y ver.

—¿Y qué viste?

El viejo vacila.

—Lo vi todo y no vi nada.

—¿Y eso qué quiere decir?

—Quiere decir que yo me ocupo de mis asuntos y que tú deberías hacer lo mismo.

—¿Por qué?

—No me hagas hablar.

Los dos hombres parecen enzarzarse en una batalla de miradas, como si cada uno estuviese esperando que el otro parpadeara.

—Un amigo mío estuvo implicado —explica Moss—. Me dijo que podrías ayudarme.

—Mientes.

—¿De qué tienes miedo?

El viejo menea la cabeza.

—Sé cuándo tengo que mantener la boca cerrada. Díselo a tu amigo; dile que Theo McAllister es de fiar.

La puerta se cierra de golpe.

26

$\mathcal{E}$n los días posteriores no se habló de la partida de póquer. Audie llevó a Urban a sus diversas citas y escuchó sus opiniones y sus prejuicios. Ya no estaba tan entusiasmado con su jefe, pero logró fingir que no había cambiado nada entre ellos. Una mañana se dirigían a la mayor de las granjas. Urban estaba sentado en el centro del asiento trasero y Audie lo veía por el espejo retrovisor.

—Me he enterado de lo que hiciste por Belita la otra noche —dijo Urban—. Muy noble de tu parte.

—¿Le dijo algo su amigo?

—Me dijo que fue el mejor polvo de su vida.

—Un poco pagado de sí mismo.

—Digamos que no es Robinson Crusoe.

Audie atravesó el portal de la granja. La limusina levantó una nube de polvo que se expandió y se asentó sobre las hojas de color verde oscuro de los naranjos. Unos trabajadores estaban fumigando y arrancando malas hierbas, moviéndose entre las hileras de árboles. Unos cuatrocientos metros más allá pasaron junto a un grupo de casas toscas, construidas con trozos de madera, tela de alambre, piedras y chapas metálicas abolladas. Había una colada colgada de un tendedero improvisado; le estaban lavando el pelo a un bebé en una tina de hojalata. La madre, de anchas caderas, levantó la mirada, apartándose el pelo de la frente con una mano jabonosa.

177

—¿Te la tiraste? —preguntó Urban.

—No.

—Dijo que ni siquiera lo intentaste.

—Me daba lástima.

Urban reflexionó sobre esto.

—Esa conciencia que tienes te costará cara.

Aparcaron junto a una casa de campo de estilo colonial. Audie llevó a la casa bolsas de dinero en efectivo, con el que se pagaban los salarios de los trabajadores de la granja o se calmaban los ánimos a los sindicalistas o a los políticos corruptos, o se sobornaba a los agentes de aduanas. Desde el punto de vista de Audie, Urban parecía estar sacando buen provecho de la corruptibilidad de San Diego. Sabía qué engranajes había que engrasar, qué manos suavizar y qué traseros lubricar.

—El escándalo moral es un animal imprevisible —explicó Urban—. Por eso no se puede confiar siempre en los bares de tías en pelotas y los bailes en privado para pagar las facturas. Hay que diversificar, recuérdalo.

—Sí, señor.

Audie dejó el dinero sobre un escritorio de arce pulido y se dio la vuelta mientras Urban levantaba un cuadro de la pared y giraba la rueda de una cerradura de combinación.

—Quiero que te lleves de compras a Belita —le dijo Urban—. Que se compre ropa con clase. Para trabajar.

—Trabaja limpiando su casa.

—La voy a ascender. Ayer le dieron una paliza a uno de mis mensajeros y le robaron. A lo mejor decía la verdad, pero puede que fuera él mismo quien organizó el timo. A partir de ahora será Belita la que se encargue de transportar el dinero.

—¿Por qué ella?

—Porque nadie sospecharía que una jovencita guapa lleva tanto dinero encima.

—¿Y si alguien sí sospecha?

—Tú la cuidarás.

Audie tartamudeó y habló de nuevo.

—No entiendo por qué me quiere a mí.

—Porque ella confía en ti, y yo también. —Urban sacó ocho billetes de cien dólares de un rollo de dinero—. Quiero que le compres unos vestidos profesionales, de los que llevan las mujeres; pero sin pantalones, ¿eh? Me gusta con falda.

—¿Cuándo?

—Mañana. Llévala a Rodeo Drive, enséñale dónde viven las estrellas de cine. La llevaría yo mismo, pero estoy ocupado... —Hizo una pausa y añadió—: Y aún está cabreada conmigo por lo de la noche de póquer.

Audie pasó a recoger a Belita después del desayuno. Llevaba el mismo vestido que la primera vez que se vieron, con una chaqueta liviana de punto encima. Se sentó en el asiento del copiloto y mantuvo los brazos cruzados y una actitud recatada todo el trayecto, con las rodillas juntas y un bolso de tela en el regazo.

En lugar de la limusina o el Cherokee, Audie optó por el Mustang descapotable de Urban, por si a Belita le apetecía ir con la capota levantada. Mientras conducía, señaló los lugares destacados e hizo comentarios sobre el tiempo, lanzando ocasionalmente miradas de soslayo a Belita. Belita llevaba el cabello hacia atrás, recogido con un broche de carey; su piel tenía el aspecto del bronce pulimentado con un paño suave. Audie empezó hablándole en español, pero ella quiso practicar su inglés.

—¿Eres de México?

—No.

—¿De dónde eres?

—El Salvador.

—Más hacia abajo, ¿no?

Belita se le quedó mirando y Audie se sintió estúpido. Lo volvió a intentar.

—No pareces muy...

—¿Muy qué?

—No importa.

—Mi padre nació en Barcelona —explicó—. Llegó a El Salvador con veintipico años, en un barco mercante. Mi madre era argentina. Se enamoraron.

Audie condujo hacia el norte por la autopista de San Diego, avanzando junto a la costa durante el primer centenar de kilómetros: océano a la izquierda, montañas a la derecha. Pasado San Clemente se fueron hacia el interior y siguieron la I-5 hasta el centro de Los Ángeles. Era un día laborable de verano. Rodeo Drive estaba lleno de turistas, forasteros de los alrededores y gente local adinerada. En las puertas de los hoteles había porteros con librea y gorilas de etiqueta en los restaurantes, y todos los carteles estaban limpios y brillaban, como si los hubiesen fabricado en una planta estéril en Silicon Valley.

Durante el viaje, Audie le había hecho alguna pregunta a Belita, pero ella no parecía muy interesada en hablar de sí misma. Era como si no quisiera que le recordasen quién era o de dónde venía. Así que Audie habló de él: de cómo fue a la universidad a estudiar Ingeniería, de cómo lo había dejado al cabo de dos años y había venido a California.

—¿Por qué no vas nunca con las chicas? —preguntó ella.

—¿Cómo?

—Las chicas del bar creen que tú…, cómo se dice en inglés…, que *eres marica* —le dijo utilizando la palabra española.

—¿Qué quiere decir eso?

—Creen que te gustan las pollas.

—¿Creen que soy gay?

Se ríe.

—¿Qué tiene de gracioso?

—La expresión… Tu cara.

Audie se sintió idiota y no dijo nada. La verdad es que no se le ocurría nada que decir; nunca había oído una cosa tan ridícula. Condujeron en silencio. A pesar de que estaba furioso, enseguida empezó a echar de nuevo miradas hacia ella, como absorbiéndola, quedándose con los detalles en la memoria.

Pensó que era una criatura extraña, como un animal salvaje en el borde de un claro, vacilando, sin decidirse a salir a campo abierto. Un evocador, casi mágico halo de tristeza, que parecía vaciar el mundo, la rodeaba; la sensación de que el dolor no era más que el remate de su belleza y de que la única forma de apreciar la perfección era reconocer su imposibilidad, tomar conciencia de los defectos.

Belita señalaba las tiendas de diseñadores con nombres famosos, como Armani, Gucci, Cartier, Tiffany y Coco Chanel. Hablaba una especie de inglés de academia, como si ensayase cada frase al tiempo que encadenaba las palabras. A veces preguntaba si había dicho algo correctamente.

Audie aparcó el Mustang y pasearon por Rodeo Drive, pasando junto a las *boutiques*, las acompañantes de lujo, las exposiciones de coches, los restaurantes y las champanerías. En una sola manzana, Audie contó tres Lamborghini, dos Ferrari y un coupé Bugatti.

—¿Dónde están las estrellas de cine? —preguntó ella.

—¿A quién querías ver?

—A Johnny Depp.

—Creo que no vive en Los Ángeles.

—¿Y Antonio Banderas?

—¿Es de El Salvador?

—No.

Miró los escaparates de las tiendas, donde dependientas escuálidas vestidas de negro exhibían un aire de estudiada indiferencia.

—¿Dónde está la ropa? —preguntó.

—Solo exponen una parte.

—¿Por qué?

—Las hace parecer más exclusivas.

Belita hizo una pausa para fijarse en un vestido.

—¿Te lo quieres probar? —preguntó Audie.

—¿Cuánto vale?

—Tendrás que preguntarlo.

—¿Por qué?

—Así son las cosas.

Siguió andando. Pasaba lo mismo en todas las tiendas: miraba el escaparate o a través de las puertas sin atreverse a entrar. Se pasaron una hora paseando por las mismas tres manzanas, arriba y abajo. Belita no quiso pararse para beber o comer algo, o tomar un café. No quería quedarse allí. Audie la llevó en el coche por Santa Monica Boulevard, pasaron por delante de la comisaría de Beverly Hills hacia el oeste de Hollywood. Vieron el Teatro Chino y el Paseo de la Fama, atestado de grupos de turistas japoneses que iban detrás de paraguas de colores vivos y se hacían fotos con estatuas vivientes de Marilyn Monroe, Michael Jackson y Batman.

Belita pareció relajarse. Dejó que Audie le comprase un helado. Le dijo que esperase mientras entraba en una tienda de recuerdos. Por el escaparate, Audie vio cómo se compraba una camiseta con una fotografía estampada del cartel de Hollywood.

—Es demasiado pequeña para ti —dijo, mirando en la bolsa.

—Es un regalo —respondió, volviéndola a guardar.

—Aún no te has comprado nada de ropa.

—Llévame a un centro comercial.

Audie la llevó a un conglomerado de tiendas de hormigón, sin alma, rodeado de hectáreas de coches aparcados y salpicado de palmeras que parecían falsas, pero que, probablemente, eran reales. Belita hizo esperar a Audie sentado en un asiento de plástico, junto al probador. Entró y salió muchas veces, haciéndole un pase de modelos de faldas y chaquetas, pidiendo su opinión. Audie asintió todas las veces, pensando que le habría parecido hermosa aunque hubiese llevado un saco de arpillera. Esa era una de las cosas que no entendía de las mujeres: muchas de ellas pensaban que tenían que ponerse de punta en blanco, con faldas ajustadas y tacones altos, elegantes como una copa de champán, cuando la verdad era que estaban igual de guapas con una camiseta y unos vaqueros descoloridos.

Belita eligió con atención. Audie pagó. Luego la hizo entrar en un restaurante de verdad, con las mesas cubiertas con manteles de tela. Se sentía extrañamente feliz, como hacía mucho tiempo que no lo estaba, si la memoria no le fallaba. Charlaron en español y él miró el reflejo de la luz jugando en sus ojos: no podía imaginarse una mujer más hermosa. Se imaginó a ambos sentados en un pequeño café, en primera línea de costa, en algún lugar de El Salvador, con las palmeras meciéndose sobre sus cabezas y el vívido azul del mar, como en las fotos que uno ve en los folletos de viajes.

—¿Qué querías ser cuando eras niña? —le preguntó.

—Feliz.

—Yo quería ser bombero.

—¿Por qué?

—Cuando tenía trece años vi a unos bomberos sacar a tres personas de un edificio en llamas. Solo sobrevivió una de las víctimas, pero recuerdo ver a los bomberos emergiendo del humo cubiertos de polvo y hollín. Parecían estatuas, como monumentos.

—¿Y tú querías ser una estatua?

—Yo quería ser un héroe.

—Creí que querías ser ingeniero.

—Eso vino después. Me gustaba la idea de construir puentes y rascacielos; cosas que vivieran más que yo.

—Podías haber plantado un árbol.

—No es lo mismo.

—En mi tierra, la gente está más interesada en cultivar comida que en construir monumentos.

Al final de la tarde, de vuelta a casa, el tráfico era intenso. El sol estaba bajo en el horizonte y pintaba un camino dorado, recto como una flecha, sobre el océano. En alguna parte, sin embargo, una tormenta había agitado las olas, que rompían en los bancos de arena, arrojando chorros de espuma y neblina.

—Quiero caminar por la playa —dijo ella.

—Se está haciendo de noche.

—Por favor.

Audie tomó la salida siguiente hacia la autopista Old Pacific, condujo por un camino de tierra que discurría por encima de los acantilados dorados y se detuvo frente a una torre de salvavidas vacía. Belita dejó las sandalias en el coche y salió corriendo por la arena; el sol brillaba a través del fino tejido de su vestido y acentuaba todas y cada una de sus curvas.

Audie se quitó las botas con dificultad y se arremangó los vaqueros. Cuando la alcanzó, ella estaba chapoteando en la orilla, subiéndose más el vestido para evitar que se mojase.

—El agua de mar cura muchas cosas. Cuando era una niña tuvieron que operarme del pie. Mi padre me llevaba cada día al mar y yo me sentaba al borde de una poza, y mi pie mejoró. Recuerdo irme a dormir acompañada del ruido de las olas. Por eso amo el mar. La madre Océano se acuerda de mí.

Audie no supo qué contestar.

—Voy a nadar —dijo ella, y corrió por la playa mientras se soltaba los cierres del vestido, se lo bajaba y lo dejaba en la arena.

—¿Y tu ropa?

—Tengo ropa nueva.

Se metió en el agua en ropa interior, boqueando por el frío. Miró por encima del hombro con un gesto que Audie nunca podría olvidar, un momento que se quedó clavado en su mente: la perfección de su piel, la música de su risa, sus ojos marrones dando color en lugares que el color marrón nunca hubiese soñado con alcanzar. En aquel preciso momento, Audie supo que siempre ansiaría a Belita, tanto si pasaban juntos todas sus vidas como si se separaban aquella noche y no se volvían a ver jamás.

Se sumergió bajo una ola y la perdió de vista. Pasó el tiempo. Audie se metió más allá en el agua, llamándola. Aún no había salido a la superficie. Se quitó la camisa, la tiró y continuó avanzando. Estaba frenético. Resbaló, perdió pie, lo envolvió el frío.

La vio justo antes de que una ola le pasase por encima y lo sumergiese, haciéndolo girar. No sabía dónde estaba arriba y dónde estaba abajo. Se golpeó la cabeza con algo duro, se dio la vuelta, pateó para subir a la superficie, otra ola lo volvió a sumergir, tragó agua, se revolvió a ciegas.

Unos brazos le rodearon la cintura mientras una voz susurraba en su oído: «Cálmate».

184

Belita tiró de él hasta que hizo pie. Tosió, escupió y se sintió como si se hubiese tragado toda una ola. La chica le agarró la cara y Audie se frotó los ojos y la miró intensamente, envuelto por una sensación de intimidad extraña, inquietante.

—¿Por qué no me dijiste que no sabías nadar?

—Pensaba que te estabas ahogando.

La ropa interior de Belita se pegaba a ella, como la primera vez que la vio en casa de Urban.

—¿Por qué siempre intentas salvarme?

Audie lo sabía, pero la respuesta le daba miedo.

27

Valdez ha telefoneado a Sandy cuatro veces desde la hora del desayuno para tranquilizarla, decirle que todo iba bien y que pronto atraparán a Audie Palmer. Sus conversaciones son breves, tensas, remotas y salpicadas de acusaciones y ataques no expresados. Se pregunta cuándo su matrimonio quedó definido por las pausas y los silencios entre las palabras.

Al principio, las cosas habían sido distintas. Conoció a Sandy en circunstancias difíciles. Ella llevaba una bata de hospital y estaba sentada en el borde de una cama, llorando en el hombro de una asesora psicológica para víctimas de violación. Habían enviado su ropa al laboratorio y sus padres estaban de camino desde su casa con ropa limpia. Ella tenía solo diecisiete años y la había violado un jugador del equipo de fútbol de su escuela en una fiesta de final de temporada.

Sus padres eran religiosos y cumplidores de la ley. Buena gente. Pero se negaban a ver a su hija violada de nuevo por un «cochino abogado defensor», así que el chico no fue acusado nunca.

Valdez permaneció en contacto con la familia y, cinco años más tarde, se tropezó con Sandy en un bar en Magnolia. Empezaron a salir, se comprometieron y se casaron el día en que ella cumplía veintitrés años. La verdad era que no tenían demasiadas cosas en común. A ella le gustaba la moda, la música y pasar las vacaciones en Europa. Él prefería el fútbol, las carreras de coches y la caza. También le gustaba el sexo serio, casi formal, mientras que a ella le encantaba reírse, hacer cosquillas y jugar. Él quería que ella fuese recatada, encantadora y con buena presencia, pero, al mismo tiempo, a veces tenía ganas de darle la vuelta, plantar bien los pies y tomarla desde atrás.

Sandy creía que la violación era la causa de que no pudiera quedarse embarazada. De alguna manera, sus ovarios habían recibido una especie de semilla nociva que hacía que nada pudiese crecer en su jardín; o a lo mejor era un castigo de Dios por su promiscuidad. Cuando fue a la fiesta, ya no era virgen; no lo era desde los quince años. Quizá si hubiese esperado... Si se hubiera conservado pura...

Valdez aparca en el exterior del Hospital para Niños de Texas, muestra la placa a la recepcionista y le dice que quiere ver a Bernadette Palmer. La recepcionista mueve los dedos sobre el teclado y hace unas llamadas telefónicas. Valdez mira al otro lado del vestíbulo y recuerda las veces que lo ha recorrido con Sandy. Se pasaron siete años tratando de tener un hijo, visitando el Centro de Fertilidad, pasando por una rutina de inyecciones, recolección de óvulos y fertilizaciones *in vitro*. Valdez llegó a odiar los hospitales y a los niños en general. Llegó a odiar el grito de angustia que oía cada mes, cuando a Sandy le venía el periodo.

Las manos de la recepcionista le entregan un identificador de visitante y le indican las escaleras de subida. También le desea que tenga un buen día, como si se le pudiese olvidar tenerlo si no lo hacía.

Bernadette Palmer está haciendo un descanso. Valdez la encuentra en la cantina del hospital, en el piso dieciséis de la torre oeste. No se parece a su hermano: es alta y de estructura robusta, tiene el rostro redondeado y mechas canosas que se le escapan del moño.

—¿Sabe por qué estoy aquí? —le pregunta.

—Ya he hablado con la policía.

—¿Se ha puesto su hermano en contacto con usted?

Sus ojos no se quedan quietos; miran a todas partes, menos a la cara de Valdez.

—¿Sabe que ayudar a un fugitivo es delito? —pregunta él.

—Audie cumplió su condena.

—Escapó de la custodia.

—Por un puto día. ¿Por qué no lo dejan en paz?

Valdez acerca una silla y se toma un momento para admirar las vistas. No son especialmente bonitas, pero no es habitual que pueda ver la ciudad desde ese ángulo. Desde arriba parece menos desorganizada y se puede apreciar el diseño general: calles pequeñas que desembocan en otras grandes y un paisaje dividido en pulcras manzanas. Es una lástima que no se pueda ver todo en la vida desde arriba, para poder orientarnos y poner las cosas en perspectiva.

—¿Cuántos hermanos tiene? —pregunta.

—Ya lo sabe.

—Uno de ellos es asesino de policías; el otro, asesino normal. Debe de sentirse orgullosa.

Bernadette hace una pausa, deja el bocadillo en la mesa y se limpia la boca con una servilleta de papel. La dobla cuidadosamente.

—Audie no es como Carl.

—¿Y eso qué quiere decir?

—Puedes criarte en la misma cazuela de cocido y, aun así, ser diferente.

—¿Cuándo fue la última vez que supo de Audie?

—No lo recuerdo.

La mira con una sonrisa alargada, como un coyote.

—Es extraño. Le he enseñado a su supervisora una fotografía y me ha dicho que alguien con el mismo aspecto que su hermano vino a verla esta mañana.

Bernadette no responde.

—¿Qué quería?

—Dinero.

—¿Se lo dio?

—No tengo dinero.

—¿Dónde se aloja?

—No me lo dijo.

—Podría arrestarla.

—Adelante, *sheriff* —dice, mostrándole las manos—. Será mejor que me espose: podría ser peligrosa. Ah, no, perdón, no lo recordaba: usted prefiere disparar a las personas.

Valdez no muerde el anzuelo, pero le encantaría borrar esa sonrisa de una bofetada.

Bernadette dobla el papel encerado en el que estaba envuelto el bocadillo y lo tira a la basura.

—Me vuelvo a mi sala. Los niños enfermos necesitan que los cuiden.

El teléfono de Valdez está sonando; mira la pantalla iluminada.

—¿*Sheriff*?

—Sí.

—Llamamos desde la centralita de la policía de Houston. Dijo que le informásemos si aparecía el nombre de Audie Palmer. Hace una hora, uno de nuestros operadores recibió una llamada de una mujer que quería saber si había una recompensa por dar información sobre Palmer. No dijo su nombre.

—¿Desde dónde llamaba?

—Tampoco lo dijo.

—¿Y un número?

—Utilizó un teléfono móvil. Triangulamos la señal y la localizamos en un motel en Airline Drive, al lado de la Autopista Norte. Íbamos a llamar al FBI.

—Ya lo haré yo —dice Valdez.

Las chicas están viendo vídeos musicales y bailando en las camas. Cassie, que había sido ágil y descarada, tiene ahora las hechuras de una magdalena por encima de la cintura de los vaqueros, pero sabe moverse, con los brazos en el aire y dándose caderazos con Scarlett.

—¿Me he perdido la fiesta? —pregunta Audie.

—Demuestra lo que sabes —responde Cassie.

Audie lo hace lo mejor que puede, cantando con Justin Timberlake, pero hace tanto tiempo desde la última vez que bailó que sus movimientos son torpes y desgarbados. Las chicas acaban revolcándose por el suelo de la risa. Audie deja de cantar.

—Venga, sigue, no seas tímido —dice Cassie.

—Sí, vamos —la apoya Scarlett, que está imitando la forma de bailar de Audie.

—Me alegro de haberos divertido —dice Audie, sentándose de nuevo en la cama.

Scarlett salta sobre él, que le hace cosquillas hasta que le falta el aire. Luego, ella le enseña sus últimos dibujos, apoyándose a su lado en la cama con sus escuálidas piernas mientras masca un chicle del color de la masilla.

—Déjame adivinar... Eso es una princesa.

—Ajá.

—¿Y eso es un caballo?

—No, un unicornio.

—Claro. ¿Y ese quién es?

—Ese eres tú.

—¿En serio? ¿Y qué soy?

—El príncipe.

Audie sonríe y echa un vistazo en dirección a Cassie, que finge no estar escuchando. El mundo interior de Scarlett parece estar lleno de princesas, príncipes, castillos y finales felices. Es como si quisiera hacer realidad otra vida con solo desearla.

Cassie está de pie con los brazos cruzados, dando la espalda a las cortinas cerradas. Audie la mira.

—Pensaba que ya no estaríais aquí.

—Salimos mañana.

Hay una pausa prolongada.

—Quizás estaría bien que volvierais a casa.

Cassie baja la mirada.

—No nos quieren.

—¿Cómo lo sabes?

—Me lo dijo mi padre.

—¿Y cuándo fue eso?

—Hace seis años.

—Puede haber cambiado de opinión una docena de veces en seis años. ¿Tiene mal genio?

Ella asiente.

—¿Te ha pegado alguna vez?

Sus ojos brillan.

—No se atrevería.

—¿Ha visto alguna vez a Scarlett?

—Vino al hospital, pero no dejé que la viese, después de lo que me había dicho.

—Suenas parecido a él.

En su mandíbula, un músculo se crispa.

—No me parezco a él, para nada.

—Te enfadas rápido, eres obstinada, discutidora, intransigente.

—No sé qué quieren decir la mitad de esas palabras.

—Que no te echas atrás.

Se encoge de hombros.

—¿Por qué no lo llamas? Así te colocas en una posición de ventaja, a ver qué pasa.

—¿Por qué no te ocupas de tus asuntos?

Audie se inclina por encima de la cama y coge el teléfono móvil de Cassie, que se lo intenta arrebatar.

—Yo lo llamaré.

—¡No!

—Le diré que Scarlett y tú estáis bien. —Sostiene el teléfono fuera del alcance de ella—. Una llamada. ¿Qué tiene eso de malo?

Cassie parece asustada, desesperada incluso.

—¿Y si cuelga?

—Él se lo pierde, no tú.

Cassie se sienta en el borde de la cama, apretando las manos entre las rodillas. Está pálida. Scarlett percibe que lo que está pasando es importante; se le acerca, gateando, y le apoya la cabeza en el hombro.

Audie hace la llamada. El hombre que contesta lo hace con brusquedad, como si lo hubiesen interrumpido mientras miraba su programa de televisión favorito.

—¿Es el señor Brennan?

—¿Quién es?

—Un amigo de Cassie... Cassandra.

Hay un instante de vacilación. Audie oye la respiración del señor Brennan. Mira de reojo a Cassie; en sus ojos se ve un frágil destello de esperanza.

—¿Se encuentra bien? —pregunta la voz.

—Sí, no hay problema.

—¿Y Scarlett?

—Las dos están bien.

—¿Dónde están?

—En Houston.

—Mi otra hija me dijo que Cassie había ido a Florida.

—No llegó hasta allí, señor Brennan. —Se hace otra pausa prolongada, pero Audie la interrumpe—. Usted no me conoce, señor, y no tiene por qué escucharme, pero creo que es un hombre bueno que siempre ha intentado hacer lo mejor para su familia.

—Soy cristiano.

—Dicen que el tiempo lo cura todo, incluso las heridas más profundas. Quizás usted recuerde por qué se peleó con Cassie. Y los desacuerdos pueden hacerse cada vez mayores. Sé que puede ser muy frustrante ver como una persona ha perdido el norte y quieres impedir que cometa un error. Pero los dos sabemos que hay cosas que no se pueden contar, que no se pueden enseñar. Las personas tienen que aprenderlas por sí mismas.

—¿Cuál es tu nombre, hijo?

—Audie.

—¿Por qué me llamas?

—Porque su hija y su nieta le necesitan.

—Quiere dinero.

—No, señor, no es eso.

—¿Por qué no me ha llamado ella misma?

—Tiene una vena testaruda, pero en el buen sentido. Quizá la haya heredado de usted. Es orgullosa. Es una buena madre y lo ha estado haciendo todo sola.

El señor Brennan quiere saber más cosas. Su voz se ha vuelto pastosa, teñida de remordimientos. Audie sigue hablando y respondiendo a sus preguntas, oyéndole contar discusiones que ahora, después de tanto tiempo, ya no parecen tener tanta importancia. Su mujer había muerto, y él estaba pluriempleado. No le dedicó a Cassie todo el tiempo que se merecía.

—Está aquí, conmigo —dice Audie—. ¿Le gustaría hablar con ella?

—Sí, por favor.

—Un momento.

Audie mira a Cassie. A lo largo de la conversación ha ido cambiando de expresión: esperanzada, furiosa, asustada, avergonzada, terca y a punto de llorar. Ahora coge el teléfono; lo hace con las dos manos, como si tuviera miedo de que fuera a caerse y romperse en mil pedazos.

—¿Papá?

Una lágrima resbala por su mejilla y se detiene en la comisura de la boca. Audie coge a Scarlett de la mano.

—¿Adónde vamos?

—Fuera.

Audie ata los cordones de las zapatillas de Scarlett y sale de la habitación. Bajan las escaleras y pasan junto a la piscina, que tiene túneles de neblinosa luz azul bajo la superficie. Caminan entre las filas de coches aparcados y las palmeras, a lo largo de la calle principal, hacia la gasolinera. Allí le compra un polo y mira cómo lo lame de abajo hacia arriba.

—¿Por qué mamá *ziempre* llora? —pregunta.

—También se ríe.

—No tanto.

—A veces no es fácil ser las personas que tenemos que ser.

—¿No *paza ziempre azí*?

—Si tienes suerte, sí.

—No lo entiendo.

—Puede que un día lo entiendas.

En algún momento después de la medianoche, Audie nota que Cassie se mete bajo la ropa de la cama y aprieta su cuerpo desnudo contra el de él. Deslizando una pierna por encima de su cuerpo, se pone de rodillas y lo monta, dejando que su barbilla sin afeitar le roce la mejilla y posando sus labios sobre los de él.

—Tenemos que ser silenciosos.

—¿Estás segura? —pregunta Audie.

Ella busca su mirada.

—Mañana nos vamos a casa.

—Me alegro.

Mientras suelta el aire, desciende sobre él, contrayendo los músculos pélvicos y arrancándole un gruñido.

Once años sin una mujer, pero la memoria muscular sigue ahí. Quizá la gente se refiere a esto cuando hablan de que los animales actúan por instinto, que saben qué hacer sin que se lo hayan enseñado. Tocándose, besándose, moviéndose, suspirando.

Después, Cassie se desliza en silencio y vuelve a la otra cama. Audie duerme, se despierta y se pregunta si no habrá sido un sueño.

La primera vez que Audie hizo el amor con Belita estaban en la habitación de ella, en la casa que Urban tenía en la montaña. Urban se había ido a San Francisco por «negocios familiares». Audie pensaba que se trataba de un eufemismo. Su jefe decía que San Francisco estaba lleno de «maricas y vagos», pero podía insultar igualmente a demócratas, intelectuales, ecologistas, evangelistas de televisión, vegetarianos, árbitros de béisbol, *espaguetis*, *chinacos*, serbios y judíos.

Durante dos meses, Audie había acompañado a Belita en los asuntos de recogida y depósito de dinero de Urban. El trabajo de ella era tomar nota de la cantidad, escribir un recibo y llevar el dinero al banco. Algunos días tenían tiempo de hacer un pícnic en la cala de La Jolla o en Pacific Beach; bebían la limonada y comían los bocadillos que ella había preparado por la mañana. Luego paseaban por el malecón junto a las tiendas de recuerdos, los bares y los restaurantes, mezclándose con otros transeúntes, ciclistas y patinadores. Audie le contaba cosas de su vida, con la esperanza de que ella hiciese lo mismo, pero Belita raramente hablaba de su pasado. Tumbados sobre una manta en La Jolla, Audie jugaba con los dedos en el aire, haciendo sombras que pasaban sobre los párpados de Belita. Luego recogía margaritas silvestres, las trenzaba formando una corona y se la ponía a ella en la cabeza.

—Ahora eres una princesa.

—¿Con hierbajos en la cabeza?

—Flores, no hierbajos.

Ella reía.

—A partir de ahora serán mi flor preferida.

Cada tarde la dejaba en su casa, abriéndole la portezuela y observando cómo recorría el camino. Ella no se daba la vuelta ni lo invitaba a pasar. En las horas posteriores, Audie intentaría recordar cada uno de los detalles de su rostro, sus manos, sus dedos, sus uñas medio despintadas y la forma en que los lóbulos de sus orejas parecían llamar a los labios de él. Pero siguió haciendo pequeños cambios, según cómo se sintiese aquel día concreto. Podía convertirla en una virgen, en una princesa, en una madre o en una puta; no alucinaciones, sino distintas amantes en la misma mujer.

Pusilánime, como siempre, Audie no decía nada. Más tarde, en solitario, desarrollaría sus argumentos con elocuencia, con pasión. Mañana, se decía. Mañana sería el día.

Finalmente, una tarde, abrió la puerta y, antes de que Belita pudiese escabullirse, la agarró de la muñeca, atrajo su cuerpo y le aplastó los labios contra los suyos en un torpe beso.

—¡Basta! —dijo ella, apartándolo de un empujón.

—Te quiero.

—No digas tonterías.

—Eres preciosa.

—Te sientes solo.

—¿Puedo volver a besarte?

—No.

—Quiero estar contigo.

—No me conoces.

La rodeó con los brazos, la besó con fuerza, la estrechó contra él e intentó abrirle los labios, pero los tenía bien cerrados. Se negó a soltarla y, poco a poco, notó cómo su cuerpo se rendía, sus dientes se separaban, su cabeza se inclinaba hacia atrás y sus brazos le rodeaban el cuello.

—Si dejo que te acuestes conmigo, ¿me dejarás en paz? —preguntó ella, como si temiese lo que pudiera pasar al ceder incluso ese territorio.

—No —contestó él mientras la llevaba a la casa.

Trastabillando hasta el dormitorio de Belita, se desnudaron con urgencia, con torpeza, soltando botones y broches, agitándose, tironeando, saltando sobre un solo pie, incapaces de soltarse el uno al otro siquiera por un momento. Audie le mordió el labio. Ella le tiró del pelo. Él la agarró de las muñecas y las sostuvo por encima de su cabeza, besándola como si quisiera dejarla sin respiración.

El acto en sí fue fácil, rápido, apasionado, sudoroso y frenético, pero todo parecía ralentizado; Audie se sorprendió de cómo el tiempo pareció esfumarse. Había estado antes con mujeres; casi siempre encuentros ridículos, a hurtadillas, en dormitorios empapelados con estrellas de cine y *collages* fotográficos de familias. En la universidad solían ser chicas con aspiraciones artísticas, vestidas con ropa cutre que leían tratados feministas o poemas de Sylvia Plath. Pasaba la noche y se iba antes de amanecer, mientras se decía que no les importaría si no las llamaba o si no les enviaba un mensaje.

Otras chicas a quienes había conocido siempre trataban de darse importancia con sus coqueteos, sus ropas y sus secretos, pero Belita no trataba de impresionarlo, ni a él ni a nadie. Ella era distinta. No tenía por qué hablar; no tenían por qué saber lo que pensaba el otro. Y, sin embargo, con el mínimo movimiento de los ojos, o gesto de los labios, o esbozo de la sonrisa, era capaz de emocionar a Audie, que se sentía como si estuviese mirando en lo más profundo de un pozo. Lo único que tenía que hacer era caer en él.

¿Qué más recuerda él? Todo: todos los detalles de su piel del color de la melaza, su olor, su nariz altiva y sus gruesas cejas, el leve brillo de sudor en su labio superior, la cama individual, la ropa de ambos esparcida por el suelo; el vestido de algodón de ella, decolorado por los numerosos lavados, las sandalias, las bragas baratas de color azul, la cadena en su cuello con un pequeño crucifijo de plata, la forma como sus pechos le llenaban el hueco de las manos. El maullido de gatito abandonado en el momento del orgasmo.

—Soy de Urban —dijo en tono distraído mientras le acariciaba la muñeca.

—Sí —respondió Audie, sin prestarle realmente atención. Su tacto lo electrificaba, lo paralizaba.

La mano de ella en la suya, con los dedos entrelazados: toda la vida reducida a ese único punto de contacto, suave y cálido.

Hicieron el amor de nuevo. Ella tenía miedo de que Urban pudiera venir y pillarlos juntos, o de que Audie pensase que era una furcia; pero también parecía ansiar su peso entre los muslos, la aceleración de su respiración y cada una de las resbaladizas sacudidas de su cuerpo.

Luego Belita se levantó para ir al baño. Audie se sentó en

el borde de la cama; sus ojos estaban habituados a la oscuridad. Cuando ella volvió, él le pasó la yema de un dedo por la nuca y por toda la longitud de la columna, subiendo y bajando en cada vértebra. Ella tuvo un escalofrío; una ola pareció recorrer todo su cuerpo. Murmuró algo con voz soñolienta, se acurrucó y se quedó dormida. Él también durmió. Se despertó de madrugada y oyó el sonido de agua corriente. Belita salió del baño a medio vestir y se puso bien las bragas.

—Tienes que irte.

—Te quiero.

—¡Ahora!

28

*E*l barrio Greater Third Ward de Houston tiene un pequeño distrito comercial poblado de prestamistas, paradas de tacos, iglesias, locales de *striptease* y sombríos bares protegidos con ventanas enrejadas y puertas reforzadas.

Moss hace una pausa en el exterior de uno de ellos, que tiene un cartel sobre la ventana: FIANZAS FOUR ACES. Debajo hay un eslogan de lo más poético: «¿El padre de tu hijo en la cárcel? ¡Qué chanza! Vende tu oro y paga la fianza».

Protegiéndose los ojos con las manos, mira a través del grueso enrejado. Ve vitrinas llenas de joyas, relojes y electrodomésticos. Una gruesa mujer latina está fregando el suelo con una fregona y un cubo de agua jabonosa. Moss llama, haciendo traquetear la doble cerradura. La mujer de la limpieza abre la puerta, pero solo una rendija.

—Estoy buscando a Lester.

—El señor Duberley no está.

—¿Dónde está?

La mujer vacila. Moss saca un billete de diez dólares de su fajo de dinero; ella se lo arrebata como si fuese a salir volando por culpa de una inexistente brisa y señala al otro lado de la calle, a un garito con un cartel de neón en forma de vaquera desnuda que lleva un sombrero tejano y hace girar un lazo.

Moss vuelve a darse la vuelta, pero la puerta ya se ha cerrado de nuevo.

—Gracias, señora —le dice a nadie—. Yo también estoy encantado de conocerla.

Cruza la calle y entra en la oscuridad del bar, trastabillando al bajar los dos últimos escalones. Entra en una sala que desprende un desagradable olor a sudor, cerveza y flatulencias de comida frita. La larga barra va de un extremo a otro de una pared con un espejo y estantes con botellas de todas las formas y colores: unas redondas, otras esbeltas, algunas selladas con cera roja, otras con tapones de rosca.

Lester Duberley tiene los codos apoyados en la barra y está encorvado sobre un vaso de hielo picado oscurecido con burbon. Es un hombre gordo, con manos de grandes nudillos y matas de pelo canoso saliéndole de las orejas. Lleva un chaleco con estampado de cachemir que no puede abotonarse por culpa de la tripa.

Detrás de la cabeza de Lester, una chica en *topless* con un tanga de lentejuelas y zapatos de aguja, con la piel rosada por las luces, baila enérgicamente en una rampa. Tiene los pechos grandes y algo caídos, con ligeras estrías, más blancas que el resto de la piel. Hay media docena de hombres sentados en mesas frente a ella, más interesados en una segunda chica, igualmente desnuda, que se inclina hacia delante y mira por entre sus rodillas separadas.

Lester no parece sorprendido de ver a Moss. De hecho, apenas reacciona.

—¿Cuándo has salido?

—Anteayer.

—Pensaba que ibas a cumplir toda la condena.

—Cambio de planes.

Lester se pasa el vaso por la frente mientras Moss pide una cerveza.

—¿Cuánto tiempo ha sido?

—Quince años.

—Debes de haber visto un montón de cambios. Seguro que ni siquiera has oído hablar de un iPad o de un *smartphone*.

—He estado en la cárcel, no en Arkansas.

—Dime quién es Kim Kardashian.

—¿Quién?

Lester se palmea el muslo y se ríe, mostrando las muelas de oro.

Uno de los clientes más borrachos intenta meter mano a la *stripper* contorsionista; el portero le hace una presa en el cuello y lo arrastra a la calle.

—No entiendo por qué lo hacen —dice Lester—. A la chica le daba igual.

—¿Se lo has preguntado?

—En los últimos seis meses han hecho dos redadas en este sitio. Qué manera de malgastar el dinero del contribuyente.

—No sabía que pagases impuestos.

—Lo digo en serio. Lo que la gente haga en privado no es asunto de nadie. Si quieren gastarse el dinero en bebidas demasiado caras en bares de *strippers* como este, ¿por qué impedírselo? Estos tipos están ayudando a una pobre chica a alimentar a sus niños o a ir a la universidad. ¿Qué tiene eso de moralmente reprobable en estos tiempos económicamente difíciles?

—Quieres un Gobierno que intervenga menos.

—Yo soy un capitalista, pero no de esa forma de capitalismo remilgada y de medias tintas que se practica en este país. Quiero una forma pura de capitalismo. Quiero una América en la que puedas hacer lo que te dé la real gana si tienes dinero para hacerlo. ¿Que quieres asfaltar Kansas y tienes dinero para pagarlo? Adelante. ¿Que quieres hacer *fracking* para extraer petróleo y gas? Paga y hazlo. Pero, en vez de eso, tenemos normas, regulaciones y a los malditos verdes, a los sindicalistas, a los neandertales del Tea Party y a los socialistas de gran corazón. Que decida el puto dinero.

—Ha hablado un verdadero patriota —dice Moss.

Lester levanta el vaso.

—¡Uno de los buenos! —Bebe y echa los hombros hacia atrás—. ¿Y tú qué quieres?

—Necesito encontrarme con Eddie Barefoot.

—¿Estás loco? Acabas de salir.

—Necesito cierta información.

Lester masca un poco de hielo.

—Te puedo conseguir un número de teléfono.

—No, quiero verle.

Lester lo mira, vacilante.

—¿Y si él no te quiere ver a ti?

—Dile que soy amigo de Audie Palmer.

—¿Esto tiene que ver con el dinero?

—Como tú mismo has dicho, Lester, siempre tiene que ver con dinero. —Moss levanta la cerveza y se la termina con un trago largo—. Hay otra cosa.

—¿Qué?

—Necesito una pistola del 45. Limpia y con munición.

—¿Es que tengo aspecto de traficante de armas?

—Pagaré.

—Ya lo creo que lo harás.

29

Valdez aparca su furgoneta lejos del motel y camina dos manzanas, azotado por las corrientes de aire de los camiones que circulan por la autopista. Protegiéndose del frío con la chaqueta, hace una pausa a la entrada, donde el viento mece las copas de las palmeras y la luna parece una bandeja plateada detrás de las frondas en movimiento.

El recepcionista de noche es un hispano de mediana edad, sentado con los pies apoyados en el mostrador, mirando en un pequeño televisor un culebrón mexicano en el que los peinados y la ropa de los actores están pasados de moda hace veinte años y en el que los protagonistas hablan como si fuesen a follar o a pelearse.

El *sheriff* enseña su placa y el recepcionista lo mira con expresión nerviosa.

—¿Ha visto a este tipo? —pregunta Valdez, mostrándole una fotografía de Audie Palmer.

—Sí, lo he visto, pero hace unos días que no. Ahora tiene el pelo distinto, más corto.

—¿Alquiló una habitación?

—Lo hizo su novia. Está en el segundo piso. Tiene una niña con ella.

—¿Qué número?

El recepcionista consulta el ordenador.

—Dos treinta y nueve. Cassandra Brennan.

—¿Qué clase de coche lleva?

—Un Honda. Está hecho una mierda y lleno de cosas.

Valdez señala la fotografía de nuevo.

—¿Cuándo lo vio por última vez?

—No trabajo durante el día.

—¿Cuándo?

—Anteanoche. ¿Qué ha hecho?

—Es un fugitivo buscado. —Valdez se mete la fotografía en el bolsillo—. Las habitaciones de ambos lados, ¿están ocupadas?

—No desde hace dos días.

—Necesito una llave. —Valdez coge la tarjeta–llave—. Si no he vuelto dentro de cinco minutos, quiero que llame a este número y que diga que un agente necesita ayuda.

—¿Por qué no llama usted mismo?

—Aún no sé si necesito ayuda.

204

Audie se despierta con la extraña certidumbre de que ha estado soñando, pero no recuerda qué. Siente el dolor familiar de algo que acaba de desaparecer por el borde de la conciencia, algo vislumbrado que ahora se ha perdido. Así es como percibe su pasado: como un remolino de polvo y basura.

Abre los ojos, sin saber si ha oído un ruido o ha notado un cambio en la presión del aire. Salta de la cama, se dirige a la ventana; fuera está oscuro y silencioso.

—¿Qué pasa? —pregunta Cassie.

—No lo sé, pero me voy a ir.

—¿Por qué?

—Es el momento. Tú quédate aquí. No le abras la puerta a nadie que no sea la policía.

Cassie vacila y se muerde el labio inferior, como si al mismo tiempo quisiera y no quisiera decir algo. Audie se ata las botas y agarra la mochila. Abre un poco la puerta, una rendija, y mira a un lado y a otro de la pasarela. El aparcamiento parece del todo tranquilo, pero él se imagina figuras invisibles acechándolo. La recepción es parcialmente visible, pero no ve a nadie en el pupitre.

La pasarela hace ángulo hacia la derecha. Audie avanza hacia las escaleras, caminando junto a la pared, pero oye a alguien que se acerca. La puerta más cercana dice LIMPIEZA. Audie prueba el tirador, que suena metálico y suelto; es una cerradura barata. La fuerza con el hombro, entra y cierra la puerta. Hay fregonas húmedas y escobas colocadas verticalmente en un carro.

Una sombra cruza por delante de la puerta de tablillas. Audie espera unos segundos más; el miedo le oprime la garganta. En ese momento, oye cómo alguien dice «¡Policía!» y una mujer grita. Audie ya ha salido corriendo. En la parte inferior de las escaleras, gira a la derecha y pasa deprisa, caminando como un cangrejo, por entre los coches aparcados hasta llegar a la pared de atrás. Trepa, salta y aterriza pesadamente en el otro lado. Corriendo, atraviesa el patio de una fábrica y encuentra una puerta abierta que da a un tramo de incorporación a una carretera. Oye personas gritando, pequeñas explosiones, alarmas, palabrotas.

Valdez siempre había opinado que la trayectoria vital de una persona la determina un puñado de elecciones. No son necesariamente buenas o malas decisiones, pero cada una de ellas traza un camino distinto. ¿Y si se hubiese alistado en los marines en lugar de en la policía del estado? Podría haber terminado en Afganistán o en Irak. Podría estar muerto. ¿Y si no hubiera estado trabajando la noche en que violaron a Sandy? Quizá nunca la habría conocido ni tranquilizado. Puede que no se hubiesen enamorado. ¿Y si Max no hubiera entrado en sus vidas? Son muchos los «y si», los «pero», los «quizá»; sin embargo, solo un puñado de ellos han influido realmente, han tenido el poder de cambiar una vida.

Haciendo una pausa en el exterior de la habitación del motel, comprueba su revólver de servicio, pero decide volverlo a meter en la sobaquera. En vez de eso, saca una segunda arma que lleva sujeta a la pierna, por debajo de la rodilla derecha. Se lo enseñó, cuando empezaba, un *sheriff* que había sobrevivido a los recortes y a la corrección política de los noventa: «Lleva siempre una segunda arma; nunca se sabe cuándo puede resultar útil». La suya es una pequeña semiautomática con la culata rota y reparada con cinta. No tiene historia: es imposible seguirle el rastro.

Mira desde el balcón. El aparcamiento está vacío. Las frondas de las palmeras se mecen y proyectan oscuras sombras en el hormigón, alrededor de la piscina. Apoya la oreja en la puerta de la habitación 239 y escucha. Nada. Desliza la tarjeta por el panel y una luz roja cambia a verde. Gira el tirador y abre ligeramente la puerta en la oscuridad.

Una mujer se sienta en la cama de repente, cubriéndose con una sábana. Tiene los ojos abiertos como platos y se ha quedado muda. Valdez pasa la vista por la habitación, las camas y el suelo mientras apunta con la pistola de un lado a otro.

—¿Dónde está? —susurra Valdez. La boca de la mujer se abre, pero no emite sonido alguno.

Una sombra sale caminando del baño. Valdez reacciona instintivamente y grita «¡Policía!». El cañón se ilumina con una luz brillante. La niña salta hacia atrás: su sangre salpica el espejo. Su madre grita. Valdez mueve la pistola, vuelve a disparar. Se abre un orificio en la frente de la chica, que se derrumba de lado y cae de la cama, arrastrando las sábanas.

Todo sucede en un instante, pero en su mente todo parece avanzar en cámara lenta: mover la pistola, presionar el gatillo, notar el retroceso, sentir que su corazón salta con cada impacto.

El tiroteo ha terminado. Valdez está de pie, paralizado, culpable de sentir pánico, culpable de reaccionar de forma exagerada. Se seca la boca con el revés de la muñeca e intenta pensar con claridad. Palmer estaba aquí. ¿Dónde está? ¿Qué he hecho?

Alguien está bajando las escaleras corriendo. Valdez se acerca a la ventana y ve una figura atravesando el aparca-

miento entre sombras. Abre de una patada la puerta que conecta con la otra habitación y la atraviesa mientras grita
«¡ALTO! ¡POLICÍA! ¡TIRE EL ARMA!».

Sale corriendo por la pasarela mientras saca de la funda el
revólver de servicio. Lo levanta por encima de la cabeza y
dispara dos veces al aire antes de saltar los últimos escalones
y meterse por entre los coches aparcados. Saca el móvil y
marca 911.

—Ha habido disparos. Agente en seguimiento de fugitivo
armado... Airline Drive, motel Star City Inn. Han disparado
a una mujer y una niña. Envíen una ambulancia.

Salta una pared y cruza un área de carga hasta una ancha
canalización de aguas pluviales de hormigón por la que discurre un arroyo apestoso. Moviendo la pistola a un lado y al
otro, mira a derecha e izquierda y da una vuelta completa,
aún con el teléfono en la mano.

—Necesito refuerzos y un helicóptero.

—¿Tiene al delincuente a la vista?

—Afirmativo. Se dirige hacia el este por el borde de una
canalización de aguas pluviales. Hay fábricas a la derecha y
árboles a la izquierda.

—¿Puede darnos una descripción?

—Sé quién es: Audie Palmer.

—¿Qué ropa lleva?

—Está demasiado oscuro, no se ve.

Han enviado coches patrulla a la calle East Whitney
Street, a la calle Oxford y a la avenida Victoria. Pronto escuchará las sirenas.

Valdez deja de correr, se para, se inclina, apoya las manos
en las rodillas, jadea. El sudor se desliza hacia sus ojos y baja
por la espalda. Tiene una arcada y escupe bilis sobre el asfalto
resquebrajado. Maldice y tiembla. Vuelve a secarse la boca con
la mano, tratando de ralentizar su cerebro y de mirar las cosas
en perspectiva. Tiene que pensar, respirar, planear.

Con un pañuelo, borra las huellas de la segunda arma: cañón, gatillo, culata, seguro. La sostiene encima de la canali-

zación y la suelta. El arma rebota dos veces en el hormigón y se hunde en el agua.

Valdez emite un grito ahogado y agudo y se lleva el teléfono a la oreja.

—Creo que lo he perdido.

Audie sigue la canalización hacia el sur, chapoteando en los charcos de agua estancada donde las ratas chillan y se escabullen en agujeros; también hay carros de la compra que se han suicidado saltando desde los puentes.

No está acostumbrado a un campo de batalla abierto; tiene que luchar contra el espacio vacío que lo rodea y trata de romperlo en trozos y dispersarlos. Durante años ha estado rodeado de muros, límites y alambre de espino; tenía la espalda cubierta, así que no era obligado combatir en todas direcciones.

¿Cómo ha sabido la policía dónde estaba? Cassie debe de haber llamado a alguien. No la culpa. ¿Cómo iba a saberlo? Es joven, ya está quemada, no está segura de que vaya a vivir siempre e intenta jugar de farol con la pobre mano que le han repartido.

Audie tiene que seguir avanzando, porque no hay forma de retroceder ni de empezar de nuevo. Oye disparos. Se siente mareado, como si alguien le hubiese estado gritando en la oreja durante horas y lo hubiese dejado con una tremenda sensación de zumbido en la cabeza. Pasa corriendo junto a pestilentes sacos de basura podrida y almacenes con techos planos y puertas metálicas. Los tejados de los edificios destacan contra la tenue neblina, iluminados por la luna, que tiene el aspecto de media patata. Haciendo una pausa debajo de un puente con vías de tren, se quita las botas y vacía el agua. Las vías van de este a oeste. Sale de la canalización y las sigue, trastabillando sobre el balasto, en dirección al amanecer.

Cassie y Scarlett no tendrán problema; no han hecho nada malo, no sabían que él se había escapado. Nunca debió pedirles ayuda; nunca debió haberse acercado a nadie ni haberles hecho promesas. Así fue como empezó todo: con una promesa a Belita. Luego se prometió a sí mismo que no moriría en la cárcel.

En la estación de Kashmere toma un autobús hacia el centro, con los trabajadores del turno de mañana y los empleados que entran pronto; aún están medio dormidos y apoyan la cabeza en las ventanas. Nadie mira a los ojos de nadie; nadie habla. No es muy distinto de la cárcel, piensa. Todo el mundo trata de mezclarse con la multitud, de pasar desapercibido.

Audie no es especialmente peculiar, ni único ni sorprendente. Entonces ¿por qué es el saco de los golpes de alguien? Ahora en sus pantallas: *Cariño, he jodido a los niños.*

El autobús lo deja a la sombra del estadio Minute Maid Park. Exhausto, quiere dejar de moverse, pero su cerebro parece incapaz de detenerse. Se tumba en un portal, apoya la cabeza en la mochila y cierra los ojos.

30

*D*esiree Furness recorre la habitación de motel, evitando el cuerpo de una niña con los ojos abiertos de asombro. En algunos mechones de su cabello rubio hay sangre coagulada; junto a la mano abierta hay una vieja muñeca de trapo con el pelo de lana. Desiree tiene que luchar contra el deseo de recoger la muñeca y ponérsela a la niña bajo el brazo.

La madre yace entre la cama y la pared; está desnuda. Tiene un poco de tripa y lleva un tatuaje con espirales en la zona de los riñones. Es rubia, pecosa y bonita. El brillo de los focos baña la escena, pero es incapaz de eliminar el olor de los intestinos vaciados en el momento de la muerte, o la mancha de sangre en la pared, encima de su cabeza.

Los técnicos forenses aún tienen trabajo que hacer. Tres hombres y una mujer, vestidos con monos, redecillas de pelo y cubrezapatos de un blanco inmaculado están instalando lámparas ultravioletas para comprobar si hay manchas de semen en el colchón. Desiree contempla las camas; ambas han sido usadas. La mujer recibió un disparo mientras se levantaba, pero ¿qué hacía la pequeña cerca del baño?

En un rincón entre la mesa y el televisor ve una papelera llena hasta los topes de envoltorios de comida rápida y revistas. Hay folletos, bastoncitos de algodón y bolas de Kleenex, una caja de cereales de desayuno y un bote vacío de espray matacucarachas. En el borde del espejo hay un dibujo infantil con el nombre «Scarlett» escrito con lápices de diversos colores.

En el exterior, las luces intermitentes iluminan el motel con ráfagas de color. En el aparcamiento hay curiosos que estiran el cuello para ver mejor los coches patrulla y las ambulancias. Algunos toman fotografías con sus iPhone; otros se afanan en las pantallas, enviando mensajes. Algunos policías locales miran hacia la habitación, esperando captar una imagen de los muertos y luego deseando no haberlo hecho.

Habían despertado a Desiree poco después de las cinco de la mañana. Tuvo que cruzar la ciudad para llegar a este motel barato lleno de viajantes, chulos, prostitutas y retrasados mentales; cualquier persona que pudiese enseñar una identificación y pagar cuarenta y nueve dólares por noche. Hay algunos agentes que sueñan con un caso como este, una oportunidad para investigar un homicidio múltiple, para atrapar al responsable y encerrarlo en una jaula. Lo que quiere Desiree es volverse a la cama.

Otros agentes tienen parejas, hijos y vidas que se acercan a la normalidad. Desiree no ha tenido novio desde que dejó a Skeeter (cuyo nombre real es Justin) hace un año, porque la llamaba con nombres infantiles, ponía vocecitas y en general hablaba con ella como si tuviese siete años, incluso después de que ella le pidiera que fuese serio. Acabó con ganas de gritarle, sacudirlo y mostrarle escenas como esta, pero finalmente se limitó a decirle que hiciese las maletas.

En cuclillas junto al cuerpo de la niña, observa varias huellas sangrientas en la alfombra y examina la cerradura rota de la habitación adyacente. Intenta recrear lo que sucedió en la habitación, pero no tiene ningún sentido.

Aparta un mechón de pelo de los ojos de la niña, deseando poder hacerle preguntas a Scarlett y que pudiera respondérselas.

Se quita los guantes y sale en busca de aire fresco. Hay más técnicos fuera, examinando el coche de la mujer muerta y apli-

211

cando polvo para huellas dactilares a lo largo de la pasarela, hablando de trivialidades como si se tratase de un día más en la oficina. El hombre al mando tiene treinta y pico años, el rostro grueso y unas oscuras ojeras. Desiree se presenta, pero no le estrecha la mano, cubierta por un guante.

—¿Qué tienen?

—Tres, quizá cuatro disparos; dos en la madre, uno en la niña.

—¿El arma?

—Posiblemente una pistola del 22, semiautomática.

—¿Desde dónde dispararon?

—Aún es demasiado pronto.

—Trate de especular.

—La madre estaba en la cama; la niña salió del baño. Probablemente, la persona que disparó estaba de pie en el centro de la habitación, más cerca de la ventana que del baño.

Desiree aparta la mirada y se pasa los dedos por el pelo.

—Quiero un informe de balística tan pronto como sea posible.

El foco de una cámara de televisión la ciega temporalmente. Hay reporteros preguntando a gritos desde el aparcamiento. Hay equipos de noticias de la televisión local y de las emisoras de radio. Un helicóptero da vueltas por encima de sus cabezas, tomando imágenes para los boletines de la mañana. Un equipo de cámara acompaña al equipo de homicidios local, filmando un *reality show* para un canal de cable, convirtiendo a los policías en famosillos y asustando a la gente para que compre más armas y más alarmas antirrobo.

Desiree encuentra al *sheriff* Ryan Valdez esperando en una habitación vacía del motel que ha sido requisada por la brigada de homicidios. Está tumbado en la cama, con el borde del sombrero echado sobre los ojos, como si estuviese durmiendo una siesta. Se ha quitado el revólver de servicio y tiene las manos envueltas en bolsas de plástico. Alguien le ha traído un café.

A pesar de que nunca ha visto al *sheriff* en persona, Desiree ya se ha formado una opinión sobre él, claramente condicionada por lo que acaba de ver en la habitación del motel. Valdez se sienta y echa el sombrero hacia atrás.

—¿Por qué no pidió refuerzos? —pregunta.

—Encantado de conocerla —contesta él—. Creo que no nos han presentado.

—Responda a mi pregunta.

—No estaba seguro de que Audie Palmer estuviera aquí.

—El recepcionista nocturno lo identificó en la fotografía que usted le enseñó.

—Dijo que no había visto a Palmer desde hacía dos días.

—Así que usted decidió entrar a saco.

—Trataba de hacer un arresto.

Desiree se lo queda mirando, apretando los puños con tanta fuerza que se clava las uñas en las palmas de las manos. Luego le enseña la placa. Valdez no parece impresionado. La mira y parpadea con ojos enrojecidos, pero parece que con su mirada la evalúa y la ignora sin pensárselo dos veces.

—Cuénteme lo que ha pasado.

—Anuncié mi presencia, una mujer gritó y oí unos disparos. Entré, pero ya estaban muertas. Les disparó a sangre fría. Las ejecutó. Ese hombre no tiene conciencia.

Desiree coge una silla y la planta delante del *sheriff*, que está sangrando un poco por la comisura de la boca.

—¿Qué le ha pasado? —Señala su cara.

—Debe de haber sido una rama.

Desiree olisquea y nota el sabor de algo en su saliva, algo que le hace querer escupir.

—¿Qué hacía usted aquí, *sheriff*?

—Una mujer llamó al número de Anticrímenes y preguntó si había una recompensa por Audie Palmer.

—¿Y cómo lo sabe?

—Me lo dijo un operador.

—Está fuera de su jurisdicción. Usted es el *sheriff* del condado de Dreyfus.

—Pedí que me informaran. Palmer estuvo por mi casa y

213

habló con mi mujer y con mi hijo. Tengo derecho a proteger a mi familia.

—Así que decidió hacerse el Charles Bronson con él, ¿no?

Valdez tuerce la boca en una sonrisa.

—Ya que parece saber todas las respuestas, agente especial, ¿por qué cree que Audie Palmer vino a buscarme? Quizá tenga una lesión cerebral. A lo mejor busca venganza. No sé qué es lo que pasa por el cerebro de un puto asesino. Lo único que hice fue seguir una pista que el FBI no siguió.

—El FBI no había sido informado. Ahora hay dos personas muertas y sus manos están manchadas con su sangre.

—Las mías no. Las de él.

Desiree nota la tensión en la frente. No le gusta ese hombre. Puede que esté diciendo la verdad; sin embargo, cada vez que abre la boca, lo que ella ve es un agujero en la frente de una mujer y una niña tirada en un charco de sangre.

—Vuelva a contarme la historia —dice, con la intención de saber la secuencia exacta de los acontecimientos. ¿Dónde estaba él cuando oyó los disparos? ¿Cuándo abrió la puerta? ¿Qué es lo que vio?

Valdez da la misma explicación, describiendo cómo anunció su presencia y oyó disparos.

—Entré y vi los cuerpos. Palmer había pasado por la habitación de al lado, la que está conectada, así que fui tras él. Le ordené que se detuviese. Disparé un par de veces, pero saltó por encima de la valla como si tuviese alas.

—Cuando entró, ¿había sacado ya el arma?

—Sí, señora.

—Persiguiendo a Palmer, ¿cuántos disparos efectuó?

—Dos, puede que tres.

—¿Y lo tocó?

—Es posible. Ya le he dicho que ese chico corre que se las pela.

—¿Dónde lo perdió de vista?

—Cruzó el canal. Creo que le vi tirar algo.

—¿Dónde?

—Cerca del puente.

—¿A qué distancia estaba?

—A setenta u ochenta metros.

—¿Y lo vio en la oscuridad?

—Lo oí chapotear.

—Y luego lo perdió.

—Volví aquí y traté de ayudar a la mujer y a la niña.

—¿Movió los cuerpos?

—Creo que le di la vuelta al de la niña para comprobar su corazón.

—¿Se lavó las manos?

—Las tenía sucias de sangre.

Valdez cierra los ojos con fuerza. Una lágrima aparece y se queda en las arrugas; la seca con la mano.

—No sabía que Palmer iba a pegarles un tiro.

Un ayudante del *sheriff* llama a la puerta. Es joven, de rostro lozano, y sonríe.

—Miren lo que he encontrado —dice, sosteniendo una pistola fangosa entre el pulgar y el índice.

—¡Vaya! ¿Y su cerebro, lo ha encontrado también?

El ayudante frunce el ceño y su sonrisa desaparece. Desiree abre una bolsa de plástico de cierre rápido.

—¡Es una prueba, estúpido! —El ayudante suelta la pistola dentro de la bolsa—. Enséñeme el lugar donde la ha encontrado.

Desiree lo sigue, pasando por entre coches patrulla y ambulancias, entre los turistas del morbo, espectadores y curiosos. No oye lo que dicen, pero sabe que están comentando lo pequeña que es, bromeando al respecto o haciendo ruiditos infantiles sobre esa agente del FBI tan diminuta y tan mona. Todos los días de su vida tiene que luchar contra esto, pero Desiree sabe que, por mucho que lo desee, no va a poder reorganizar su ADN ni quitarse centímetros de las caderas y ponérselos a las piernas.

El ayudante del *sheriff* la guía a lo largo de la canalización de aguas pluviales hasta la parte posterior de una fábrica y un almacén, hasta llegar a un puente de hormigón. Allí ilumina el agua del sumidero con una linterna, mostrando un charco oleoso. Desiree se pone unos guantes de polietileno, se desliza por el lateral del tubo y rebusca entre las hierbas, la grava, los cristales rotos, los condones usados, las latas de cerveza, las botellas de vino y las cajas de hamburguesas.

El jefe que tenía en su primer destino le dijo que la mayoría de los agentes cometen el error de contemplar los acontecimientos de arriba abajo, cuando deberían hacer precisamente lo contrario. «Tienes que pensar como un criminal. Bajar a las alcantarillas y ver el mundo a través de sus ojos», decía.

En este momento, Desiree está vadeando una corriente de agua pútrida en una alcantarilla apestosa. Lo único que puede hacer es mirar hacia arriba.

31

Audie oye como alguien sube una persiana metálica. Abre los ojos y ve un quiosco de tacos móvil pintado con colores primarios, con una caricatura de un ratón con grandes orejas y un enorme sombrero mexicano amarillo. Cuando era crío, solía ver dibujos animados de *Speedy* González, el ratón más rápido de México, que siempre era más astuto que los estúpidos gatos y salvaba a su pueblo de los gringos.

—Una noche dura —dice el cocinero, que está abriendo tápers de plástico con aros de cebolla, pimientos, jalapeños y queso. Enciende la parrilla y la frota con un trapo—. ¿Quiere que le prepare algo?

Audie niega con la cabeza.

—¿Y algo de beber?

Audie acepta una botella de agua. El cocinero es bajo y rechoncho, con un bigote descuidado y un delantal mugriento. Sigue hablando mientras tira agua en la plancha de la parrilla y la frota con un cepillo de púas metálicas. En la pared, detrás de su cabeza, un televisor muestra la cadena Fox News, imparcial y equilibrada para aquellos a quienes les gusta tropezar. Una reportera está hablando frente a una cámara, informando de una noticia delante de una cinta amarilla de delimitación de escena de crimen. En el fondo se ven técnicos con trajes protectores examinando un Honda CRV:

—Desde esta mañana, la policía de Houston está buscando

a un peligroso fugitivo después de un doble homicidio en un motel de la ciudad sucedido durante la madrugada. Una madre y su hija fueron asesinadas a tiros en una habitación del motel Star City Inn, en Airline Drive. Los forenses especialistas en escena del crimen están investigando; los cuerpos siguen en la habitación. El drama se inició poco antes de las cinco de la madrugada, cuando algunos huéspedes oyeron disparos y gritos de la policía ordenándole al pistolero que se rindiera...

Audie nota el vómito subir por el esófago y llenarle la boca. Traga, notando el sabor de lo que fuera que comiese ayer. La botella de agua se le ha escurrido de entre los dedos y el contenido se está derramando en el suelo. Mientras, las imágenes cambian para mostrar a un testigo, un tipo blanco y gordo con camisa de cuadros:

—Oí los disparos y a alguien que gritaba: «¡Alto o disparo!». Y luego más disparos. Las balas volaban por todas partes.

—¿Vio al pistolero?

—No, me quedé escondido.

—¿Sabe algo de las víctimas?

—Una mujer y una niña. Las vi desayunando ayer. La niña comía gofres. Era una chiquilla muy dulce; le faltaba el diente de delante.

Audie es incapaz de seguir mirando la pantalla. En su mente, Cassie y Scarlett están vivas, respirando, no sangrando. Se niega a creer algo distinto. Quiere salir corriendo. No, lo que quiere es pelear; quiere que alguien le dé una explicación.

—La policía ha hecho público el nombre y una fotografía de un hombre al que tienen intención de interrogar...

En la pantalla, Audie ve su retrato policial, que enseguida es sustituido por una imagen del libro anual de su instituto. Es como si el tiempo estuviese corriendo hacia atrás, como si su piel se hiciese más suave, su cabello más largo, su mirada más brillante...

El plano de la cámara vuelve a cambiar al exterior del motel. Audie reconoce a una persona en primer plano, la agente del FBI de baja estatura y pelo crespo que le visitó una vez en la cárcel. Había venido a hablar del dinero, pero habían acabado charlando de libros y escritores como Steinbeck y Faulkner. Le recomendó que leyese a Alice Walker y a Toni Morrison para entender el punto de vista femenino sobre la pobreza.

El cocinero ha estado rascando la plancha, sin prestar atención a la tele. Se limpia las manos y mira a Audie.

—¿Está llorando? —Audie lo mira y parpadea—. Le prepararé un burrito de desayuno. La vida siempre es mejor con comida en el estómago —dice, mientras pone cebolla y pimiento en la placa—. ¿Toma drogas?

Audie menea la cabeza.

—¿Bebe?

—No.

—No lo juzgo —dice el cocinero—. Cada uno tiene sus vicios.

Las noticias de la televisión están ahora ocupadas con un tornado en Oklahoma y el tercer partido de la serie mundial de la liga de béisbol. Audie se da la vuelta; nota un hormigueo en la cara y calor en los ojos. Todavía siente el cuerpo de Cassie contra el suyo, la escucha respirar en su oído y huele su sexo en las puntas de los dedos. Es una locura: su locura. Su culpa. Einstein dijo que la definición de locura era hacer lo mismo una y otra vez y esperar un resultado distinto. Esa había sido la vida de Audie. Todos los días, todas las relaciones, todas las tragedias.

Inclinándose hacia el suelo, nota una arcada en el pecho, la nariz le moquea y el cuerpo le duele en lugares que ni siquiera es capaz de nombrar. Perplejo y desconcertado, ha perdido el control. Fuera el que fuera el plan que había tenido una vez, ya no parece importante. Ya no parece posible.

A su alrededor, la gente (los que van al trabajo, los que van de compras, los turistas, los jóvenes con gorras de béisbol, los mendigos harapientos) sigue con sus vidas; algunas personas están decididas a ser ellas mismas, otras aspiran a ser alguien distinto. Audie solamente quiere ser.

32

$\mathcal{M}$oss espera en la esquina de las calles Caroline y Bell, mirando cómo los vehículos se paran con la luz roja y prosiguen su camino con la verde. Mira el teléfono móvil; aún no lo ha llamado nadie. Quizá le mintieron con lo del dispositivo de seguimiento por GPS. Mira hacia el cielo azul con ribetes blancos y se pregunta si los satélites lo estarán observando. Está a punto de saludarlos o de hacerles una peineta.

De una limusina de seis puertas que se detiene junto al bordillo sale un chófer negro, que le indica que separe las piernas y se apoye en el coche. El chófer pasa un detector de metales por delante y por detrás de Moss, por los brazos y entre las piernas. Moss dejó la 45 debajo del asiento de delante de la camioneta, envuelta en un trapo sucio de aceite, junto con una caja de munición y un cuchillo de combate, regalo de Lester.

El chófer hace un gesto de asentimiento en dirección al coche y la puerta de atrás se abre. Eddie Barefoot está vestido con un traje oscuro y lleva una flor en la solapa, como si fuese a una boda o a un funeral. Podría tener cualquier edad entre veinticinco y cincuenta años, pero los rizos rubios y las delgadas piernas le dan un aspecto antiguo, como de alguien que acabase de salir de una fotografía en tonos sepia.

Eddie había estado en la mafia de Miami y llegó a Houston a finales de los ochenta, cuando la familia Bonanno expandió sus intereses criminales más allá del sur de Florida. Eddie formó su propia banda y amasó una fortuna a base de fraudes bancarios y postales, drogas, prostitución y blanqueo de dinero. Desde entonces había diversificado sus negocios y ahora intervenía también en asuntos legítimos, pero seguía sin haber nada serio en el este de Texas que no tuviese metida la mano de Eddie Barefoot. Las opciones eran presentar tus respetos y pagar un porcentaje o pagar con huesos rotos.

La limusina se está moviendo.

—Fue una sorpresa tener noticias tuyas —dice Eddie mientras se arregla la flor de la solapa—. Según mis fuentes, aún sigues en la casa grande.

—Quizá debería cambiar de fuentes —dice Moss, tratando de parecer tranquilo, aún asustado de que la voz le traicione. Sus ojos se desvían involuntariamente al hueco en la frente de Eddie. Según se dice, la culpa fue de un martillo de bola; al hombre responsable del golpe, un rival de negocios, lo enterraron en arena hasta el cuello y lo obligaron a tragarse una granada. Podría ser una leyenda urbana, desde luego, pero Eddie no había hecho nada por desmentirlo.

—También he oído que estás limpio. Los hermanos creen que a lo mejor has encontrado a Dios.

—Lo busqué, pero ya se había ido.

—A lo mejor se enteró de que ibas para allá.

—A lo mejor.

Eddie sonríe, complacido con la broma. Tiene un profundo acento del sur.

—Y, bueno, ¿cómo has salido?

—El Departamento de Estado me ha dejado salir.

—Muy generoso de su parte. ¿Y qué les diste a cambio tú?

—Nada.

Eddie se limpia algo de los dientes con el meñique.

—¿Así que te han soltado sin más?

—Puede que fuera un caso de confusión de identidades.

Eddie se ríe. Moss decide que es una buena idea unirse a las risas. El coche recorre la autopista a toda velocidad.

—Déjame que te cuente algo que es divertido de verdad

221

—dice Eddie, frotándose los ojos—. Tú crees que yo me creo toda esa mierda. Bien: tienes exactamente quince segundos para decirme por qué estás aquí antes de que te tire fuera del coche. Y permíteme dejarte algo claro: no vamos a frenar.

Las sonrisas han desaparecido.

—Hace dos días, me sacaron de la celda, me metieron en un autobús y me dejaron tirado junto a la carretera, al sur de Houston.

—¿Quiénes?

—No sé sus nombres. Me cubrieron la cabeza con un saco.

—¿Por qué?

—Supongo que no querían que los reconociese.

—No, idiota, te pregunto por qué te soltaron.

—Ah, eso. Quieren que encuentre a Audie Palmer. Se fugó de la cárcel hace tres días.

—Eso he oído. —Eddie se da un golpecito en la mejilla con un dedo; suena a hueco—. Y estás buscando el dinero.

—Esa es la idea.

—¿Sabes cuántas personas lo han intentado antes que tú?

—Sí, pero yo conozco a Audie Palmer. Lo mantuve con vida en la cárcel.

—Así que está en deuda contigo.

—Eso es.

El rostro de Eddie esboza una sonrisa, como si estuviese interpretando a un chulo o a un señor de la droga en una serie de la televisión, en *Ley y orden* o en *The Wire*. La limusina se dirige hacia la bahía de Galveston, pasando junto a terminales de transporte, estaciones de carga y hectáreas de contenedores, apilados como bloques de construcción infantiles.

—¿Qué se supone que tienes que hacer cuando encuentres a Palmer? —pregunta Eddie.

—Me dieron un teléfono.

—¿Y luego?

—Me conmutan la sentencia.

Eddie se vuelve a reír, dándose palmadas en los muslos, como en una fiesta de vaqueros.

—Eres de lo que no hay, chico. Con tu historial, nadie te va a dar nunca una tarjeta de «Queda libre de la cárcel».

A pesar del tono despectivo, Moss se da cuenta de que Eddie está intentando imaginarse quién puede estar orquestando una operación así sin que él lo sepa. ¿Quién tiene suficiente poder para sacar de la cárcel a un asesino convicto? Ha de ser alguien con muy buenas relaciones; un empleado del Departamento de Justicia, o del FBI, o del parlamento del estado. Un contacto así puede ser muy valioso.

—Si encuentras a Palmer, quiero que me llames a mí primero, ¿de acuerdo? —Moss asiente; no está en posición de discutir—. ¿Qué sabes del asalto al furgón de Armaguard en el condado de Dreyfus?

—Que fue una cagada total. Cuatro personas muertas.

—¿Y la banda?

—Vernon y Billy Caine eran hermanos y formaban parte de una pandilla de Nueva Orleans. Atracaron una docena de bancos en California y luego se dirigieron al este, a Arizona y Misuri. Vernon estaba al mando. Tenían otro colaborador regular, Rabbit Burroughs, que debía intervenir en el asalto al furgón blindado, pero lo pillaron por conducir bebido el fin de semana antes del robo. Había una orden de arresto a su nombre en Luisiana.

—¿Quién más estaba en la banda?

—Tenían a alguien dentro.

—¿Un guardia de seguridad?

—Puede.

—¿Y Audie Palmer, qué?

—Nadie había oído hablar de él. Su hermano, Carl, tenía fama de ser un manazas. Pasaba crac en los barrios bajos a los diecisiete años… Y heroína y metanfetamina. En fin, cualquier cosa. Estaba metido en todo. Luego estuvo con una gente en el oeste de Dallas, que andaban en timos con cajeros automáticos y fraude postal. Cumplió cinco años en Brownsville. Salió más enganchado a la droga de como entró. Un año más tarde le disparó a un poli fuera de servicio en una licorería y se esfumó.

—¿Y dónde está?

—Esa, mi querido y negro amigo, es la pregunta del millón.

Eddie parece tomárselo con filosofía, más que sentirse ofendido. En general, él habría tenido información sobre un robo de esta magnitud con antelación, pero Vernon y Billy Caine venían de fuera, y Carl y Audie eran chorizos de poca monta que probablemente se mantenían alerta y se enteraron del trabajo. Se pellizca la nariz como si estuviese aliviando presión de sus oídos.

—¿Quieres saber mi opinión? El dinero ya hace tiempo que ha desaparecido. Carl Palmer está en un agujero en el desierto o se ha gastado los millones tratando de permanecer oculto. Sea como sea, está más pelado que un hueso de pavo el Día de Acción de Gracias.

—¿Dónde puedo encontrar a Rabbit Burroughs?

—Casi todo lo que hace es legal, pero aún conserva a dos chicas haciendo esquinas para él en un lavandería automática en Cloverleaf. También trabaja a tiempo parcial fregando suelos en una escuela del condado de Harris.

Eddie pulsa un botón y la limusina se detiene junto al bordillo. Están rodeados de masas de agua por tres lados, en el límite de Morgan's Point, junto a una terminal de contenedores rodeada de grúas y torres de perforación.

—Aquí te bajas —dice Eddie.

—¿Y cómo vuelvo a mi camioneta?

—Después de quince años en la cárcel, pensé que te convendría un paseo.

33

*D*esiree lleva despierta casi toda la noche, repasando los detalles del tiroteo, con la esperanza de descubrir una respuesta en medio de las interferencias y el ruido blanco. Cierra los ojos y se esfuerza por volverlos a abrir; hay alguien husmeando detrás de ella, apoyado en una pared.

Eric Warner masca un palillo.

—He recibido una llamada de la oficina del ayudante del fiscal general. Alguien se ha quejado de ti.

—¿En serio? A ver, deja que adivine: dicen que no doy la talla para subirme a la montaña rusa.

—No es ninguna broma.

—¿Quién?

—El *sheriff* Ryan Valdez.

—¿Y qué dijo?

—Afirma que tu actitud fue abusiva, torpe y burda. Dice que trataste de calumniarlo con embustes.

—¿Utilizó la palabra «embustes»?

—Así es.

—Yo lo llamo mentiroso y él se pone a consultar el diccionario de sinónimos.

Warner apoya el trasero en el borde del escritorio y se cruza de brazos.

—Esa vena sarcástica es la que te va a meter en problemas.

—Si abandono el sarcasmo, la única forma que me quedará para comunicarme será la danza interpretativa.

Esta vez, Warner sonríe.

—Normalmente no hostigas a agentes de la ley.

—Ese tipo no tenía derecho a estar donde estaba. Debería haber pedido refuerzos. Debería habérselo notificado al FBI.

—¿Crees que eso habría cambiado algo?

—Una madre y una hija podrían seguir vivas.

—Eso no lo sabes.

Desiree inspira y se rasca la nariz.

—Puede que no, pero creo que hay una línea muy delgada entre un poli que se cree pistolero y un criminal, y creo que Valdez está bailando sobre ella y se está riendo de nosotros.

Warner tira el palillo mascado en una papelera; tiene algo más que añadir, pero no le da ningún gusto decirlo.

—Han transferido el caso a Frank Senogles.

—¿Cómo?

—Por antigüedad. Ahora es un doble homicidio.

—Pero sigo en el grupo de trabajo, ¿no?

—Tendrás que preguntárselo a él.

Hay muchas cosas que le apetecería formular, pero se muerde la lengua y se queda mirando a Warner. Se siente decepcionada y traicionada.

—Tu oportunidad llegará —dice Warner.

—No tengo la menor duda de ello —responde ella, echando un vistazo al papeleo que tiene en el escritorio.

Cuando levanta la vista, Warner ya se ha ido. Al menos no se ha puesto en ridículo enfadándose o suplicando. Tendrá que hablar con Senogles… amablemente. Los dos tienen una historia común; un observador externo lo llamaría más bien una relación de amor-odio: a Senogles le encantaría meterse en la cama con Desiree, y Desiree odia su suficiencia y su chulería. Muchos agentes de campo se relacionan de forma agresiva con las personas con quienes tratan, complacidos con el poder que les da la placa. Empujan, engatusan, mienten e intimidan para obtener resultados, y luego alardean de ello, como si compitiesen entre sí. ¿Quién puede resolver más casos? ¿Quién puede mear más lejos?

Al ser mujer, Desiree quedaba automáticamente en desventaja en lo que respecta a mear lejos, y su altura la convertía en blanco constante de las bromas, pero Senogles parecía tomarse su misma presencia en el FBI como una afrenta personal.

La reunión del grupo de trabajo es a mediodía. Llega Senogles, rodeado de un torbellino de puertas abiertas, manos estrechadas y palmadas de ánimo, y convoca a todo el mundo. Las sillas se ponen en posición. Una vez formado el círculo, se dirige a los agentes; parece hacerse más alto a medida que escucha el sonido de su propia voz. Tiene algo más de cuarenta años y lleva lentes de contacto, la dentadura muy bien reparada y un peinado como el del presidente Kennedy.

—Ya sabéis todos por qué estamos aquí. Una madre y su hija están muertas. Nuestro principal sospechoso es este hombre, Audie Palmer. —Sostiene una fotografía y la muestra—. Es un asesino convicto y un fugitivo; la última vez que se le vio fue por esta zona. —Señala el área en un gran mapa de Houston.

Luego se vuelve hacia otro de los agentes y le pregunta por las víctimas.

—Cassandra Brennan, veinticinco años, nacida en Misuri, hija de un predicador. Su madre murió cuando tenía doce años. Dejó la escuela en el noveno curso y se escapó un par de veces de casa. Luego se formó como esteticista y maquilladora.

—¿Cuándo vino a Texas?

—Hace seis años. Según su hermana, estaba comprometida con un soldado que murió en Afganistán, pero la familia de él se negaba a reconocer la relación. Hasta hace un mes vivía con su hermana y trabajaba de camarera, pero hubo un problema con el cuñado.

—¿Qué clase de problema?

—Se tomaba un excesivo interés en el bienestar de Cassandra. Su hermana le dijo que se marchase. Desde entonces había estado viviendo en su coche.

—¿Algo más que debamos saber?

—Dos órdenes judiciales pendientes por impago de multas de aparcamiento y por no devolver seiscientos cincuenta dólares de más que recibió de una prestación para madres solteras. Aparte de eso, nada de antecedentes ni de alias. Tampoco tiene otra familia próxima.

—¿Cómo conoció a Palmer?

—No está en el registro de visitantes de la cárcel —interviene otro de los agentes.

—Y no apareció en fases anteriores de la investigación —añade un tercero.

—Por entonces debía de tener catorce años —dice el primero.

—Quizás estaba haciendo de puta y utilizando el hotel —opina Senogles.

—Según el recepcionista nocturno, no.

—A lo mejor él se llevaba alguna comisión.

En la pizarra blanca hay una fotografía de Cassie, de su libro anual del instituto. Tiene una pose tímida y juguetona; lleva el cabello rubio muy claro y flequillo.

—La policía del estado está yendo puerta a puerta por las calles circundantes; también lleva perros para buscar en patios y naves. Probablemente atraparán a Palmer antes que nosotros, pero quiero saber dónde ha estado, a quién ha visto y de dónde ha sacado la pistola. Hablad con la familia, los amigos, los conocidos de Palmer; cualquiera que supiese quién era o que pudiera ayudarlo. Enteraos de dónde le gustaba estar a Palmer cuando era un muchacho. ¿Iba de acampada alguna vez? ¿Dónde se siente cómodo?

Desiree levanta la mano.

—Se crio en Dallas.

Senogles parece sorprendido.

—Vaya, no la había visto, agente especial Furness. La próxima vez tendrá que ponerse de pie en una silla.

Risas. Desiree no reacciona a ellas.

—Bueno, ¿qué la trae por aquí? —pregunta Senogles.

—Esperaba formar parte del grupo de trabajo.

—Ya tengo suficiente personal.

—He estado al tanto de las informaciones sobre el robo y el dinero que no se ha encontrado —dice Desiree.

—El dinero ya no forma parte del asunto.

—He leído los informes psiquiátricos y los archivos de la prisión de Palmer. He hablado con él.

—¿Sabe dónde está?

—No.

—Entonces no me resulta útil. —Senogles se quita las gafas de sol de la frente y las mete en una funda.

Desiree sigue de pie.

—La madre de Audie Palmer vive en Houston, y su hermana trabaja en el Hospital para niños de Texas. Ryan Valdez fue uno de los agentes que lo arrestó, hace once años.

Senogles pone el pie en una silla y apoya el codo en la rodilla, como si se apoyase en una valla. Tiene patas de gallo en el borde externo de los ojos, como grietas minúsculas en un objeto viejo de porcelana.

—¿Qué es lo que está sugiriendo?

—Creo que es extraño que Audie Palmer huyese el día antes de ser liberado y que apareciera en el exterior de la casa del agente que lo arrestó.

—¿Alguna cosa más?

—También creo que es extraño que Valdez tratase de detener a Palmer sin pedir refuerzos después de que el recepcionista nocturno del hotel lo hubiese identificado en una fotografía.

—¿Cree que Valdez es un corrupto?

Desiree no responde. Senogles mira a los agentes que lo rodean; parece dudar. Se yergue.

—De acuerdo, está en el grupo. Pero no se acerque al *sheriff*: acceso prohibido.

Desiree trata de discutir.

—Palmer estaba en el exterior de su casa. Valdez tenía todo el derecho de preocuparse. Recuerde a quién queremos capturar. Si Palmer ha iniciado una especie de campaña de venganza, debemos estar atentos a otras personas que podrían ser sus objetivos: el juez, el abogado de la defensa, el fiscal del distrito. Hay que informarlos a todos.

—¿Les daremos protección? —pregunta alguien.

—Solo si la solicitan.

34

El viejo cine Granada de la avenida Jenson lleva abandonado desde mediados de los noventa. Las puertas están cubiertas con tablones de madera, está lleno de pintadas y sucio de mierda de pájaro. La gente va ahora al multisalas que hay a ochocientos metros. El Granada se construyó en los años cincuenta, cuando North Houston era la última gran zona comercial al sur de Humble y las familias tenían el ritual de ir de compras el sábado por la mañana mientras los niños miraban un programa doble.

Al otro lado de la calle había estado el horno de Lamont, donde Audie había trabajado a tiempo parcial mientras iba a la universidad, pero ahora era un restaurante chino llamado Gran Muralla. Su jefe en el horno, el señor Lamont, le había contado una vez a Audie cómo había conocido a un héroe de guerra de Texas que se llamaba como él, Audie Murphy, en el cine Granada, cuando vino a Houston a promocionar *Ida y vuelta al infierno*, una película sobre su vida.

—Por eso te di este trabajo: porque te llamas igual que el hombre más valiente que he conocido jamás. ¿Sabes lo que hizo?

—No —contestó Audie.

—Estuvo de pie encima de un carro de combate en llamas, disparando una ametralladora, con llamas alrededor de los pies. Le dispararon un montón de veces, pero rechazó toda asistencia médica y no paró de disparar hasta que todos sus hombres estuvieron a salvo. ¿Sabes a cuántos cabezas cuadradas liquidó?

Audie se encogió de hombros.

—Venga, di un número.

—Cien.

—No seas idiota.

—¿Cincuenta?

—¡Exacto! Mató a cincuenta alemanes.

Audie prometió al señor Lamont que algún día iría a ver la película, pero finalmente se le pasó; algo más para lamentar.

Bordeando el cine, sube por una escalera de incendios y da una patada a una puerta cerrada con un candado; las bisagras podridas se rompen y la puerta se abre de un golpe, haciendo caer de la pared trozos de yeso húmedo. Busca por todo el edificio, que huele a moho y a podrido. Las filas de asientos han sido arrancadas, dejando una cueva inclinada con trozos de alfombra por todos lados, metal retorcido y apliques rotos. En las paredes, pintadas de verde y rojo oscuro, aún se aprecian las molduras decorativas a lo largo de los frisos y los rodapiés.

Audie trata de ponerse a dormir aquí, en posición fetal, reposando la cabeza sobre su chaqueta. Ha olvidado los años que tiene. Tiene que contar hacia atrás y obtiene la cifra de treinta y tres. Llega la noche, con temblores de truenos y destellos de rayos. Le recuerda a todas aquellas noches en la cárcel, hecho un ovillo en la litera, reviviendo tragedias sobre la pared de ladrillos.

—Vas a pasar miedo —le había dicho Moss—. Cuando empieces a sentirlo, recuerda que la noche más larga tiene ocho horas, y la hora más larga son solo sesenta minutos. El amanecer siempre llegará; a menos que tú no quieras que lo haga, pero tienes que pelear contra esa idea. Deja que pase un día más.

Audie no creía que fuese a echar de menos nada de la

cárcel, pero sí extraña a Moss. Aquel grandullón no solo había sido su guardaespaldas y su protector, sino, sobre todo, su amigo.

Seguro que le habrían interrogado después de que Audie huyese, y puede que hasta hubiese recibido alguna paliza. Le duele pensar en ello, pero era más seguro no contarle sus planes a nadie, ni siquiera a Moss. Algún día le escribiría y le daría explicaciones.

Fuerza al cerebro a seguir adelante, piensa en Belita y recuerda los primeros meses de su aventura; le maravilla la precisión con la que es capaz de recrear momentos concretos. Decidió que el amor era un accidente que tenía que pasar en un momento u otro. Era como tirar un paracaídas desde un avión y saltar detrás de él, convencido de poder atraparlo durante la caída. Caía, pero no lo percibía como una caída hacia la muerte.

Durante aquellos primeros días veía a Belita cuatro o cinco veces a la semana, cuando la llevaba en el coche a recoger dinero y luego a dejarlo. Hacían el amor en el auto, en la habitación de Audie y en la casa de Urban, cuando él estaba en alguna de sus granjas o en viaje de negocios. Nunca pasaron toda la noche juntos; nunca se quedaron dormidos en brazos del otro ni se despertaron juntos por la mañana. Robaban momentos, como ladrones, y luego se quedaban mirando el océano, o el cielo, o el techo de la habitación de Audie.

—¿A cuántas personas has querido en tu vida? —le preguntó ella un día.

—Solo a ti.

—Me estás mintiendo.

—Sí.

—No pasa nada. Sigue mintiéndome.

—¿A cuántos hombres has querido tú?

—A dos.

—¿Incluido yo?

—Sí.

233

—¿Quién era el otro?

—No importa.

Estaban tumbados en la parte trasera del todoterreno de Urban, que habían aparcado junto a una playa; las olas rompían en la arena, avanzando y retrocediendo como unos poderosos pulmones. Quería saber muchas cosas sobre Belita. Quería saberlo todo. Pensaba que, si le contaba los detalles de su propia vida, ella le daría los de la suya, pero tenía la capacidad de participar en conversaciones largas aportando muy poco de su parte. Al mismo tiempo, su mirada, oscura e imperturbable, parecía contener recuerdos y sabiduría que Audie no podía aspirar a comprender, o que debería dejar en paz.

¿Qué sabía? Que su padre era español y había tenido una tiendecita en Las Colinas, y que su madre cosía vestidos de novia y él los vendía. Vivían en un piso a dos niveles encima de la tienda, donde Belita compartía un dormitorio con su hermana mayor, de la que se negaba a hablar. No le gustaban los perros, las historias de fantasmas, los terremotos, los zorzales, las setas, el algodón de azúcar, los hospitales, los bolígrafos que perdían tinta, las secadoras, los publirreportajes, las alarmas de incendios, los hornos eléctricos ni los menudillos.

Su habitación no decía nada de ella. No había nada muy personal, y la mayor parte de los cajones estaban vacíos, salvo por la ropa interior. En el armario tenía media docena de vestidos, aparte de la ropa que habían adquirido cuando fueron de compras.

A veces, cuando le hacía preguntas sobre su familia y dónde creció y cuándo vino a Estados Unidos, reaccionaba enfadándose. También sucedía cuando le expresaba su amor. Algunas veces lo aceptaba; otras lo llamaba estúpido y lo apartaba de un empujón. Se burlaba de su juventud, o le quitaba importancia a lo que ambos compartían. Quizá de aquel modo aspiraba a alejarlo, pero lograba el efecto contrario, porque las burlas significaban que le importaba.

Belita miró el reloj de pulsera de Audie y le dijo que era

hora de marcharse. Se habían vuelto imprudentes, corrían demasiados riesgos, jugaban con la suerte.

Audie detestaba el momento de dejarla en la casa. No quería saber si pasaba cada noche por la cama de Urban, pero temía que así era: el pensamiento de otro hombre tocando a Belita lo hacía gemir de dolor agarrando la almohada. Dividido entre los celos y el deseo, yacía en la cama con los ojos cerrados, sumergido en la película de sus fantasías. Olía a Belita en todas partes. El mundo de Audie estaba impregnado de su olor.

—¿Te gusta vivir de esta manera? —le preguntó un día mientras conducía por la carretera de la costa. Era durante uno de esos mediodías que a veces podían robar. Esa era ahora la forma en que Audie medía su vida: las horas que pasaba con Belita.

Ella, inexpresiva, no respondió. Le hizo la pregunta de nuevo.

—¿Te gusta vivir con Urban?

—Ha sido bueno conmigo.

—No le perteneces.

—No lo entiendes.

—Explícamelo, pues.

Audie notó cómo se ruborizaba; el cuello, las mejillas.

—Eres demasiado joven —repuso ella.

—No más joven que tú.

—Yo he visto más cosas.

Audie se volvió a mirar el océano un momento. Estaba frustrado, triste, confuso. Quería preguntarle si un amor oculto seguía siendo amor, o si era como un árbol que cae en un bosque en el que no hay nadie para oírlo. Aquellos momentos con Belita le parecían reales; todo lo demás era una ilusión.

—Podríamos irnos de aquí —dijo Audie.

—¿Y adónde iríamos?

—Al este. Tengo familia en Texas.

Le sonrió con tristeza, como quien mira a un idiota simpático.

—¿Qué tiene de gracioso?

—No te convengo.

—Sí.

La ventana estaba abierta y el viento le movía el pelo, llevándolo hacia su boca. Levantó las rodillas hacia el pecho e inclinó la cabeza.

—¿Qué es lo que te sucedió? —preguntó él.

Ella no respondió. Audie se dio cuenta de que estaba llorando. Se paró en el arcén; era casi de noche. Se inclinó y la besó en la mejilla. Tenía la piel fresca, casi fría. Le pasó las yemas de los dedos por el rostro, siguiendo los huecos, los surcos, leyendo su belleza como un ciego. Y por primera vez se dio cuenta de que el amor podía traer sufrimiento, crueldad y destrucción con la misma facilidad con la que traía bondad y alegría.

Ella le apartó las manos y le dijo que la llevase a casa. Más tarde, Audie se duchó y se quedó mucho rato de pie delante del espejo, inmóvil, con el cepillo de dientes en la mano, incapaz de concentrarse en sí mismo. Veía el rostro de Belita, tan cercano y al mismo tiempo tan lejano que miraba a través de él y más allá. Sus cejas eran fuertes y bien definidas, sus labios estaban ligeramente abiertos; la suavidad de su piel, el color castaño de sus ojos, su jadeo profundo y sus suspiros. Él sentía que su pasión podía iluminar una ciudad; y, sin embargo, ella ya estaba dejándolo atrás, utilizando el cuerpo de Audie para viajar a un lugar lejano que él nunca podría alcanzar.

Más tarde, llamó a su madre a Dallas desde la cabina del otro extremo del pasillo. No había hablado con ella desde hacía seis meses, pero le había enviado postales y un regalo el día de su cumpleaños, un marco de fotos bordeado de conchas (que, según Belita, que era muy supersticiosa, daba mala suerte).

Oyó la señal y se imaginó a su madre atravesando el estrecho pasillo, evitando la mesita y el perchero. La línea tenía eco. Audie se preguntó si los cables transportaban realmente sus palabras o las convertían en señales.

—¿Estás bien? —le preguntó ella.
—He conocido a alguien.
—¿De dónde es?
—El Salvador. Quiero casarme con ella.
—Eres demasiado joven.
—Es la mujer de mi vida.
—¿Se lo has preguntado a ella?
—No.

Audie se ha quedado dormido de madrugada. Es casi mediodía cuando se despierta. Quiere salir fuera, sentir el sol en la piel y respirar la libertad mientras pueda. Sale del cine y camina por las calles, tratando de despejarse. Cuando salió de la cárcel tenía un plan, pero ahora se está empezando a preguntar si el precio no será demasiado alto. Otras dos personas inocentes muertas: ¿qué fin puede justificar esos medios?

Se imagina que las personas lo miran, lo señalan con el dedo, susurran a escondidas. Pasa junto a un hombre en bata y una mujer joven tatuada, enfurecidos, vociferando bajo una ventana, diciéndole a alguien que «abra la puta puerta». Pasa junto a un coche quemado, un frigorífico abandonado, tiendas de bajo precio, concesionarios y una caravana de motociclistas.

En algún momento mira hacia arriba y ve una iglesia con un letrero: SI REALMENTE AMAS A DIOS, MUÉSTRALE TU DINERO. En la esquina de enfrente hay una pequeña licorería con un brillante cartel de neón encima de la puerta. En los estantes, botella tras botella de alcoholes blancos, licores y frutas fermentadas que nunca ha probado (y que ni siquiera conoce); y, sin embargo, se plantea la salida fácil de emborracharse y olvidarse de todo.

Una campanilla suena encima de su cabeza. Los pasillos están vacíos; la tienda tiene una cámara que filma la entrada. Audie se ve en una pantalla y le hace un gesto de saludo al hombre de detrás del mostrador.

237

Hay una cabina telefónica. Audie piensa en llamar a su madre, pero marca el número del servicio de información telefónica, pide un número y escucha cómo suena la llamada. Contesta una recepcionista.

—Tengo que hablar con la agente especial Furness.

—¿Quién la llama?

—Tengo información para ella.

—Tiene que darme su nombre.

—Audie Palmer.

Dejan el teléfono sobre una superficie dura. Audie oye voces apagadas gritando en corredores. Mira al cajero, asiente y se da la vuelta. Responde una mujer.

—¿Es la agente especial Furness?

—Así es.

—Soy Audie Palmer. Nos hemos visto antes.

—Lo recuerdo.

—Leí los libros que me recomendó. La biblioteca tardó un tiempo en tenerlos, pero disfruté con ellos.

—No me ha llamado para una reunión del club de lectura.

—No.

—Sabe que le estamos buscando, Audie.

—Supongo.

—Entréguese.

—No puedo hacerlo.

—¿Por qué?

—Tengo algunas cosas que hacer, pero ha de saber que yo no maté a Cassie y Scarlett. Tiene mi palabra de honor. Se lo juro por la vida de mi madre y por la tumba de mi padre: no fui yo.

—¿Por qué no viene y me lo explica en persona?

Audie nota sudor en las axilas. Se aparta el teléfono de la cabeza y se seca la oreja en el hombro.

—¿Sigue ahí?

—Sí, señora.

—¿Por qué se fugó, Audie? Solo le quedaba un día.

—Yo no robé ese dinero.

—Pero confesó el robo.

—Tenía mis razones.

—¿Por qué?

—No se lo puedo decir.

La agente especial Furness rompe el silencio.

—Puedo entender que se cargase el muerto por su hermano o por otra persona, Audie, pero a ojos de la ley todos los implicados en el robo son igualmente culpables, tanto si se encargaron del propio asalto, condujeron el coche con el que huyeron o solo hicieron las llamadas telefónicas.

—No lo entiende.

—Pues explíquemelo. ¿Por qué se fugó de la cárcel? Lo iban a liberar.

—Nunca me habrían liberado.

—¿Por qué?

Audie suspira.

—He pasado con miedo los últimos once años, agente Furness. Asustado de las cosas que podrían pasar... y de las que pasaron. Durmiendo con un ojo abierto. Dando la espalda a todas las paredes. Pero quiero decirle una cosa: desde que salí, he dormido bien. Creo que me he dado cuenta de que el verdadero enemigo es el miedo.

Desiree inspira profundamente.

—¿Dónde está?

—En una licorería.

—Deje que pase a buscarlo.

—Ya no me encontrará aquí.

—¿Y qué hay de Carl?

—Está muerto.

—¿Cuándo?

Audie sujeta el teléfono fuerte contra la oreja y aprieta los ojos hasta que un caleidoscopio de luces de colores empieza a girar delante de sus pupilas. Las luces se apagan y ve a su hermano sentado junto al río, el rostro bañado en sudor, con una pistola en el regazo. Los vendajes del pecho estaban saturados de sangre y Carl contemplaba el agua negra como si el río contuviese la respuesta a la pregunta más importante de la vida. Carl sabía que no iba a ir al hospital. No iba a huir a California e iniciar una nueva vida.

—Ese hombre al que maté tenía una mujer y un hijo de camino —dijo Carl—. Me gustaría poder empezar de nuevo. Querría no haber nacido nunca.

—Voy a buscar a un médico —respondió Audie—. Te pondrás bien. —Pero, en el mismo momento de pronunciarlas, Audie sabía que sus palabras no eran ciertas.

—No me merezco el perdón ni las oraciones de nadie —dijo Carl—. Ese es el lugar en el que debería estar. —Hizo un gesto señalando al río, en el que se retorcía la corriente, implacable, de un negro petróleo.

—No digas eso —repuso Audie.

—Dile a mamá que la quiero.

—Ya lo sabe.

—No le cuentes lo que viene a continuación.

Audie quería contradecirlo, pero Carl ya no escuchaba. Apuntó a Audie con la pistola y le dijo que se fuera. Él se negó. Apoyó el cañón en la frente de Audie y le gritó, lanzándole escupitajos de saliva y sangre a la cara.

Audie se metió en el coche y se alejó, dando saltos por la carretera llena de socavones, con los ojos bañados en lágrimas. Miró por el retrovisor, pero no vio a nadie en la orilla del río. Durante años trató de convencerse de que, de algún modo, Carl había logrado huir y estaba viviendo con un nombre distinto, con trabajo, esposa y familia, pero en lo más profundo sabía lo que había hecho.

La agente especial Furness sigue al teléfono, esperando una explicación.

—Carl murió hace catorce años, en el río Trinity.

—¿Cómo?

—Se ahogó.

—No encontramos su cuerpo.

—Se lastró con chatarra y saltó al río.

—¿Cómo sé que me está contando la verdad?

—Draguen el río.

—¿Por qué no se lo contó a nadie?

—Carl me hizo prometer que no lo haría.

Audie está a punto de colgar.

—¡Un momento! —dice Desiree—. ¿Por qué fue a la casa del *sheriff*?

—Tenía que asegurarme.

—¿Asegurarse de qué?

Pero ya ha colgado.

$\mathcal{M}$oss no encuentra a Rabbit Burroughs hasta el final de la tarde. El conserje está fregando el suelo del gimnasio; trata la fregona como si fuese una compañera de baile anoréxica. El lugar huele a sudor, Reflex y algo más que Moss reconoce de cuando era joven. Hormonas, quizá. Hay una chica sentada en las gradas, jugando con un teléfono móvil. Tiene unos trece años, sobrepeso y aburrimiento.

—¿No tienen una máquina para hacer ese trabajo? —le pregunta Moss al conserje.

—Está averiada —dice Rabbit, dándose la vuelta lentamente. Lleva una camisa hawaiana de manga corta de una talla demasiado pequeña (de manera que los antebrazos destacan como jamones) y la larga cabellera recogida en una canosa coleta—. Se ha terminado la escuela. Todo el mundo se ha ido a casa.

—Es a ti a quien he venido a ver.

Rabbit se pasa la fregona de la mano izquierda a la derecha; ahora podría utilizarla como un arma. Está evaluando a Moss, decidiendo si lucha o huye.

—No voy a hacerte nada —dice Moss, levantando las manos—. ¿Cuánto tiempo llevas trabajando aquí?

—No es asunto tuyo.

—¿Saben que eres un criminal convicto?

Rabbit lo mira y parpadea. Su rostro tiene aspecto febril, la piel húmeda, los párpados muy abiertos.

—Yo diría que no tienen ni idea.

Rabbit ha levantado la fregona con ambas manos.

—Tranquilo. Lo estás dejando todo perdido de agua.

Rabbit mira el charco.

—¿Quién es la niña? —pregunta Moss.

—Es de aquí.

—¿Y eso qué quiere decir?

—Su madre está trabajando. Yo la vigilo.

—¿Qué hace su madre?

—Está limpiando los lavabos.

Moss camina sobre el suelo de madera pulida. Bota una imaginaria pelota de baloncesto y tira a canasta, viendo en su mente cómo encesta. El lugar tiene eco. Ha investigado un poco sobre Rabbit y sabe que ha estado dos periodos en penitenciarías del estado; el más prolongado, de seis años. También pasó un tiempo en un reformatorio por fraude postal y tenencia de drogas. Pero los antecedentes de un hombre no te dicen cómo lo criaron; si su padre era un borracho violento, o si era feo, pobre o estúpido.

Rabbit es alcohólico. Moss se da cuenta. El blanco de sus ojos está surcado por el rojo de los capilares sanguíneos y tiene mocos secos en la comisura de la boca. Hay distintos tipos de borrachos. Algunos buscan la emoción del momento, el subidón. Otros beben como una esponja para huir de algo y lo hacen solos.

—Cuéntame lo del robo del furgón blindado del condado de Dreyfus.

—No sé de qué me hablas.

—Tú eras parte de la banda.

—No era yo.

—Te detuvieron por conducir borracho antes del robo.

—Te equivocas.

Rabbit vuelve a fregar el suelo, moviéndose con mucha más energía que antes; parece que baile un *foxtrot* y no un vals. Moss se acerca. El otro tipo intenta golpearle con la fregona en la cabeza, pero lo esquiva con facilidad, se la quita de las manos y la rompe contra su rodilla. La chica levanta la vista. Todo ha sido tan rápido que se lo ha perdido, así que vuelve al teléfono.

Moss le da a Rabbit los dos trozos de la fregona y el conserje los sostiene como si fueran los pompones de una animadora.

—Voy a tener que pagarlo.

Moss se saca un billete de veinte dólares del bolsillo y lo mete en el de la camisa hawaiana de Rabbit. Resignado, el otro se sienta en uno de los bancos de la grada, saca una petaca del bolsillo, desenrosca el tapón, le da la vuelta al frasco y traga. Con los ojos húmedos, se seca los labios.

—Creerás que me das miedo. Seguro que crees que no soy más que una ruina humana, pero no me intimidas. ¿Sabes cuántas veces me han venido a preguntar por ese robo? Me han amenazado, me han dado palizas, me han quemado con cigarrillos, me han acosado, me han represaliado. El FBI sigue interrogándome cada par de años. Sé que escuchan mi teléfono y que revisan mis cuentas bancarias.

—Ya sé que no tienes el dinero, Rabbit. Pero háblame del robo.

—Estaba en un calabozo.

—Se suponía que ibas a conducir el coche.

—Se suponía, pero no estaba allí.

—Háblame de Vernon y Billy Caine.

—Los conocía.

—Atracabas bancos con ellos.

Rabbit se echa otro trago de la petaca.

—Conocí a Billy en el reformatorio, y mantuvimos el contacto. No conocía a Vernon hasta que, un día, Billy me llamó, sin más, y me dijo que tenía un trabajo. Me acababan de despedir y tenía pagos pendientes del coche. Vernon era el jefe. Tenía un método de trabajo en el que Billy y él entraban en el banco por separado y esperaban en colas distintas. Dejaban pasar a la gente de manera que los dos llegaran más o menos al mismo tiempo a una ventanilla, con una pistola dentro de un periódico o una revista doblados. El único que podía verlo era el cajero. No gritaban, ni le decían a la gente que se tumbara en el suelo, ni disparaban al aire. Lo que hacían era hablar muy suavemente, indicando a los cajeros que llenasen las bolsas de dinero. Entonces salían andando, perfectamente tranquilos, y yo me los llevaba de allí en el coche. Debimos hacernos treinta o cuarenta bancos así, empezando en California y moviéndonos hacia el este.

—¿Y el trabajo del condado de Dreyfus?

—Eso fue otra cosa. Vernon conocía a un tío que trabajaba en una empresa de seguridad que estaba contratada para hacer recogidas de dinero en bancos y agentes de bolsa.

—¿Scott Beauchamp?

—No lo vi nunca.

—Era el guardia que murió en el robo.

Rabbit se encoge de hombros.

—Puede que fuera el que ayudó en el atraco, puede que no. Vernon no dijo nada. Era un plan perfecto: dos veces al mes, el camión blindado visitaba los bancos y recogía los billetes estropeados, los que se rompen o pasan por la lavadora o se ensucian. Se los llevan a un servicio de destrucción de datos cerca de Chicago. La Reserva Federal quema el dinero en un incinerador jodidamente grande. ¿Quién lo diría? Vernon sabía los horarios y la ruta del furgón, así que planeamos asaltarlo, atar a los guardias y esfumarnos con el dinero, que estaba sin marcar y era imposible de rastrear. Nadie sabía siquiera los números de serie. En realidad, no estábamos robando a nadie. El dinero lo iban a quemar de todos modos, ¿no?

—¿Cómo se metió Audie Palmer en el trabajo?

—Lo debió de encontrar Vernon.

—¿Habías visto alguna vez a Palmer?

—No.

—¿Y a su hermano?

Rabbit niega con la cabeza.

—No había oído hablar de ninguno de ellos hasta que el trabajo empezó a salir mal. Perder a Vernon y Billy de esa manera, tío, me dejó hecho polvo. Billy estaba un poco ausente, se había metido ácido cuando era un crío y se había quedado medio paranoico, pero era un buen chico. Durante un tiempo salió con mi hermana pequeña.

—Y desde entonces..., ¿has sabido algo de Carl?

—He oído que estaba en Sudamérica.

—¿Crees que fue él quien se llevó la pasta?

—Eso es lo que dijeron los polis. Creo que me deben al menos medio millón.

—¿Por qué?

—Vernon me prometió una parte, aun cuando no pude hacer el trabajo. Y mírame ahora: estoy limpiando los putos suelos y haciendo de niñera de la princesa Fiona.

La chica levanta la cabeza y dice, con voz quejumbrosa:

—Tengo hambre.

—Coge algo de la máquina.

—No tengo dinero.

Rabbit rebusca en los bolsillos; solo tiene el billete de veinte.

—¿Tienes algo más pequeño? —le pregunta a Moss.

Moss le da un billete de cinco dólares. La chica lo coge y sacude la melena. Rabbit la mira mientras se va, prestando excesiva atención a sus caderas.

—¿Dónde has dicho que estaba su madre?

—Trabajando.

—Será mejor que mantengas la vista en el suelo.

—No pasa nada por mirar —dice Rabbit, sonriendo—. Luego voy a casa y me tiro a su madre con la luz apagada.

Moss lo agarra de la camisa y le hace saltar varios botones, que rebotan en el suelo. Rabbit trata de que sus pies vuelvan a tocar sólido.

—Era una broma —protesta—. ¿Es que no tienes sentido del humor?

—Creo que lo he perdido en tu culo. A lo mejor debería darte una patada ahí, a ver si cae solo.

Moss le da un empujón, lo hace caer al otro lado del banco

y sale del gimnasio. Pasa al lado de la chica, que está sentada en las escaleras, comiendo patatas fritas y chupándose los dedos. Se para y se da la vuelta.

—¿Te ha tocado alguna vez? Quiero decir, de forma inapropiada.

Ella niega con la cabeza.

—Si lo hace, ¿qué piensas hacer tú?

—Cortarle la minga.

—Una chica lista.

36

$\mathcal{A}$udie se ha pasado dos horas a la puerta del apartamento de Bernadette, mirando la calle y estudiando las ventanas oscurecidas, casi esperando ver equipos de fuerzas especiales ocultos en las escaleras y siluetas de francotiradores en los tejados. Está cayendo la noche y el barrio se va tiñendo de luces y sombras a medida que las nubes de lluvia van pasando por delante del sol.

Los vecinos han llegado y se han metido en casa. A su lado pasa una mujer paseando un perro que camina a regañadientes, demasiado vago para olisquear una boca de incendios o demasiado viejo para levantar la pata. Hay un hombre alto y delgado encorvado, fumando y mirando al suelo entre sus zapatos, como si estuviese leyendo un mensaje garabateado con tiza en el asfalto.

Audie cruza la calle tratando de que parezca que es de allí; en realidad, ni él sabe seguro de dónde es. Hay coches aparcados en plazas marcadas entre los arbustos polvorientos y las granjas de césped, de un verde tan intenso que parece químico, no natural. Se para junto a un coche envuelto en una cubierta de plástico que ondea en la brisa, como si debajo hubiese alguna cosa viva. Audie se agacha, mete la mano por debajo de la cubierta y pasa los dedos por la parte de arriba de cada rueda, en busca de las llaves. Bernadette se lo prometió; puede que haya cambiado de opinión. Vuelve a buscar, tumbado sobre su estómago. Un destello plateado le llama la atención: la llave está sobre el asfalto, detrás de la rueda. Se arrastra debajo del chasis.

Oye unos pasos detrás de él, en la acera. Se pone en cuclillas, esperando ver una docena de armas apuntándole. El hombre de los pasos está de pie a su lado, tapando el sol. Es alto, con la nariz larga y una cinta de pelo bajo la perilla, que debió de empezar siendo unas patillas y ha acabado convirtiéndose en una barba. Lleva el final de los pantalones metido dentro de las botas.

—¿Qué tal?

Audie intenta sonreír y asentir.

—¿Ha perdido algo?

—Las llaves.

El hombre aspira su cigarrillo; la brasa brilla un momento. Audie no puede verle los ojos, pero instintivamente sabe que son apagados y crueles, la clase de ojos que había visto en el patio de la cárcel a presos a los que nadie se acercaría, a menos que fuese por accidente, y nunca más de una vez.

Audie empieza a quitar la cubierta del coche, un Toyota Camry casi nuevo. El hombre aplasta la colilla con la bota.

—Quiero que me tires las llaves.

—¿Por qué?

—Hay cosas que tienen que hacerse. No las hagas más complicadas de lo necesario. —El hombre tiene la mano en el bolsillo de la chaqueta—. Si la saco, la uso.

Audie le tira las llaves. El hombre va hacia la parte de atrás del coche y abre el maletero. La puerta se eleva.

—Entra.

—No.

Aparece la mano, con una pistola en ella. El cañón es como un pequeño tubo negro hueco que apunta al pecho de Audie.

—No eres un poli.

—Entra.

Audie menea la cabeza y ve como la pistola se eleva, del pecho a la frente.

—Dijeron vivo o muerto, *amigo* —dice en español. Y añade—: A mí me da exactamente igual.

Audie se inclina hacia el maletero y la pistola le golpea en la nuca. No ve luces que parpadean ni fuegos artificiales; en ese breve instante, la oscuridad se convierte en un pequeño punto blanco y desaparece por completo, como si alguien hubiese apagado un viejo televisor en blanco y negro.

En ocasiones, Audie se imagina que está viviendo el sueño de otra persona. Otras veces piensa en la posibilidad de un universo paralelo en el que Belita está viviendo en California, limpiando la casa de Urban Covic y durmiendo en la cama de su patrón. En este universo paralelo, Carl está reparando motores en el taller de su padre y los cigarrillos no provocan cáncer, y el marido de Bernadette no es un borracho violento y Audie es ingeniero y trabaja para una agencia de cooperación internacional construyendo sistemas de alcantarillado y de distribución de agua.

Cuando las vidas cambian de dirección, a menudo se habla de puertas que se abren y se cierran, de bifurcaciones en el camino. A veces solo reconocemos que tuvimos una opción más tarde, con la perspectiva del tiempo. Casi siempre somos víctimas de las circunstancias o prisioneros del destino.

Cuando Audie mira hacia atrás, puede señalar con precisión esa bifurcación en el camino. Fue la mañana de un miércoles, a mediados de octubre, cuando llegó para recoger a Belita en la casa grande y ella se acercó al coche con gafas oscuras y un sombrero de paja. Audie le abrió la puerta, ella se sentó y entonces él se dio cuenta de que tenía el ojo izquierdo hinchado y cerrado a medias, ya cambiando de color.

—¿Qué ha pasado?

—Nada.

—¿Te ha pegado?

—Lo hice enfadar.

—No tenía derecho.

Belita lo miró y sonrió de forma compasiva, como si pensase que era un chiquillo que no entendía cómo funcionaba el mundo, qué significaba ser una mujer, ser ella. Salió del coche y se sentó en el asiento de atrás. Viajaron en silencio, incómodos, sin la calidez que solían encontrar en la mutua compañía, sin que Audie tuviese oportunidad de relajarse y absorber su belleza.

¿Había descubierto Urban su aventura? ¿La había castigado? ¿Le había pegado? Audie sintió que su visión se volvía borrosa y que tenía ganas de destruir el mundo de Urban: las mesas de juego, las máquinas de discos, las botellas de bebidas, los árboles frutales.

Aquel día solo intercambió unas cuantas palabras con Belita. Ella recogió el dinero y rellenó los recibos y los resguardos de depósito. A las tres ya estaban de vuelta en la casa. Audie abrió la puerta del coche y le ofreció la mano; Belita la ignoró. Entonces él se dio cuenta de que llevaba algo nuevo: en lugar del pequeño crucifijo plateado colgado de una cadena, llevaba un colgante que parecía una esmeralda.

—¿De dónde lo has sacado?

Ella no respondió.

—¿Te lo dio él? ¿Antes o después de los golpes?

Ella no lo escuchó.

—¿Te folló antes?

Belita se dio la vuelta y le cruzó la cara de una bofetada. Le habría pegado otra vez si él no le hubiese cogido la mano y la hubiese atraído hacia él. Trató de besarla; ella se resistió. Audie le preguntó a gritos:

—¿Por qué?

—Él me rescató.

—Yo también te puedo rescatar.

—¡Ni siquiera te puedes rescatar a ti mismo!

Se deshizo de la presa en sus manos y desapareció en el interior de la casa.

Durante las cuatro semanas siguientes, Belita se fue alejando de Audie. Creaba trampas, tendía vallas, envenenaba conversaciones. «Si quiere distancia, se la daré», se decía Audie a sí mismo. Pero su corazón no respondía a sus órdenes; veía a Belita por todas partes, en todas las cosas. Y solo pensar que otro podía tenerla le hacía hervir las mejillas y hacía que le doliese el pecho. Era como si la esencia de su vida se escapase.

Un sábado, en la casa de Urban de la montaña, se desnudó hasta la cintura y se puso a trabajar en la fuente, que hacía semanas que había dejado de funcionar. Vadeando a través del agua sucia llegó a la estatua de una ninfa con los pechos del tamaño de manzanas, caderas anchas y una corona alrededor de la cabeza.

Faltaban algunas de las baldosas, de color azul brillante. Empezó a rascar la suciedad de las válvulas con la hoja de un cortaplumas. Belita, que lo miraba desde la galería, le dijo que se pusiera la camisa si no quería quemarse con el sol. Era la primera vez que acusaba su presencia en un mes.

La hoja resbaló y le hizo un corte en la mano. Lo miró, levantó la mano; la sangre corrió por la muñeca.

—¡*Idiota*! —gritó ella en español.

Momentos después vino con un botiquín, vendas y desinfectante.

—Puede que necesites puntos.

—Estoy bien.

Belita limpió el corte y contuvo la hemorragia.

—¿Estás enfadada conmigo? —preguntó él.

Ella no respondió.

—¿Qué he hecho para ofenderte?

—Tendrás que mantener esto seco.

—¿Me quieres?

—No preguntes.

—Quiero casarme contigo.

—¡Para! No digas eso.

—¿Por qué?

—Algún día me enviarán de vuelta.

—¿Qué quiere decir eso? Dímelo. ¿Por qué estás tan asustada?

—Ya lo he perdido todo antes; no puede pasarme otra vez.

Y entonces le contó la historia, le describió cómo la tierra temblaba, cómo las personas se caían y se quedaban como tortugas panza arriba, cómo los edificios se desmoronaban como galletas, cómo el ruido era como el rugido de una locomotora al pasar por un túnel. Cuarenta segundos: eso fue lo que tardó la montaña en derrumbarse y llevarse por delante cuatrocientas casas en Las Colinas, al este de San Salvador. El número de muertos fue mayor de lo normal porque la mayoría de las personas estaban durmiendo.

El marido de Belita la arrastró fuera de la casa y volvió a buscar al hermano de ella. Y una tercera vez, a por su hermana; pero ninguno de los dos salió de allí: cuatro pisos de hormigón reforzado se desmoronaron como un acordeón, dejando únicamente escombros y una nube de polvo. Estuvieron cavando durante ocho días; de vez en cuando encontraban un superviviente, pero sobre todo hallaban cadáveres. Cavaron con las manos desnudas, hasta que las aceras quedaron cubiertas de cuerpos que apestaban de un modo insoportable. Sacaron a un niño de ocho años de un sótano. Encontraron a una pareja de ancianos abrazados, envueltos en barro, como si los hubiesen moldeado en bronce.

Los padres de Belita murieron; también fueron barridos su esposo, su hermana, una docena de sus vecinos... Belita y su hermano fueron todo lo que quedó de la familia. Óscar tenía dieciséis años; ella, diecinueve, y estaba embarazada. Los buldóceres estaban aún limpiando los escombros cuando decidieron ir hacia el norte, a Estados Unidos. ¿Qué otra opción les quedaba? No tenían casa y estaban en la ruina.

Así que cruzaron mil kilómetros de selva, montañas, ríos y desierto, viajando en las cajas de camiones, en autobús o a pie. En México pagaron a dos «coyotes» para que les cruza-

253

ran la frontera y los guiaran a través del desierto hacia Arizona. Caminaban de noche, con botellas de agua, hiriéndose la piel en las alambradas y en los espinos de los arbustos. Huyeron de los agentes fronterizos y los capturaron. Los metieron en una furgoneta y los llevaron a un calabozo, donde durmieron tres noches en el suelo desnudo antes de que un autobús los llevase de vuelta a México.

La segunda vez lo intentaron solos, pero unos bandidos se tropezaron con ellos mientras esperaban para colarse por un agujero en la valla. Los desnudaron y se quedaron con todo lo que llevaban. Belita trató de cubrirse los pechos y ocultar la barriga de embarazada. Los hombres discutieron si la violarían.

—Está embarazada, tío —dijo uno de ellos.

—Las embarazadas son las mejores —respondió el otro—. Follan como conejas porque quieren un padre que se quede con ellas cuando tengan el bebé.

Le tocó el estómago; Óscar se tiró contra él. Murió antes de que pudiese dar siquiera el primer golpe.

—Mierda, tío, mira lo que has hecho.

Óscar estaba tumbado en el suelo. Manaba sangre de su nariz. Belita se arrodilló a su lado en la tierra, meciéndose sobre su cuerpo. Los bandidos la dejaron allí. Miró el agujero en la valla y el desierto que se extendía más allá. Miró hacia atrás, hacia el camino recorrido para llegar hasta ese lugar. Se vistió y se arrastró para pasar por el agujero; esperaba morir aquella misma noche.

Aquellas fueron sus peores horas: cruzar el desierto sin comida ni agua, combatir el frío de la noche, los insectos y las piedras afiladas, tirarse en una zanja cuando pasaban los todoterrenos de la patrulla fronteriza. Caminó hasta el amanecer y siguió caminando hasta el mediodía, cuando un camionero le dio agua y la llevó hasta Tucson. Durante dos noches durmió en un coche abandonado. Pasó otra en un montón de serrín de un aserradero, y la siguiente en un vagón de mercancías de un apartadero ferroviario. Comió comida para perros y lo que encontró en contenedores de basura. Hizo autostop y caminó hasta llegar a San Diego.

Una prima le había dicho que allí encontraría trabajo recolectando fruta, pero pocos eran los capataces dispuestos a emplear a una adolescente embarazada. Lavó ropa y cocinó en un campamento de recolectores hasta que rompió aguas y dio a luz en el pasillo de un hospital, esperando una cama.

Eso había sucedido hacía tres años. Desde entonces, había recogido fruta, había lavado ropa, había fregado suelos; y lo peor, siempre *sin papeles*. Indocumentada, inexistente, invisible.

Mientras le contaba su historia a Audie, no derramó ni una sola lágrima. No buscaba su compasión ni trataba de impresionarlo. Ni siquiera protestó contra la injusticia cuando le habló del día en que dos hombres se la llevaron del campo, la amordazaron, le vendaron los ojos y amenazaron con matarla si no trabajaba en un burdel. Su pasado no era una parábola, sino una vida, la misma que la de otros muchos inmigrantes ilegales impulsados por la pobreza y la esperanza.

Audie se quedó inmóvil mientras Belita hablaba, como si le diese miedo que dejase de hablar y, al mismo tiempo, le asustase lo que podía decir. Su mano estaba junto a la de ella, pero la sentía demasiado pesada como para entrelazar los dedos. De modo que Belita habló, con los ojos como platos, con una expresión de gravedad, arrastrándolo hacia una historia que no era la de él, aunque Audie temía perderse en los detalles.

Luego terminó de hablar. Los labios de Audie dejaron escapar un gemido, con una voz que ni él mismo reconoció.

—¿Dónde está tu hijo?

—Mi prima lo está cuidando.

—¿Dónde?

—En San Diego. —Pasó el dedo por la mano vendada de él—. Lo veo los domingos.

—¿Tienes una fotografía?

Lo condujo a su dormitorio, abrió un cajón y le enseñó una foto de un niño en un pequeño marco plateado. Lo llevaba en el regazo y apoyaba la barbilla en la cabeza de él. El cabello del niño le caía hasta los ojos, que eran de un profundo color marrón, como los de su madre. Alguien había garabateado un mensaje en la parte de debajo de la imagen: «La vida es breve. El amor es inmenso. Vive como si no hubiera un mañana».

Belita se llevó la fotografía y no dijo nada más. La historia ya estaba dicha. Ahora, Audie ya lo sabía.

37

Sentado en la ventana de un motel del Cuarto Barrio, Moss observa la singular mezcla de adicción y prostitución que pasa por la calle, las personas a las que el último *boom* ha dejado atrás o que han sido barridas hacia la orilla, como escombros después de una tormenta. En Texas, el dinero no chorrea, sino que más bien se escurre poco a poco, como en un urinario, y la gente palmea alegremente la espalda de las personas que consiguen llegar a alguna parte, pero miran con desprecio a cualquiera que sugiera que le echen una mano para hacerlo.

La habitación del motel tiene cortinas con estampado de cachemir, moqueta de nailon y chicas negras apoyadas en las barandas de los balcones adyacentes, mirando a los chulos que merodean en la calle. Hace un siglo, Houston estaba abarrotado de burdeles y fumaderos de opio. Incluso las mujeres de clase acomodada de la ciudad compartían una pipa para sentirse mejor. Últimamente, los camellos suelen ser adolescentes negros de rostros arrogantes y ropa de diseño con aparatos de última tecnología en los bolsillos.

Al anochecer, Moss sale en busca de un bar barato donde comer algo. Los coches y los taxis compiten como personas a punto de pelearse. Se mete en un sitio, se sienta de espaldas a la puerta y pide una cerveza. Es la clase de tugurio al que solía ir a beber cuando no tenía la edad, usando la documentación de su hermano mayor. Observa las burbujas ascender en el vaso escarchado y toma otro trago, moviendo el líquido en la boca. La cerveza ya no sabe tan bien como cuando era un adolescente (lo de la fruta prohibida y todo eso), pero se la termina de todos modos, porque hace mucho tiempo desde la última vez que bebió.

Llega un momento en el que Moss quiere volver a salir al exterior. Con las manos en los bolsillos, pasea junto a fábricas, aparcamientos y restaurantes de comida rápida que están junto a la carretera como si fueran pegotes de fijador. Cuando llega a una intersección, echa una ojeada a la máquina de venta automática de periódicos. El rostro de Audie Palmer, con su sonrisa ladeada y su flequillo despeinado, lo mira desde la primera página.

DOS MUERTOS EN UN TIROTEO
EN UN MOTEL DE HOUSTON

Moss no puede leer lo que hay escrito debajo del doblez y no tiene monedas. Le pide a una persona que pasa, que lo evita como si tuviera una enfermedad contagiosa. Moss trata de forzar la portezuela de la máquina. Su frustración parece alcanzar un punto crítico y le da una patada a la caja metálica. Lo hace una y otra vez, hasta que las bisagras ceden y se rompen. Recoge un periódico de los restos, lo abre de una sacudida y lee los detalles; se niega a creer que Audie haya podido matar a una madre y su hija.

«Quizás ha acabado por desmoronarse», piensa Moss, consciente de su propio genio explosivo. Lo ha visto más de una vez: un preso recibe una carta de su mujer o de su novia en la que le dice que lo deja. Que se va a vivir con su mejor amigo. Que se ha ido y se ha llevado sus ahorros. En ese momento, algunos hombres pierden el mundo de vista. Cuelgan un nudo corredizo de los barrotes, o se cortan las venas de las muñecas con una hoja de afeitar, o se pelean con el hijo de puta más peligroso del patio, o echan a correr contra la alambrada para que lo acribillen a balazos.

Quizá fuera ese el motivo de que Audie Palmer se fugase de

la cárcel. Estaba siempre mirando esa foto en su libreta, pasando los dedos por el rostro de una mujer, o despertándose con sus propios gritos, con el pecho subiendo y bajando febrilmente y el sudor inundando su cara. Eso es lo que le hace el amor a un hombre: lo vuelve loco. No ciego ni indestructible: lo hace vulnerable. Humano. Real.

Delante de la entrada del garito hay una guirnalda de bombillas de colores, fijadas a un enrejado con una parra retorcida. Hay una banda tocando; van vestidos con camisas de *cowboy* a juego y cantan una canción de los Beach Boys acompañándose de una guitarra con *slide* que suena como si alguien estuviese pisoteando un gato vivo.

Moss se abre paso evitando a la gente; pasa junto a una mesa con mujeres que llevan camisetas rosa y tutús de ballet, todos idénticos. Una de ellas, que lleva un velo de novia en la cabeza y una placa con una L de novato colgada del cuello, está dando vueltas en la pista de baile con una botella de cerveza en cada mano.

Moss encuentra un poco de espacio, se inclina contra la pared, apoya un pie, mueve la cabeza al ritmo de la música. Nota una vibración en el bolsillo; le cuesta un momento darse cuenta de que el teléfono móvil está haciendo un sonido inusual. Rebusca el botón. Sus dedos son demasiado grandes para las minúsculas teclas. Sostiene el teléfono con cuidado en la oreja y escucha, pero con la música no puede oír a nadie.

«Un momento», dice, y se abre paso entre la multitud hasta llegar al lavabo. Entra en una de las cabinas. La parte trasera de la puerta está decorada con pintadas y dibujos de genitales. Alguien ha garabateado: «Para llegar a estar así de jodido he tenido que sobreponerme a una infancia feliz».

—Se supone que tienes que estar buscando a Audie Palmer —dice una voz.

—A lo mejor es lo que estoy haciendo.

—Debe de estar viviendo con los Beach Boys, pues.

Moss querría soltar el teléfono en el váter y tirar de la cadena para hacerlo desaparecer, como un cagarro.

—Han localizado a Palmer —dice la voz—. Quiero que tú vayas a recogerlo.

—¿Dónde está?

—Te enviaré un SMS con las instrucciones para llegar.

—¿Cómo?

—¡Que te enviaré un mensaje, imbécil!

—Si tienen a Audie, ¿para qué me necesitan?

—¿Quieres volver a la cárcel?

—No.

—Entonces haz lo que te dicen.

Desde su infancia, Audie ha tenido verdadero terror a quedarse atrapado en espacios reducidos. Una vez, Carl lo encerró en un congelador viejo cuando jugaban al escondite. Audie casi se ahoga antes de que lo dejara salir.

—Estabas chillando como una niña —dijo Carl.

—Se lo voy a decir a papá.

—Si lo haces, te vuelvo a meter ahí dentro.

Audie se despierta ahora como un ciego en su primer día después de perder la vista, con la esperanza de que el mundo recupere de pronto la luz y el color. El rumor de los neumáticos en la carretera le envía vibraciones a través del hombro y de la cadera. Tiene las muñecas y los tobillos atados con bridas de plástico y, cada vez que respira, inhala una mezcla de gases de escape y del olor de su propio cuerpo. Intentando no dejarse llevar por el pánico, imagina momentos felices: un partido de béisbol, el instituto, los campeonatos regionales, dos *home runs*, ambos con la bola desapareciendo por el lado izquierdo del campo. Levanta el puño al llegar a primera base y choca sus manos con las de sus compañeros mientras da la vuelta al diamante. Ve a su padre sentado en las gradas, aceptando los aplausos de simpatizantes y de otros padres, absorbiendo la fama indirecta. Otra escena brilla y toma forma: la feria del estado en Dallas; fuegos artificiales que explotan por encima de la noria, y Butch Menzies montando un toro *brah-*

man de ciento cuarenta kilos llamado *Frenesí*, pegado como un erizo a su lomo mientras gira, retrocede, se retuerce.

Periódicamente, el coche se detiene, quizás en un semáforo. Audie oye la radio: una canción *country* sobre un vaquero solitario y una mujer que se la jugó. «¿Por qué son siempre las mujeres las que cargan con la culpa?», se pregunta. No cree que Belita haya sido el origen de sus penas. Lo salvó; tomó a un chico sin perspectivas de futuro y le dio algo que le importase. Si no hubiese sido por ella, ¿cómo iba a estar aún aquí?

El coche sale de la carretera y empieza a dar saltos por un camino irregular. Las ruedas lanzan piedrecitas contra el chasis. Audie palpa a su alrededor, buscando algo que pueda servir como arma. La rueda de recambio está debajo de él. Enroscado como una bola, utiliza sus dedos para levantar la tapicería de nailon. Pasa las palmas de las manos por el borde de la llanta, que está fijada con un perno en el centro, atornillado con una tuerca de mariposa.

Trata de aflojar la tuerca, pero los tumbos que da el coche le hacen rascarse los nudillos contra el borde afilado de metal y herirse. Lo vuelve a intentar y nota que la tuerca se mueve, pero no puede levantar la rueda porque su propio peso la mantiene en su lugar. Es inútil y estúpido; no puede hacerlo. Lo intenta de nuevo, pero está a punto de dislocarse el hombro izquierdo.

El coche va más lento, se detiene; el motor está al ralentí. Unas botas se mueven, el cierre se abre y la portilla se levanta. Audie respira el aire fresco de un bosque por la noche. La silueta del hombre alto se recorta contra el cielo y los árboles. Agarra a Audie del cuello, tira de él, lo arrastra hasta sacarlo del maletero y lo deja caer en el suelo. Audie gruñe, gira la cabeza y ve los árboles cercanos, de un color plata apagado por la luz de los faros. Están en un claro, al lado de un camino sin asfaltar. Ve los viejos cimientos de piedra de una casa, o de un molino, que hace tiempo que desapareció. Las malas hierbas se abren paso entre los escombros.

El hombre alto corta la brida de los tobillos de Audie, pero deja la de las muñecas. Entonces abre la puerta del pasajero y saca una pala y una escopeta recortada del doce. Le hace un gesto a Audie para que empiece a andar, empujándolo hacia la luz. Se mueven por entre las hierbas, que llegan hasta la rodilla. En las ramas encima de su cabeza, un pájaro se mueve de pronto; el hombre alto balancea la escopeta hacia el cielo.

—No es más que un búho —dice Audie.

—¿Quién coño te crees que eres? ¿Al Gore?

Llegan al lecho seco y arenoso de un riachuelo, detrás de las ruinas de la casa. Los cimientos son bloques de hormigón enterrados en parte; en uno de ellos hay una anilla metálica. El hombre alto fija una cadena a la anilla y obliga a Audie a arrodillarse. Rodea el tobillo derecho de Audie con la cadena y lo ata al bloque de hormigón, como a un perro. Luego corta la brida de las muñecas de Audie y retrocede. Él se pone de pie y masajea la piel rozada. La pala cae a su lado.

—Cava.

—¿Por qué?

—Será tu tumba.

—¿Por qué iba a cavar mi propia tumba?

—Porque no quieres que los pumas, los coyotes y los buitres se coman tu cuerpo.

—Estaré muerto; me dará igual.

—Es verdad, pero de esta forma ganas un poco de tiempo. Rezas una oración, te despides de tu madre y de tus amigos. No te sentirás tan mal por morir.

—¿Esa es tu teoría?

—Tengo un gran corazón.

Apoyando el pie en el borde superior de la pala, Audie agarra el mango con las dos manos y la hunde en la arena blanda. Nota su corazón palpitar contra las costillas. Percibe un olor ácido, como de vinagre, emanar de las axilas. Su mente trabaja mientras cava, evaluando lo que puede perder o ganar si agota su energía.

La cadena le permite moverse en un círculo de unos cuatro metros. Intenta mover el bloque de cemento tensándola; el bloque cede un poco. El hombre alto está sentado en una losa de piedra, inclinado hacia atrás, con las botas de vaquero cruzadas y la escopeta apoyada en el hueco del antebrazo izquierdo. Audie hace una pausa y se enjuga la frente.

—¿Los mataste tú? —pregunta.

—¿A quiénes?

—A la mujer y a su hija.

—No sé de qué me hablas.

—En el motel.

—Cállate y cava.

La luna asoma por detrás de una nube, proyectando sombras bajo los árboles y creando un tenue halo alrededor de las ramas superiores. El hoyo se va haciendo más profundo, pero las paredes se derrumban una y otra vez, porque la arena es seca y áspera. El hombre alto enciende un cigarrillo. Parece exhalar más humo del que inhala.

—Solo te pregunto si te gusta disparar a mujeres y a niños —dice Audie, jugando con la suerte.

263

—Nunca le he disparado a una mujer ni a un niño.

—¿Para quién trabajas?

—Para quien me pague.

—Yo puedo pagarte más. ¿Es que no sabes quién soy? Soy Audie Palmer. ¿Has oído hablar del asalto al furgón blindado del condado de Dreyfus? Siete millones. Yo lo hice. —Audie mueve la pierna; la cadena tintinea contra el cemento—. Nunca recuperaron el dinero.

El hombre alto se ríe.

—Me dijeron que dirías eso.

—Es verdad.

—Si tuvieras tanto dinero, no estarías viviendo en moteles de mierda y no habrías cumplido diez años en una prisión federal.

—¿Cómo sabes que estaba viviendo en un motel de mierda?

—Porque miro las noticias. Sigue cavando.

—Tengo amigos que pueden pagarte.

El cañón de la escopeta se mueve para apuntar más abajo del pecho de Audie.

—Si no te callas, te dispararé en la pierna. Puedes cavar y sangrar al mismo tiempo; la tierra necesita un poco de humedad.

El teléfono del hombre alto se pone a sonar. Con la escopeta apuntando a Audie, lo saca del bolsillo de atrás y lo abre. Audie piensa si le podría tirar una palada de arena a los ojos; quizá pudiese alcanzar los árboles arrastrando el bloque, pero entonces ¿qué? Solo puede oír la mitad de la conversación.

—¿Cuándo lo llamaste...? Y viene hacia aquí... ¿Qué es lo que sabe? De acuerdo. Te costará el doble.

La llamada se termina y el hombre alto se acerca al borde del hoyo.

—No es lo bastante grande.

Moss sigue las instrucciones que le han dado: conduce hacía el este para salir de la ciudad antes de dejar la interestatal y tomar una serie de carreteras secundarias cada vez más estrechas y con más baches. Por fin llega a una zona rodeada por un denso bosque de pinos, con cortafuegos que se entrecruzan y lechos de arroyo secos. Comprueba el cuentakilómetros: le dijeron cinco kilómetros desde el último desvío. En el polvo hay huellas recientes de neumático. Reduce la velocidad, para el motor, apaga los faros y desciende la colina en punto muerto. Escudriñando la oscuridad, sus ojos distinguen una luz débil que oscila entre los árboles.

Se aparta y abre la puerta poco a poco. Al enfriarse, el motor hace un ruido metálico. Saca el 45 de debajo del asiento y se lo mete en la parte de atrás de la cintura de los vaqueros antes de cerrar la puerta con un clic apagado. Sus ojos se van acostumbrando a la oscuridad a medida que avanza por el camino, en dirección a la luz. Esto parece más una emboscada que un traspaso de prisioneros. Se humedece los labios, huele las agujas de pino y oye el ruido de una pala clavándose en la tierra.

A Moss no le gusta el campo; nació y se crio en la ciudad, y prefiere saber dónde queda el restaurante de comida para llevar más cercano que ver corderos recién nacidos retozando por los prados, o un campo de trigo estremeciéndose con la brisa. En el campo hay demasiadas cosas que zumban, pican, se deslizan o gruñen, y también está lleno de paletos homicidas que creen que linchar negros debería estar reconocido como deporte, sobre todo en algunas zonas del sur.

Más adelante se ve un claro. Hay un sedán plateado en la parte más alejada, con los faros encendidos iluminando el lecho seco de un arroyo, cubierto de arbustos y hierbajos mal desarrollados. Hay dos hombres: uno está sentado en una roca, el otro está cavando un hoyo.

Moss sube por una pendiente con cuidado, situándose en un terreno alto. Oye la pala elevarse y caer. Una piedra se suelta debajo de sus pies y provoca una pequeña avalancha de rocas que retumba al caer sobre la arena. El hombre sentado se pone en pie de un salto y examina la oscuridad; lleva una escopeta de cañones recortados en la mano.

—Eso no ha sido un búho —dice.

—Podría ser cualquier cosa —dice el hombre que está cavando el hoyo.

Moss reconoce la voz: es Audie Palmer. En la cegadora luz, la piel de Audie tiene un aspecto amarillento; las concavidades debajo de sus ojos parecen manchas oscuras. Pero lo que más le impacta son los ojos en sí: si antes habían burbujeado de vida y energía, ahora parecen mirar desde algún lugar de su interior, como los de un animal asustado o un perro apaleado.

Moss se tumba en la cresta de la colina y espía por entre dos rocas, aún tibias por el calor del día. Audie sigue cavando. El otro hombre tiene la misma pinta de amargado que el que había al lado de la casa de Audie, el exconvicto de la mirada cruel y la barba ridícula. Se ha movido al borde de la luz, aún balanceando la escopeta de un lado a otro.

—¿Hay alguien ahí?

Moss se encoge; las rocas le están hiriendo las rodillas y la

265

palma de las manos. Coge una piedra y la tira por encima de su cabeza, al estilo del que lanza una granada. El hombre alto mueve la escopeta hacia el ruido y dispara. En el silencio suena como un cañonazo.

Cuando el ruido se apaga, se agacha entre las ruinas de los cimientos del edificio.

—Sé que está ahí —grita—. No le voy a hacer daño.

—¿Y por eso ha disparado? —responde Moss.

—No debería acercarse a un hombre a escondidas.

—Me han dicho que me estaría esperando.

—¿Es el señor Webster?

Audie ha dejado de cavar. Mira hacia la pendiente, como tratando de situar la voz.

—¿Por qué no dijo simplemente que estaba aquí? —pregunta el hombre alto.

—Me pareció que era de gatillo fácil.

—No voy a hacerle nada.

—Entonces, deje el arma.

—¿Por qué iba a hacerlo?

—Para poder ver cómo amanece.

Audie sigue mirando hacia la cresta.

—¿Cuándo has salido, Moss?

—Hace unos días.

—No sabía que tuvieses una vista para decidir tu libertad condicional.

—Yo tampoco.

—¿Cómo te ha ido?

—Bien. He podido ver a mi chica.

—Seguro que teníais mucho que contaros.

Moss se ríe.

—Hicimos polvo las sábanas. Aún estoy dolorido.

El hombre alto se queja.

—¿Qué es esto, una reunión de la asociación de padres?

Moss no le hace caso.

—¡Eh, Audie! Dicen que has matado a una mujer y a su hija.

—Ya lo sé.

—¿Y es verdad?

—No.

—Ya me lo imaginaba. ¿Por qué estás cavando un hoyo?

Audie señala al hombre alto.

—Me dijo que era una tumba.

El hombre alto interviene.

—Solo trataba de mantenerlo ocupado hasta que llegase.

—Se supone que tengo que hacerlo del tamaño de dos personas —grita Audie.

—Eso que dice no son más que gilipolleces, *amigo* —dice en español el hombre alto, señalando con la escopeta a Audie.

Moss está considerando el próximo movimiento mientras avanza por la cresta para poder ver mejor al tipo. Echa un vistazo por el borde de la roca, tratando de no mostrar su silueta contra el cielo, aún apuntando la 45, con el martillo en la posición retrasada. El cañón tiembla de la fuerza con la que agarra el arma. Desde esta distancia, es muy difícil que acierte a menos que sea por accidente.

—¿Piensa recogerlo o qué? —grita el hombre alto; su voz crea extraños ecos en los árboles.

—Antes tenemos que hablar de unas cuantas cosas —responde Moss—. ¿Qué le parece si deja la escopeta? Se me da mejor conversar cuando no me están apuntando.

—¿Cómo sé que no va armado?

—Tendrá que fiarse de mi palabra.

El hombre alto se mueve delante del fulgor de los faros. Sostiene la escopeta por encima de la cabeza, la deja en el capó del Camry y levanta las manos vacías.

—Ya la he dejado.

—¿Seguro que no me está mintiendo?

—Yo no hago esas cosas, *amigo*.

—Preferiría que no me llamara así. No nos escribimos cartas el uno al otro.

Moss se mete la 45 en los vaqueros y se pone de pie, lim-

267

piándose la tierra de la camisa. Luego se desliza por la pendiente, sin quitar ojo ni a la escopeta ni al hombre alto.

Audie nota cómo se le agarrotan los músculos del cuello. Está intentando imaginar cómo hizo Moss para que lo soltaran y qué está haciendo aquí. Se inclina y se masajea el tobillo, en la zona donde la cadena le roza la espinilla. El hombre alto le dice que se meta en el hoyo.

—No.

—Te pegaré un tiro.

—¿Con qué?

Moss aún está a casi cincuenta metros. Audie no ve sus rasgos, pero reconoce su forma de andar. Acercándose lentamente al bloque de hormigón, recoge la cadena y la enrolla alrededor de la mano contraria, como un lazo.

Los dos hombres están aún más cerca el uno del otro. Moss saca un pañuelo y se seca la frente con la mano izquierda. La derecha la tiene apoyada en la cadera. El hombre alto ha encendido un cigarrillo y está de pie delante de los faros del coche, para que la luz le dé en los ojos a Moss.

—¿De qué os conocéis vosotros dos? —pregunta.

—Hace mucho tiempo —replica Moss.

—¿Dónde ha aparcado?

—Más allá de la cresta.

Se hace un largo silencio que el hombre alto interrumpe.

—Bueno, ¿y ahora cómo lo hacemos?

—Me entrega a Audie y se pira.

—¿Me lo pide o me lo ordena?

—Si se siente mejor así, puede decir por ahí que se lo he pedido. —Moss echa un vistazo a la cadena que Audie lleva en el tobillo—. Voy a necesitar las llaves de eso.

—Claro.

El hombre alto se lleva la mano al bolsillo de atrás, pero lo que hace es sacar una pistola que llevaba en la cintura. En el instante en que pasa por delante de la cadera, Audie lanza la cadena, que se retuerce en el aire y da un latigazo, golpeando la mano de la pistola. El disparo pasa junto a la cabeza de Moss y toca en algo más duro que el hueso, haciendo saltar una chispa. El segundo disparo toca más cerca del objetivo, pero Moss ya se ha puesto a cubierto detrás de una roca. Cae al suelo con fuerza, se tuerce la rodilla, maldice y dispara a su vez, sin apuntar. Ambos hombres empiezan un tiroteo.

Audie vuelve a recoger la cadena en su antebrazo y hace fuerza para levantar el bloque de hormigón; se tambalea bajo el peso. Se acerca al vehículo dando tumbos, llevando la roca como si estuviese embarazado o esperando un balazo en la espalda en cualquier momento. El ácido láctico se está acumulando en sus músculos y los antebrazos le arden, pero sigue corriendo hasta llegar al Camry. Suelta el bloque de hormigón y recoge la escopeta, la amartilla con una mano y apunta con ella por encima del capó.

El hombre alto lo ve en el último momento, rueda hacia el hoyo y se mete en él. Dirigiéndose a los dos, Audie grita que dejen de disparar. Se hace el silencio, salvo por la respiración de Audie y la sangre latiendo en sus oídos.

—¿Lo tienes cubierto? —grita Moss.

—Os tengo cubiertos a los dos —dice Audie.

—He venido a ayudarte.

—Eso ya lo veremos.

Audie levanta la cabeza por encima del nivel de la ventanilla y comprueba el interior del coche. El motor aún está en marcha.

—De acuerdo, os diré qué va a suceder. Yo voy a irme de aquí en el coche y vosotros, si os da la gana, podéis mataros el uno al otro. A mí me da igual.

—Si te sientas al volante, te dispararé —responde el hombre alto.

—Puedes intentarlo, pero es más probable que te dé yo si te disparo con la escopeta. —Audie se mira el tobillo—. ¿Dónde están las llaves?

—No te las voy a dar.

—Allá tú.

Audie se agacha, levanta el bloque, abre la puerta del coche y lo tira dentro. Luego, encogido, se arrastra por encima de la roca y se encaja detrás del volante.

El hombre alto le está gritando a Moss que haga algo.

—¿Y qué se supone que tengo que hacer?

—Dispararle.

—Hazlo tú.

—Se va a escapar.

—Le dispararé en cuanto me digas por qué cavó un hoyo con espacio para dos personas.

—Como ya te dije, era por tenerlo ocupado.

Audie acelera marcha atrás en el Camry. Los faros oscilan, iluminando el suelo más allá del hoyo en el que se oculta el hombre alto y del montón de rocas detrás del cual se ha refugiado Moss, dirigiéndose hacia la carretera de tierra que atraviesa el bosquecillo de pinos. Espera escuchar más disparos, la rotura de cristales, pero no es así.

Inspira, suspira. El sudor se enfría en su rostro.

270 .

Moss ve la nube de polvo flotando entre los árboles y oye el ruido del motor del coche al subir trabajosamente una pendiente, machacando piedras sueltas con las ruedas.

—Bueno, *amigo*, ¿ahora, qué? —grita el hombre alto.

—Debería dispararte y enterrarte en ese hoyo.

—¿Cómo sabes que no seré yo el que te dispare?

—No te quedan balas.

—Eso es mucho decir.

—Las he contado.

—Pues no sabes ni contar. A lo mejor tengo otro cargador; puede que haya recargado.

—No lo creo.

—A lo mejor el que te has quedado sin balas eres tú, *amigo*, y te estás tirando un farol.

—Puede.

Moss se pone de pie; el dolor de la rodilla lo está matando. Cojea desde el montón de rocas hacia el hombre alto, que no es más que una sombra tendida en el hoyo recién cavado. Oportunamente, la luna aparece en ese momento, así que puede ver con más claridad.

—Somos *amigos* —dice el hombre alto—. Los dos queremos cumplir con el trabajo. Baja la pistola.

—No soy yo el que se ha quedado sin munición.

—No haces más que repetir eso, pero no es verdad.

Moss está lo bastante cerca para ver la extraña barba del hombre alto.

—¿Qué tenías previsto hacernos a mí y a Audie?

—Te lo iba a entregar.

Moss levanta la 45.

—Quiero una respuesta directa o te volaré el cerebro desde la parte de atrás de la cabeza.

El hombre alto aún está apuntando a Moss. Presiona el gatillo y escucha un clic sordo. Asqueado, suelta el arma.

—¡De rodillas! ¡Manos en la cabeza! —ordena Moss, que está de pie al borde del hoyo. Rodea al hombre y le recuerda—: Aún no has respondido a mi pregunta.

—Vale, de acuerdo. Se suponía que tenía que matarte, para no dejar cabos sueltos, me dijeron.

—¿Quién dio la orden?

—No sé cómo se llama. Me dio un teléfono móvil.

—¿Me estás mintiendo?

—No, lo juro por Dios.

—Cuando alguien empieza a usar el nombre de Dios como garantía, suele querer decir que está mintiendo.

—Te lo juro, en serio.

—¿Dónde tienes el teléfono?

—En el bolsillo.

—Tíramelo.

El hombre alto retira una mano de su cabeza, coge el teléfono y se lo tira a Moss. Es de la misma marca y modelo cutre que el que le dieron a él.

—¿Qué aspecto tenía el tipo?

—No le vi la cara.

271

Moss cierra un ojo y contempla al hombre a lo largo de su antebrazo, acariciando el gatillo con el dedo.

—¿Qué tienes pensado hacer? —pregunta el hombre alto.

—Aún no lo he decidido.

—Si me dejas marchar, no me volverás a ver. No seguiré buscando a Audie Palmer. Puedes quedártelo tú.

—Túmbate en el hoyo.

—Por favor, señor, no lo haga.

—Que te tumbes.

—Mi madre tiene setenta y seis años. Es dura de oído y no ve muy bien, pero la llamo todas las noches. Por eso nunca le habría hecho daño a la madre de Audie Palmer. Me dijeron que la amenazase, pero no pude hacerlo.

—Cállate, estoy pensando —replica Moss—. Una parte de mí me dice que debería dispararte, pero así es como empezaron mis problemas. Cada vez que me presentaba ante la junta de libertad condicional, el presidente me preguntaba si me arrepentía de mis crímenes. Y cada vez yo le contestaba: «Ahora soy una persona diferente, más circunspecta y tolerante, menos propensa a sucumbir a la furia». Si te disparase ahora, estaría mostrando que soy un embustero. Y, bueno, también hay otro problema.

—¿Cuál?

—No me quedan balas.

Moss balancea el puño en un arco corto y rápido: la culata de la pistola golpea la sien del hombre alto, haciendo que le salga un escupitajo involuntario de la boca. Su cuerpo se desploma hacia delante y cae en el hoyo con un ruido sordo. Por la mañana se despertará con un chichón y un mal recuerdo, pero al menos se despertará.

38

En la carretera, el Camry no es más que otro vehículo en marcha hacia otra parte. Audie gira el volante con las dos manos, tratando de sobreponerse al impulso de conducir demasiado rápido y arriesgarse a atraer la atención. Mira insistentemente los retrovisores, convencido de que lo están siguiendo o de que todos los faros que vienen de frente van a por él, lo buscan, le iluminan el alma.

En cierto momento, se sale de la carretera asfaltada y pasa junto a un granero, un prado con caballos y un depósito de agua. En la parte de arriba de la pendiente ve la silueta de una casa con ventanas oscurecidas y una bonita barandilla rodeando el porche. Arrastra el bloque de hormigón del asiento del copiloto y sitúa la cadena en el borde de una roca. Con los cañones de la escopeta apoyados contra los eslabones, aparta la cara y presiona el gatillo. El ruido le hace daño en los oídos y fragmentos de roca le golpean la parte de atrás de la cabeza. Luego tira la humeante cadena.

De nuevo tras el volante, vuelve a la carretera de cuatro carriles y piensa en Moss. Nada más verlo, Audie había sentido el impulso de salir corriendo entre los hierbajos para abrazarlo. Quería ponerse a bailar y a reír, y luego se habrían emborrachado y se habrían contado historias y, mientras recordaban, los años de cárcel se habrían desvanecido y todos los muertos habrían estado vivos para ellos, y se habrían puesto a saltar y a dar golpes en el pecho hasta el punto de que habrían necesitado otra bebida para calmar esa sensación.

En la cárcel, a Moss lo llamaban «el tío grande», porque tenía una presencia física y una reputación que le permitían evitar la mayor parte de las peleas diarias por territorio y control. Moss no pidió ese nombre ni sacó provecho de su estatus. A veces Audie se preguntaba si era él quien había provocado la existencia de Moss por pura fuerza de voluntad, por su necesidad desesperada de conectar con otro ser humano, con uno que no quisiera pelearse con él ni matarlo. ¿Qué hacía Moss fuera de la cárcel y cómo se las apañó para encontrarlo en el bosque? ¿Seguía siendo su amigo o estaba trabajando para otra persona?

Con la vista fija en las líneas blancas de la carretera, siente culpa, vergüenza e ira. Sus planes se están viniendo abajo. Se imagina a Cassie y a Scarlett, sus rostros aún animados y risueños, ahora muertas por su culpa. Aunque no fuera él quien apretase el gatillo, la culpa seguía siendo suya. Es un fugitivo, apaleado como una piñata, desechado como un trozo de mierda, golpeado, acuchillado, quemado, esposado. ¿Qué más podían hacerle?

Audie no había odiado nunca, porque las personas que odian con más energía es porque detestan sobre todo algo que hay dentro de sí; sin embargo, desde que perdió a Belita, la furia parece haberse convertido en la más ubicua de sus emociones, como la configuración predeterminada de una máquina. Recuerda cuándo empezó: la noche de Año Nuevo de 2003, cuando el futuro apareció y lo obligó a tomar una decisión.

Urban había decidido celebrar una fiesta y Audie se pasó semanas haciendo recados, organizando suministros, distribuyendo personas en mesas y recogiendo paquetes. Para ayudar en la fiesta se contrató a personal adicional. Se montaron carpas en el jardín y se pusieron guirnaldas de luces de colores alrededor de las ramas hasta que los árboles centelleaban como constelaciones. Los proveedores trajeron comida a camiones y dispusieron una cocina provisional. Ensartaron un cerdo con una barra metálica y lo pusieron sobre una hoguera de carbón, girando lentamente y goteando grasa que chisporroteaba sobre las brasas, esparciendo un olor que se mezclaba con el aroma de los arreglos florales.

Audie no había visto a Belita desde el día de Navidad, cuando la llevó a misa. Ella no le permitió entrar en la iglesia ni tocarla después, porque era un día sagrado, dijo, y Dios podía estar mirando. A él no le importó; había descubierto el placer de contemplar el cuerpo de Belita sin necesidad de poseerlo. La conocía de una forma tan íntima que podía cerrar los ojos y ver la imagen de las suaves marcas en sus hombros, festoneando el hueso, e imaginar su lengua recorriéndolas. Podía sentir la curva de su cintura, el peso de sus pechos, y escuchar cómo su respiración se aceleraba cuando sus dedos pulsaban determinadas notas.

Más adelante, Belita le hablaría a Audie de su conversación con Urban antes de la fiesta de Año Nuevo. Había estado sentada frente al tocador, mirando a Urban por el espejo mientras abría una caja forrada de terciopelo, de la que sacó un collar con un ópalo de fuego rodeado por un círculo de pequeños diamantes.

—*Esta noche te voy a presentar a todo el mundo* —le dijo en español.

—¿Y qué vas a decir de mí?

—Diré que eres mi novia.

Ella seguía mirándolo. Notó que sus mejillas se ruborizaban.

—Eso es lo que quieres, ¿no?

Ella no respondió.

—-No puedo casarme contigo. Ya me han hecho daño dos veces, supongo que lo comprendes; pero tendrás todo lo que tiene una esposa.

—¿Y mi hijo?

—Está bien donde está. Aún puedes verlo los fines de semana y los festivos.

—¿Por qué no puede vivir aquí?

—La gente empezaría a hacer preguntas.

La fiesta empezó al anochecer. El trabajo de Audie consistía en dirigir el tráfico a través del gran portón y aparcar los coches. La mayor parte de ellos eran automóviles caros, europeos. Veía a Urban mezclándose con los invitados, estrechando manos, contando chistes, interpretando el papel de amable anfitrión. A las once, Belita le trajo un plato de comida. Llevaba un vestido de seda con un velo negro translúcido por encima de la parte superior de los pechos, que parecía acariciar cada una de las curvas de su cuerpo. Lo sostenían unas finas tiras, más ligeras que el aire; parecía que en cualquier momento se iba a caer y deslizarse sobre sus tobillos.

—Cásate conmigo en lugar de con él —le dijo.

—No me voy a casar contigo.

—¿Por qué? Yo te quiero, y creo que tú también me quieres.

Ella meneó la cabeza y miró hacia la fiesta por encima del hombro.

—No recuerdo cuándo fue la última vez que bailé.

—Yo bailaré contigo.

Ella le tocó la mejilla con expresión triste.

—Tú tienes que quedarte aquí.

—¿Podré verte más tarde?

—Urban querrá que esté con él.

—Estará borracho. Puedes escabullirte.

Belita negó con la cabeza.

—Te esperaré junto al portón de entrada —dijo Audie mientras ella se alejaba.

Se pasó el resto de la noche escuchando la música y viendo bailar a Belita, con el pelo recogido hacia arriba y la barbilla alta, Sus caderas se movían como si fueran de agua; todos los hombres la miraban como polillas atraídas por la luz de un porche.

A medianoche oyó *Auld Lang Syne* y vio los fuegos artificiales explotar en esferas luminosas por encima de las colinas, haciendo ladrar a los perros y disparando las sirenas de las alarmas.

A las cuatro se fueron los últimos invitados. Urban se despidió de ellos, tambaleándose. Audie cerró el portón y recogió botellas vacías que habían tirado por el camino.

—¿Te lo has pasado bien? —le preguntó Urban.

—¿Aparcando coches?

Se rio y rodeó los hombros de Audie con el brazo.

—¿Por qué no vas al Rincón del Placer y eliges una chica? Yo invito.

—Feliz Año Nuevo —dijo Audie.

—Igualmente, hijo.

Esperó a Belita junto al portón. Los árboles del jardín seguían lanzando destellos de colores, como luces de hadas. Pasó una hora. Dos horas. Siguió esperando, pero ella no aparecía. Con su llave, Audie entró en la casa por la puerta de atrás y atravesó en silencio el vestíbulo en dirección a la habitación de Belita, donde se desvistió y se coló en su cama. Intentó no despertarla. En lugar de tocar su piel, sostuvo entre sus dedos el borde del camisón y observó cómo su pecho subía y bajaba al respirar, sin hacer ruido apenas. Se quedó dormido.

Poco después, ella lo despertó.

—Tienes que irte.

—¿Por qué?

—Va a venir.

—¿Cómo lo sabes?

—Lo sé y ya está.

Belita miró hacia la puerta.

—¿La has dejado tú abierta?

—No.

Ahora estaba abierta, como una boca inexpresiva.

—Nos ha visto.

—No puedes estar segura.

Sacó a Audie de la cama a empujones y le dijo que se vistiera. El chico atravesó el vestíbulo descalzo, con los zapatos y los calcetines en la mano. Oyó sonar una radio en una de las habitaciones y notó olor de café. Se deslizó a través de la cocina

277

y bajó los escalones, caminando con cautela por las irregulares piedras de la grava del camino de entrada.

Condujo de vuelta a la habitación donde vivía. Era el día de Año Nuevo y las calles estaban prácticamente desiertas. Había un puñado de coches aparcados frente al bar. «Algunas de las chicas deben de estar haciendo horas extras», pensó.

Al atravesar el umbral de la puerta de su habitación, lo empujaron desde atrás. Tres hombres lo tiraron al suelo y le pusieron cinta alrededor de la cabeza, los ojos y la boca. La cinta chirriaba al desenrollarse de la bobina. Atado y con una capucha, lo arrastraron escaleras abajo y lo metieron en el asiento trasero de un coche. Reconoció las voces: Urban conducía y dos de sus sobrinos estaban sentados a ambos lados de Audie. Solo los conocía por sus iniciales (J. C. y R. D.) y sus vaqueros ajustados y camisas de remaches a juego. También llevaban barba de dos días que, según las revistas, había estado de moda una vez, pero Audie sospechaba que atraía más a los homosexuales que a las mujeres.

Tenía la boca seca y notaba la piel de su rostro contrayéndose. Urban lo sabía. ¿Y cómo podía saberlo? Porque los había visto juntos. El primer impulso fue negarlo todo. Luego pensó en ponerse de rodillas y confesar; podía soportar el sentimiento de culpa. Podía aguantar el castigo, siempre que no le hiciesen nada a Belita.

Audie trató de mantener la cuenta de las esquinas, pero había demasiadas. Uno de los primos bromeaba con el otro.

—Tiene suerte de no estar en México; allí encontrarían su cabeza en una zanja.

El coche salió de la carretera. Los surcos eran tan profundos que el chasis golpeaba contra el suelo y las ruedas se metían en los baches y derrapaban. Se detuvieron y las puertas se abrieron. Lo arrastraron fuera del coche y lo obligaron a arrodillarse. Urban habló:

—Nosotros no elegimos el momento de nuestro nacimiento, pero la hora de la muerte puede llegar detrás de una bala o algo parecido.

Le quitaron la capucha de golpe. El brillo repentino lo cegó. Parpadeó forzadamente y vio la pared de roca cortada de una cantera, con un gran charco de agua en la base, casi un pequeño lago, más negro que el aceite del cárter de un motor.

Le quitaron la cinta de un tirón, haciéndole daño en el pelo y en la piel. Urban, que le había cogido la cartera a Audie, sacó de ella el permiso de conducir y la tarjeta de la Seguridad Social; las tiró sobre la tierra. Encontró una fotografía de Belita. La habían tomado en una cabina en Sea World: Belita estaba sentada en el regazo de Audie. Urban tiró la foto al agua, donde se quedó dando vueltas como una hoja, a merced de la brisa. En cuclillas junto a Audie, apoyó las manos en los muslos.

—¿Sabes por qué estás aquí?

No respondió. Urban hizo una señal a sus sobrinos, que lo pusieron de pie. Urban le dio un puñetazo en el plexo solar; la mitad superior de su cuerpo se plegó como una navaja y Audie aulló de dolor.

—Te crees más listo que yo —dijo Urban.

Audie, boqueando, meneó la cabeza.

—Crees que soy un puto chicano ignorante que no sabe distinguir entre su propio culo y un agujero en el suelo.

—No —jadeó Audie.

—Confiaba en ti. Dejé que te acercases a mí.

La voz de Urban temblaba; los ojos le brillaban. Hizo un gesto de asentimiento hacia sus sobrinos, que arrastraron a Audie al borde del agua y lo obligaron a arrodillarse. Veía su reflejo en la superficie, que era muy lisa, casi como el cristal. Se vio a sí mismo envejecer en unos cuantos segundos. Vio las canas de su padre. Arrugas, decepción, arrepentimiento.

Su rostro tocó el agua y la imagen se disolvió. Intentó liberarse de las manos que lo sujetaban, pero estas empujaron aún más su cabeza. Pateó, trató de mantener la boca cerrada, pero pronto su cuerpo empezó a protestar en busca de aire y su cerebro reaccionó instintivamente. Inspiró y se inundó los pulmones. El aire burbujeó al salir de su boca, pasó por delante de sus ojos. Le inclinaron la cabeza hacia arriba. Tosió y escupió,

279

abrió y cerró la boca como un pez moribundo. Volvieron a empujarlo hacia delante, le metieron la cabeza en el agua y se apoyaron en la parte de atrás de su cuello, sumergiéndolo tanto que tocó el fondo con la frente. Cuanto más luchaba, más débil se sentía. Se agarró a las piernas de los sobrinos, a sus cinturones. Trató de apoyarse en sus cuerpos para salir, como alguien que se agarra desesperadamente a una cuerda en un acantilado.

Perdió el conocimiento y no recordó que lo sacasen del agua. Cuando volvió en sí, estaba tumbado boca abajo, escupiendo agua, sacudiendo todo el cuerpo. Urban estaba agachado a su lado, con una mano apoyada en su nuca en un gesto paternal. Acercó la boca a su oído para hablar: su respiración era como el roce de una pluma en la piel de Audie.

—Dejé que entrases en mi casa, te di de comer, dejé que bebieses mi alcohol… Te traté como a un hijo y te habría convertido en uno. Pero me traicionaste. —Audie no respondió—. ¿Conoces la historia de Edipo? Mata a su padre, se casa con su madre y trae la desgracia al reino. Y todo por una profecía hecha cuando nació. El viejo rey trató de impedir que sucediese. Se llevó al bebé y lo dejó abandonado en el monte, pero un pastor rescató a Edipo y lo crio. Finalmente, se hizo adulto y cumplió la profecía. Yo no creo en esos mitos, pero entiendo por qué han durado tanto. Quizás el viejo rey debió haber matado a Edipo. A lo mejor el pastor tuvo que haberse ocupado de sus propios asuntos. —Urban apretó con mayor firmeza el cuello de Audie—. Belita me quería a mí hasta que tú apareciste. Yo la rescaté, la eduqué, la vestí y le di un techo. —Agitó el dedo adelante y atrás—. Podía haberle llenado el estómago de globos con cocaína y hacer que cruzase una y otra vez la frontera, pero en vez de eso dejé que compartiera la cama conmigo.

Miró a sus sobrinos y de nuevo a Audie. Alzó la voz una vez más:

—Si te vuelvo a ver alguna vez, haré que te maten. Si te vuelves a acercar a Belita, haré que os maten a los dos. Si quieres hacerte el mártir, yo puedo arreglarlo. Si queréis morir como Romeo y Julieta, puedo hacer que suceda. Pero no será rápido. Conozco a gente que sabe mantener con vida a alguien durante semanas, taladrando huesos, vertiendo ácido en la piel, sacando ojos, cortando miembros. Disfrutan con ello. ¿Sabes?, les sale así de natural. Suplicarás tu muerte, pero no sucederá. Renegarás de todo en lo que alguna vez creíste. Revelarás tus secretos. Rogarás e implorarás, pero ellos no te oirán. ¿Lo entiendes?

Audie asintió. Urban se miró los puños, examinando la piel herida. Luego se dio la vuelta y caminó hacia el coche.

—Se me debe dinero —lo llamó Audie.

—Ha sido confiscado.

—¿Y mis cosas?

—Espero que sean inflamables. —Urban había abierto la puerta del coche. Cogió el abrigo del asiento y se lo puso, encogiendo los hombros, tironeando de las mangas—. Yo, en tu lugar, me olvidaría de Belita. La han usado más a menudo que un condón en una cárcel.

—Entonces déjela ir.

—¿Qué pensaría todo el mundo si lo hiciera?

—La quiero —soltó Audie.

—Qué bonito —repuso Urban.

Hizo un gesto a sus sobrinos: uno le dio una patada en el estómago; el otro, en la espalda. Casi perdió el control de los esfínteres por el dolor.

—Que tengas una buena vida —dijo Urban con la voz quebrada—. Y sé agradecido.

39

*E*n el sótano del Tribunal Criminal del Condado de Dreyfus hay un registro de todos los casos vistos por un juez desde hace ciento cincuenta años: informes legales, transcripciones de juicios, listas de pruebas y declaraciones, un inmenso depósito de historias deprimentes y acciones aterradoras.

La mujer sentada detrás de la mampara se llama Mona: tiene el cabello negro como la noche, recogido tan alto que la hace parecer demasiado pesada en la parte de arriba. Aparta un bocadillo a medio comer y se queda mirando a Desiree.

—¿En qué puedo ayudarte, cariño?

Desiree ha rellenado un formulario solicitando material de archivo. Mona lo examina.

—Puede que esto tarde un poco.

—Esperaré.

Después de firmar el formulario y estampar un par de sellos en él, Mona lo enrolla y lo mete en un contenedor, que introduce en un conducto en el que es aspirado hacia abajo. Se coloca un bolígrafo detrás de la oreja y estudia a Desiree con mayor atención.

—¿Cuánto tiempo llevas con los federales?

—Seis años.

—¿Te han hecho superar todos los obstáculos?

—Unos cuantos.

—No me cabe duda. Seguro que has tenido que hacerlo el doble de bien que cualquier hombre.

Mona se pone de pie y se inclina hacia delante, mirando los zapatos de Desiree.

—¿Pasa algo?

Mona la mira avergonzada y señala hacia la sala de espera. Desiree se sienta y hojea unas cuantas revistas atrasadas. Cada poco comprueba la hora en el reloj de pulsera, que había pertenecido a su padre. Se lo dio el día de su graduación y le dijo que le diera cuerda cada noche y que pensara en sus padres cuando lo hiciese.

—Solo he llegado tarde al trabajo una vez en toda mi vida —le había contado.

—El día que nací —le respondió ella.

—¿Conoces la historia?

—Sí, papá —rio ella—. Conozco la historia.

El cavernoso archivo huele a líquido de fotocopiadora, a abrillantador de suelos, a papel y a encuadernación de piel. Hay motas de polvo atrapadas en los brillantes rayos de luz que entran en ángulo desde los altos tragaluces.

283

Saca un café de la máquina, pero hace una mueca al probarlo. Tira el vaso y, en su lugar, elige un refresco. Su estómago hace un ruido. ¿Cuándo fue la última vez que comió?

Mona la llama por su nombre y le pasa una docena de carpetas por una abertura en la mampara.

—¿Es eso todo?

—Para nada, querida. —Hace un gesto hacia atrás, señalando un carrito cargado de cajas—. Y tengo dos más iguales que ese.

Desiree se sienta a una mesa en la sala de lectura y saca un bloc de notas. Empieza a leer acerca del robo, componiéndolo página a página, hilvanando los detalles como si estuviera haciendo el montaje de una película, cortando y pegando el metraje en la cabeza. Fotografías, líneas temporales, informes de autopsia, declaraciones.

El furgón fue secuestrado justo al norte de Conroe, poco después de las tres de la tarde. La empresa de seguridad Armaguard tenía un contrato para recoger los billetes dañados de los locales de bancos y sociedades crediticias, y llevarlos luego a un servicio de destrucción en Illinois.

El horario de entrega y la ruta se cambiaban cada dos semanas, lo que significa que alguien les facilitó la información. Se sospechaba que el guardia que murió en el robo, Scott Beauchamp, era el infiltrado, pero en el juicio no se presentó prueba alguna al respecto. Las agencias del Gobierno investigaron sus registros de llamadas y sus movimientos en busca del último miembro de la banda y del dinero ausente, pero las únicas pruebas contra Beauchamp eran circunstanciales.

Audie Palmer se declaró culpable, pero se negó a revelar los nombres de los otros implicados. No delató a su hermano ni implicó al guardia de seguridad. A causa de sus heridas, pasaron tres meses hasta que la policía pudo interrogar a Audie, y otros ocho hasta que estuvo lo bastante fuerte para aguantar un juicio.

Desiree pasa a las declaraciones de los testigos. Según los informes de la policía, aproximadamente a las 20:13 (cinco horas después del secuestro), un agente de una patrulla de DSCO y su compañero observaron un furgón blindado aparcado en la vía de servicio norte de la I-45 en League Line Road. Mientras pasaba la información del número de matrícula, el agente vio como un todoterreno con un único ocupante se paraba al lado. Se abrieron las puertas traseras del furgón y se pasaron varias bolsas al otro vehículo. El agente pidió refuerzos, pero los criminales vieron el coche patrulla y ambos vehículos sospechosos arrancaron a gran velocidad.

Desiree lee la transcripción de las comunicaciones de radio, fijándose en el nombre de los agentes implicados: los primeros fueron los agentes Ryan Valdez y Nick Fenway. Más adelante se unió a la persecución un segundo coche patrulla, conducido por Timothy Lewis. El primer mensaje de radio tuvo lugar a las 20:13 horas del 27 de enero.

Agente Fenway: 1522, vehículo sospechoso aparcado en Longmire Road cerca de Farm Market 3083 Oeste. Investigando.

Operador: Recibido.

Agente Fenway: Tenemos un vehículo blindado, matrícula N de Noruega, C de Canadá, D de Dinamarca, cero, cuatro, siete, nueve. Está aparcado en el arcén. Podría tener que ver con ese robo.

Operador: Recibido. ¿Hay ocupantes?

Agente Fenway: Dos, posiblemente tres, hombres. Blancos, de complexión media. Ropa oscura. El agente Valdez se está acercando... ¡Hay disparos! ¡Hay disparos!

Operador: A todas las unidades, han abierto fuego sobre agentes, en la esquina de Longmire Road y Farm Market Oeste.

Agente Fenway: Se están escapando. ¡Salgo tras ellos!

Operador: Recibido. A todas las unidades, a todas las unidades: persecución policial en marcha. Ha habido disparos. Actúen con precaución.

Agente Fenway: Pasando Holland Spiller Road. Ciento diez kilómetros por hora. Poco tráfico. Siguen disparando. Estamos llegando a League Line Road. ¿Dónde están los coches?

Operador: Aún están a cinco minutos de distancia.

Agente Lewis: 1522, ¿dónde me necesitas?

Agente Fenway: Baja por League Line Road. ¿Tienes cadenas con pinchos?

Agente Lewis: Negativo.

Agente Fenway: El camión acaba de cruzar League Line Road. Sigue en dirección norte.

Operador: Tenemos agentes acercándose por el oeste.

La persecución prosiguió durante otros siete minutos; los coches patrulla y el furgón alcanzaron velocidades de casi ciento cincuenta kilómetros por hora. A las 20:29 sucedió lo siguiente:

Agente Fenway: ¡Ha perdido el control! ¡El furgón ha volcado y está derrapando de lado! ¡Mierda, creo que se ha dado con algo!

Operador: Recibido.

Operador: Posición, por favor.

Agente Fenway: Old Montgomery Road. A cuatrocientos metros al oeste del Parque RV. ¡Nos están disparando! Disparos...

Agente Lewis: Voy hacia allá.

Agente Fenway: (ininteligible).

Operador: ¿Puede repetir, 1522?

Agente Fenway: Estoy saliendo del vehículo. Me están disparando.

(Siguen cuatro minutos de silencio en los que el operador trata de ponerse en contacto con los agentes).

Agente Fenway: Tres sospechosos abatidos. Un guardia de seguridad gravemente herido y un vehículo ardiendo. Código 4.

Operador: Recibido, código 4. Enviados bomberos y ambulancia.

Desiree vuelve a leer las primeras declaraciones de los agentes y observa la frecuencia con la que utilizaron frases similares y un lenguaje casi idéntico para describir los hechos, casi como si hubiesen intercambiado notas o se hubiesen puesto de acuerdo en una historia. Era una práctica común entre los agentes de la ley que pretendían impedir que nadie pusiese en peligro el proceso subsiguiente. La persecución terminó cuando el furgón blindado volcó al tomar una curva y chocó contra un coche, que estalló en llamas, matando al conductor, que era el único ocupante. Audie Palmer y los hermanos Caine trataron de escapar a tiros.

Según sus relatos, los agentes Fenway y Valdez quedaron inmovilizados por un tiroteo que se puso serio. Se protegieron detrás de su vehículo y respondieron a los disparos, pero, hasta la llegada del agente Lewis, estaban superados y en situación vulnerable. El agente Lewis maniobró su coche hasta ponerlo en la línea de fuego, lo que le permitió a él y a sus compañeros asumir posiciones más ventajosas.

En total, los tres agentes dispararon más de setenta veces. Tocaron a los tres sospechosos; dos de ellos murieron en el acto y el tercero quedó en estado crítico. Según Herman Willford, el forense del condado de Dreyfus, Vernon Caine había muerto por una herida de bala en el pecho; su hermano menor Billy había recibido tres impactos: en la pierna, el pecho y el cuello. Ambos se desangraron *in situ*. Audie Palmer recibió un impacto en la cabeza. El guardia de seguridad Scott Beauchamp, que había sido atado y amordazado y estaba dentro del furgón, murió por las heridas recibidas en el choque.

Desiree coge cinco álbumes de fotografías de la escena del crimen y echa un vistazo rápido a las imágenes antes de volver atrás y estudiar algunas de ellas con más detenimiento. Se pueden ver los dos coches de policía bloqueando la carretera, aparte de los restos del furgón y del automóvil quemado. Las puertas del furgón están abiertas de par en par y hay un charco de sangre en el interior. A partir de los esquemas y las simulaciones por ordenador, Desiree se crea un diorama mental en el que sitúa a cada una de las personas que intervienen en la escena.

En los álbumes hay huecos: más números que imágenes. O bien fueron mal etiquetadas, o bien alguien las ha quitado. En 2004, la mayor parte de los coches patrulla de Texas ya estaban equipados con una cámara y un sistema de grabación con disco duro. Los agentes podían conectar el sistema manualmente o se podía activar de forma automática cuando el coche patrulla alcanzaba una determinada velocidad. Los sistemas más modernos graban de forma continua y descargan el contenido por wifi cuando el coche patrulla regresa a la central.

Durante la declaración en el juicio, la defensa había preguntado acerca de las cámaras del salpicadero, y se le había dicho que ninguno de los dos coches patrulla iba dotado con ese equipo. No puede dejar de pensar en ese detalle. Vuelve a las fotografías: el coche patrulla de Fenway y Valdez aparece atravesado en diagonal en la calle. El parabrisas está hecho añicos y se ven orificios que atraviesan el recubrimiento metálico exterior de las puertas.

Con una app de ampliación de imágenes de su teléfono móvil, examina la imagen, enfocando el salpicadero del coche. Ve un bulto revelador en la parte superior del parabrisas: una cámara. Desiree toma nota del código de la fotografía en el cuaderno y escribe un interrogante al lado.

En un estudio más detenido de las imágenes, ve los restos de un coche volcado y quemado en el fondo. En él se puede ver un cuerpo calcinado. El auto está tan retorcido por el calor y la colisión que parece una escultura abstracta.

Busca los datos del vehículo, que resulta ser un Pontiac de 1985 con matrícula de California. Según el informe de la autopsia, la conductora era una mujer de entre veinte y treinta años. En las fotografías aparece su cuerpo completamente abrasado, en una posición como de boxeo, con los codos flexionados y los puños cerrados. La causa es la contracción de los tejidos y de los músculos debido a la alta temperatura que ha sufrido. No había señales de alcohol, ni de drogas, ni de fracturas que se hubiera hecho de niña.

288 Sin rostro ni huellas dactilares, la policía tuvo dificultades para identificar a la víctima. Eso provocó una búsqueda en las bases de datos de ADN y dentales de todo el país. Más adelante, la búsqueda se amplió a agencias internacionales, como la Interpol, y a organizaciones que trataban con inmigrantes sin papeles. Desiree busca una cadena de propiedad. El Pontiac 6000 se vendió por primera vez en un concesionario en Columbus, Ohio, en 1985. Se revendió otras dos veces. El último propietario registrado era un tal Frank Aubrey, de Ramona, al sur de California.

Saca el iPhone y llama a un colega en Washington. Neil Jenkins fue compañero de formación de Desiree, pero no había demostrado ninguna intención de tener un puesto de campo. Lo que quería era un trabajo de escritorio en el 935 de la avenida Pennsylvania, a ser posible en la sección de vigilancia de datos, en donde podía espiar las conversaciones de otras personas. Como era de esperar, a Jenkins le apetecía ponerse a charlar, pero Desiree no tiene tiempo para eso.

—Necesito que me busques el historial de un vehículo. Es un Pontiac 6000, modelo de 1985: matrícula de California 3HUA172. —Desiree recita también el número de bastidor—. El coche quedó destruido en un accidente en enero de 2004.

—¿Alguna cosa más?

—Lo conducía una mujer. Comprueba si la identificaron.

—¿Es urgente?

—Espero tu llamada.

Desiree pasa a preocuparse del guardia de seguridad que murió en el robo. Scott Beauchamp era un exmarine que pasó por dos turnos de combate en el Golfo y uno en Bosnia. Renunció a su puesto en 1995 y llevaba seis años trabajando para Armaguard. La policía sospechaba que había un informador infiltrado, pero no pudo vincular a Beauchamp con la banda mediante los registros de llamadas telefónicas. Sin embargo, el recibo de una estación de servicio lo situaba en el mismo restaurante de estación de servicio que Vernon Caine un mes antes del asalto. Una camarera identificó positivamente a Beauchamp en una fotografía, pero no recordaba haber visto a los dos hombres hablando entre sí.

Desiree descubre un DVD en el fondo de la caja. Comprueba la etiqueta con la lista de pruebas; se trata de la comparecencia de Audie Palmer. Vuelve al mostrador de Mona, que se sorprende de verla.

—Lleva seis horas aquí.

—Y seguiré aquí mañana.

—Cerramos dentro de cuarenta y cinco minutos, así que, a menos que haya traído un saco de dormir...

—Necesito un reproductor de DVD.

—¿Ve aquella habitación? Hay un ordenador. Esta es la llave, no la pierda. Y tiene hasta las seis; si no, tendrá que volver mañana.

—De acuerdo.

Pone en marcha el ordenador y escucha el giro del DVD mientras la pantalla se enciende. En una imagen de cámara fija aparece Audie Palmer en una cama de hospital, con la cabeza envuelta en vendajes y con tubos saliéndole de la nariz y las muñecas. Desiree ya había leído los informes médicos; nadie esperaba que sobreviviera. Los cirujanos tuvieron que pegar los fragmentos de su cráneo como si fuera un rompecabezas, utilizando trozos de hueso y placas metálicas. Estuvo postrado, en coma, durante tres meses; en las primeras semanas mostró una actividad cerebral mínima. Los especialistas estuvieron discutiendo sobre la conveniencia de desenchufarlo, pero en Texas solo se ejecuta a las personas que están en el corredor de la muerte, no a las que están en muerte cerebral, porque eso significaría sacrificar a la mayoría de sus políticos.

Incluso cuando salió del coma, los médicos dudaban de que pudiera volver a hablar o andar. Los sorprendió a todos, pero pasaron otros dos meses antes de que estuviera lo bastante fuerte para poder hacer una comparecencia desde la cama.

En la grabación aparecía un abogado defensor, Clayton Rudd, sentado junto a Audie, que se comunicaba deletreando mensajes cortos en una tabla de ouija que alguien había tomado prestada. El fiscal del distrito era Edward Dowling, ahora senador del estado; llevaba una máscara quirúrgica, como si tuviese miedo de infectarse de algo.

Antes de convocar la comparecencia, el juez Hamilton le preguntó a Dowling por qué la oficina del fiscal del distrito procesaba a Palmer.

—El acusado podría haber sido procesado según las leyes federales o a partir de las leyes del estado, señoría; pero, según tengo entendido, surgió un conflicto de intereses —dijo Dowling, sonando deliberadamente impreciso.

—¿A qué conflicto de intereses se refiere?

—Al hecho de que un posible testigo era familiar directo de un funcionario superior de la administración federal —repuso Dowling—. Por ese motivo, el FBI recomendó que fuese la oficina del fiscal del distrito la que se encargase del caso.

El juez Hamilton pareció darse por satisfecho con la respuesta y le preguntó al señor Rudd si comprendía el propósito del procedimiento.

—Sí, señoría.

—Para que conste en acta, la persona deberá enunciar su nombre completo.

—Puede deletrearlo.

—Señor Palmer, ¿me oye? —preguntó el juez.

Audie asintió.

—Voy a iniciar su proceso por cargos que incluyen tres delitos de homicidio en primer grado, del asalto a un vehículo y de homicidio en segundo grado con vehículo. ¿Está claro?

Audie gruñó y cerró los ojos con fuerza.

—Estos delitos llevan aparejadas penas máximas que incluyen pena de muerte o cadena perpetua sin posibilidad de libertad condicional ni límite de años. ¿Comprende los cargos y las consecuencias máximas?

De forma lenta y deliberada, Audie movió la mano hacia la palabra «Sí» de la tabla de ouija. El juez Hamilton miró a Dowling.

—Puede proseguir.

—Este es el caso del pueblo de Texas contra Audie Spencer Palmer. Número de caso cuarenta y ocho, sumario seiscientos cuarenta y dos.

El fiscal del distrito tardó diez minutos en enumerar los cargos de homicidio y robo para describir el caso de la acusación. Palmer fue acusado de conspirar con terceros para robar siete millones de dólares pertenecientes a la Reserva Federal de Estados Unidos. El juez Hamilton habló.

—Señor, se le acusa de delitos capitales y graves. Debo informarle de algunos derechos que la ley le otorga. Tiene derecho a ser representado por un abogado, y el señor Rudd ha sido convocado a tal efecto con cargo a fondos públicos; sin embargo, si desea contratar a su propio abogado, puede hacerlo. ¿Le parece bien que el señor Rudd le represente en la comparecencia de hoy?

Audie indicó que así era.

—¿Desea declararse culpable o inocente?

Audie empezó a deletrear una respuesta, pero Clayton

Rudd alargó la mano por encima de la tabla y detuvo la temblorosa mano de Audie.

—Que se refleje en acta que mi cliente se declara no culpable —dijo, mirando de soslayo a Dowling, como buscando su aprobación. Se inclinó hacia Audie—. Será mejor que no cerremos ninguna puerta, hijo.

—¿Tienen algo que decir sobre una posible fianza? —preguntó el juez.

—El estado se opone a la posibilidad de fianza —dijo Dowling—. Se trata de delitos capitales, señoría, y aún no se ha encontrado el dinero.

—Mi cliente no va a dejar el hospital próximamente —replicó Rudd.

—¿Tiene familia? —preguntó el juez.

—Sus padres y una hermana —contestó Rudd.

—¿Algún otro lazo con la comunidad... o recursos significativos?

—No, señoría.

—Se rechaza la fianza.

El DVD concluye. Desiree pulsa el botón de expulsión, desliza el disco en la funda de plástico y lo devuelve a la caja.

Pasaron otros cinco meses hasta que Audie Palmer fue juzgado en el Tribunal del Condado de Dreyfus. El juez con el que se encontró era otro. Y Clayton Rudd había llegado a un acuerdo con la oficina del fiscal del distrito para reducir los cargos a homicidio en segundo grado a cambio de declararse culpable de todos los cargos. Audie no se opuso a ninguno de los hechos y renunció a efectuar declaración atenuante alguna. El *Houston Chronicle* informó del veredicto:

Un hombre de veintitrés años fue condenado ayer de robo a mano armada y homicidio en segundo grado por el asalto frustrado de un furgón blindado en 2004 que se saldó con la muerte de un guardia de seguridad y una conductora, aparte de dos de los cómplices del condenado.

El juez Matthew Coghlan sentenció a Audie Palmer a diez años de cárcel después de que se confesase culpable de todos los cargos, incluido el robo de siete millones de dólares que nunca se recuperaron.

Antes de anunciar la sentencia, el juez Coghlan criticó al fiscal del distrito Edward Dowling por no presentar cargos de homicidio en primer grado contra Palmer por su papel en las muertes. «Se trata de delitos capitales y, en mi opinión, el veredicto de hoy es un insulto a los oficiales de la ley que arriesgaron sus vidas para llevar a este delincuente ante la justicia».

Fuera de los juzgados, el agente especial del FBI Frank Senogles declaró a los reporteros que el FBI había llevado a cabo más de un millar de entrevistas en relación con el robo y que había concentrado su atención en los familiares y asociados conocidos de la banda, pero que había sido imposible encontrar el dinero, porque no se registraban los números de serie de los billetes que iban a ser destruidos.

«Puedo asegurar que mantenemos abierto nuestro caso y mantenemos regularmente conversaciones con la policía del estado y del condado en lo que respecta a estrategia y táctica. No hemos cambiado de opinión acerca de las personas responsables; sin embargo, a medida que pasa el tiempo, se hace más difícil resolver el caso sin la ayuda de las personas.»

Desiree se sorprende de que citen a Frank Senogles. ¿Por qué no le había mencionado que estuvo implicado en la investigación original? El FBI la había dirigido, lo que quería decir que Senogles habría entrevistado a Ryan Valdez y a los otros agentes. También habría hablado con Audie Palmer; y, sin embargo, cuando Desiree afirmó saber más del caso que nadie, Senogles no la corrigió, ni la contradijo, ni la menospreció, cosa que normalmente no habría dudado en hacer. Vuelve la página y se encuentra con otra noticia.

EL GOBERNADOR ELOGIA
A LOS HEROICOS POLICÍAS

Por MICHAEL GIDLEY

A pesar de estar siendo tiroteados, los ayudantes del *sheriff* del condado de Dreyfus Ryan Valdez, Nick Fenway y Timothy Lewis no vacilaron en acudir a auxiliarse mutuamente después de una espectacular persecución a gran velocidad de un furgón blindado que había sido robado.

Gracias a su heroísmo, los tres agentes están hoy vivos y un peligroso criminal está entre rejas. Por el valor que demostraron en aquel caótico día de enero de 2004, los agentes Valdez, Fenway y Lewis recibieron hoy la Estrella de Texas, el honor más prestigioso del estado, que reconoce «actos de heroísmo más allá del cumplimiento del deber».

El gobernador Rick Perry y el fiscal general Steve Keneally concedieron las condecoraciones en una ceremonia en el Capitolio, en la que se alabó a los agentes por su excepcional valor y servicio público.

En la fotografía aparecen los tres agentes de uniforme, de pie junto al gobernador Perry, sonriendo para la cámara. Fenway, Valdez y Lewis parecen un poco incómodos en la pose, pero el gobernador está radiante, disfrutando de la atención. En el fondo, de perfil en el momento en que se daba la vuelta para que la cámara no lo captara, está Frank Senogles. Lleva una radio en la mano; quizá formaba parte de la seguridad.

Desiree pulsa el botón de rellamada en el teléfono.

—Hay algo más —le dice a Jenkins—. Tengo que encontrar a dos agentes de la policía del estado: Nick Fenway y Timothy Lewis. Ambos trabajaban para el Departamento del *Sheriff* del condado de Dreyfus en 2004.

40

*I*nvisible en las entrañas del viejo cine Granada, Audie se hace una bola y trata de dormir, pero no hace más que soñar con el río Trinity en un día tormentoso de hace una docena de años. De pie junto a la orilla, contempla el agua mientras los relámpagos brotan de las nubes oscuras y bulbosas encima de su cabeza. De repente, un esqueleto rompe la superficie, montando una ola negra. La caja torácica contiene una criatura parecida a una foca, con dientes blancos y afilados. Está atrapada, y chilla para que la suelten. El esqueleto vuelve a hundirse bajo la superficie del agua, dejando únicamente ondulaciones a su paso. Otras cosas empiezan a aparecer, nuevos horrores que salen de la oscuridad del río dirigiéndose a Audie, exigiendo que los liberen.

Sus ojos se abren de golpe y un grito se ahoga en su garganta. Se sienta y capta un reflejo en un espejo hecho añicos: no se reconoce a sí mismo, esa sombra macilenta, esa caricatura de hombre, ese desgraciado miserable…

La noche ha llegado a su fin. Audie se inclina contra un muro húmedo y escribe una lista de cosas que necesita. Otras personas saldrían huyendo; venderían el reloj, los dientes de oro, uno de sus riñones. Tomarían un autobús hacia México o Canadá o se ofrecerían para trabajar a cambio de un pasaje gratis en un barco mercante, o nadarían hacia Cuba. Quizá lo que Audie desea es su propia destrucción, aunque no cree tener la fortaleza moral necesaria para sostener un deseo de muerte. ¿Qué más hay que poner en la lista?

Cinta de carrocero

Sacos de dormir

Tarjetas SIM

Agua

Recuerda haber escrito una lista parecida, con otras magulladuras en el cuerpo, después de que los sobrinos de Urban le dieran una paliza y su exjefe le prohibiera volver a ver a Belita. Había hecho una reserva en un motel barato cerca de la frontera mexicana, donde se quedó tumbado en la cama como el paciente de un hospital esperando que la verdad pasara por su lado. Ocasionalmente, se arrastraba hasta el baño, escupía sangre en el lavabo y se pasaba la lengua por un diente roto. El cuarto día, caminó dos manzanas (le llevó una hora) hasta una farmacia y licorería, donde compró analgésicos, antiinflamatorios, compresas de hielo y una botella de burbon.

Luego volvió al motel, flotando en un cóctel de drogas y alcohol. Por el camino pensó que había visto a Belita. Caminaba hacia él, con la falda ondeando un momento y rápidamente ajustándose a sus muslos. Tenía el cabello echado hacia atrás, sujeto con un broche de carey. Audie sabía que era de ese material porque era lo único que había sobrevivido de su viaje desde El Salvador.

Caminaba con elegancia, con la espalda erguida y la barbilla alta. Los peatones parecían abrirle paso, apartándose y sonriendo. Estaba a solo cincuenta metros de él cuando la llamó. No respondió. No hizo una pausa ni alteró el paso.

—Belita —gritó él, más fuerte.

Ella aceleró el paso y cruzó la calle. Un coche frenó. Sonó un claxon.

—¡Belita!

Se detuvo y se dio la vuelta. Qué delgada estaba… y qué vieja. No era Belita. La mujer le dijo que se perdiese, pero con palabras menos amables. Audie retrocedió, mostrando las palmas de las manos, incapaz de decir nada.

Al llegar al motel elaboró una lista de las cosas que necesitaba. Conocía los detalles de las cuentas de Urban, las sucursales bancarias, los nombres y los números. El viernes 9 de enero, un hombre con gafas oscuras y gorra de béisbol entró en ocho sucursales e hizo idéntico número de reintegros, de mil dólares cada uno. Podría haber pedido diez o veinte veces esa cantidad (se lo podría haber llevado todo), pero cogió lo que pensaba que se le debía y un poco más por las heridas. Eso es lo que se repetía a sí mismo al rellenar los formularios de reintegro y falsificar la firma de Urban. Luego se compró ropa nueva y revisó los anuncios por palabras para buscar un coche de segunda mano.

«Una última vez», se decía Audie a sí mismo. Tenía que verla una última vez. No suplicaría, solo preguntaría. Sabía que su orgullo sobreviviría, a pesar de que su corazón se rompiese en mil pedazos.

Llegó a la iglesia una hora antes de la misa matinal, aparcó el coche en un callejón sin salida cercano y esperó que se abriesen las puertas. Tenía en el maletero una pequeña bolsa con lo necesario para pasar una noche, aparte del dinero. Por encima de los tejados se veía un borrón del perfil de la ciudad, y la autopista se oía a menos de una manzana de distancia. ¿Vendría?, se preguntaba. ¿Se lo permitiría Urban?

Cuando el cura abrió las puertas, Audie se sentó en las sombras cerca de la pila bautismal, esperando la llegada de los feligreses. Belita fue de los últimos en llegar. Los sobrinos la habían traído en coche, pero se quedaron esperando fuera, fumando y escuchando la radio. Audie no se había percatado del niño. Estaba sentado en la cuarta fila, junto a una mujer hispana con la cara redonda y el cabello teñido de negro sobresaliendo por debajo de una bufanda de colores vivos que no suavizaba sus facciones en absoluto.

Belita sumergió un dedo en el agua bendita y se persignó, mirando hacia abajo mientras pasaba a su lado. Hizo una genuflexión y se movió a lo largo de un banco, abrazando al niño, que respondió hundiendo su rostro en ella, como quien cae en un montón de nieve blanda.

Solo había unas treinta personas en la misa. Audie se deslizó en el banco situado detrás de Belita. Se sentó de forma que veía su rostro de lado. Llevaba un vestido ligero, de color azul descolorido, ajustado en el vientre, y unas sandalias blancas rozadas con una hebilla dorada encima de los dedos. Descubrió que la mancha de su mejilla era, en realidad, un moratón. Se había llevado un puñetazo. Era culpa suya. Era como si él mismo la hubiese golpeado. El niño que estaba sentado a su lado llevaba pantalones cortos, calcetines largos y zapatos negros lustrados. Tenía las piernas hacia delante y estaba cogido del brazo de ella, con la cara vuelta hacia la chica, las pestañas tan espesas como un par de charreteras.

Todo el mundo se puso de pie y empezó la procesión. Un cura corpulento recorrió el pasillo central mientras sonaba un órgano y la gente cantaba un himno entre murmullos. Un niño y una niña, hermanos quizá, vestidos con túnicas blancas, llevaban una Biblia y un cirio. Belita se dio la vuelta y se quedó mirando a Audie, que vio una mirada de alivio en sus ojos que pronto se convirtió en miedo. Se giró de nuevo. La mujer de la bufanda miró por encima del hombro y pareció comprender. Sus rasgos se endurecieron. «Esta debe de ser la prima de Belita, la que cuida a su hijo», pensó él. Los ojos de Audie no se habían apartado de Belita.

—Necesito hablar contigo —susurró.

Ella no contestó. El cura había llegado al altar, donde cogió la Biblia y la puso en el atril. El himno casi había terminado. Las voces se elevaron, más confiadas, en los versos finales.

Belita hizo la señal de la cruz. Audie estaba justo detrás de ella, con la barbilla casi en contacto con el hombro. Podía oler su perfume. No, era otra cosa. No era jabón, ni champú, ni talco, sino un olor terroso, crudo: su propia esencia. Pensar que podría vivir sin ella era una locura.

El niño estaba jugueteando con los pliegues del vestido

de Belita con una mano; sostenía un oso de peluche con la
otra. Tenía un libro de himnos en el regazo y fingía leerlo
mientras cantaba.

—Vente conmigo —susurró Audie.

Belita lo ignoró.

—Te quiero —dijo él.

—Nos matará a los dos —respondió ella en un murmullo.

—Podemos irnos lejos. No nos encontrará nunca.

—Siempre nos encontrará.

—No si nos vamos a Texas. Tengo familia allí.

—Es el primer sitio donde buscará.

—Nos ocultaremos de él.

Trataban de hablar en murmullos, pero la gente estaba empezando a darse cuenta. La prima de Belita se dio la vuelta y se
enfrentó a Audie.

—*¡Fuera! ¡Fuera! Usted es el diablo* —dijo en español.

Lo tocó con un dedo en el pecho e hizo un gesto de desprecio. Alguien chistó. El cura miró por encima de las gafas. Audie
se inclinó más cerca, su respiración en la nuca de Belita.

—Has corrido muchos riesgos para llegar aquí. Mereces alguna cosa más. Mereces estar con tu hijo, ser feliz.

Belita tenía una lágrima en el borde de la pestaña inferior; sus manos se agitaban por encima del leve bulto de su
estómago.

—La vida es breve —dijo Audie.

—El amor es inmenso —susurró ella.

Audie apoyó la barbilla en su hombro.

—Si sales por la puerta lateral, sigue la valla y verás una
abertura. Que no te vean. Te estaré esperando. Tengo un coche
y dinero.

Cuando el sermón terminó, Audie se escabulló y volvió al
Pontiac. Había un parque para *skaters* al otro lado de la calle,
con un medio-tubo de hormigón cubierto de pintadas. Los *skaters* subían y bajaban por él, haciendo acrobacias en el aire y
quedándose parados en las plataformas de arriba. Audie se
pasó la lengua por la boca, que tenía seca. ¿Y si no venía? ¿Por

qué iba a fiarse de él? Audie había jugado sus cartas. Pero le había guiado más una esperanza ciega que una expectativa real. La misa terminó. No vino nadie. Audie pasó lentamente junto a la iglesia y vio a los sobrinos escoltando a Belita hacia el coche. Ella abrazó a su hijo, que se agarraba a la pierna de la chica sin querer soltarla. Se agachó y le apartó el cabello de los ojos. El niño lloraba, como ella. Las puertas del coche se cerraron. Al cabo de un instante, se habían ido.

Audie se quedó sentado, contemplando aquella escena unos instantes, como si esperase que los actores regresasen en cualquier momento. Aquel no podía ser el final. Elevó el rostro hacia el cielo como un esclavo que piensa en la libertad. Perdió la mirada en la extensión azul, tan vacía como su interior. «Muy bien, ahora enséñame algo —quería gritar—, enséñame cómo hago para superar esto.»

Alguien golpeó la ventanilla. La prima de la expresión agria le hizo a Audie el gesto de que bajase la ventanilla. Llevaba al niño de la mano.

—*Escribe tu dirección* —dijo en español.

Audie buscó desesperadamente un bolígrafo y un papel. Encontró la factura de la compra del coche y anotó el nombre del motel y el número de habitación, 24.

—Se pondrá en contacto contigo.

—¿Cuándo?

—Los mendigos deben dar las gracias.

Esperar era algo pasivo. No se sentía cómodo en aquella posición. Le resultaba tenso y extenuante, más que nada de lo que hubiera hecho nunca. Caminó, caviló, hizo flexiones, ignoró el televisor. No durmió. El tiempo era algo imposible de matar. Podría haberle atravesado el corazón con una estaca, troceado, quemado, enterrado. Y aun así habría seguido vivo.

Esperó durante tres días hasta recibir un mensaje de la prima de Belita. Y otros dos antes de acudir a la estación de autobús de la Greyhound en la avenida National. Contempló el rostro de todos los viajeros. ¿Y si había perdido el autobús? ¿Y si había cambiado de idea?

Entonces ella dio el último paso y se quedó de pie entre los autocares, con una pequeña maleta en la mano. Audie se quedó mudo de repente. La distancia entre ambos parecía enorme. Belita sonrió. Parecía demacrada y cansada, pero bella al mismo tiempo. Sostenía aquella fea maleta de color naranja y llevaba el niño contra el vientre. El chaval parecía aterrorizado. Vestía unos pantalones de pana beis, una camiseta y unas zapatillas deportivas de color rojo vivo.

Audie no sabía qué hacer ni qué decir. Cogió la maleta de Belita, la puso en el suelo. La abrazó, apretando demasiado.

—Tranquilo —dijo ella, apartándose.

Audie puso expresión abatida. Ella tomó su mano y se la puso en el estómago. Los ojos de él formularon la pregunta.

—Es tuyo —respondió ella, y esperó su reacción.

Audie se inclinó y la tomó en sus brazos, abrazándole las caderas y elevándola en el aire con el rostro apoyado en su abdomen para poder besarle el vientre a través del algodón del vestido. Ella se rio y le pidió que la dejase en el suelo.

El niño, de pie junto a la maleta, tenía el cabello del color del chocolate y unos increíbles ojos marrones.

—¿Qué tal? —dijo Audie—. ¿Cómo te llamas?

El niño miró a su madre.

—Miguel —dijo ella.

—Encantado de conocerte, Miguel.

Audie estrechó la mano del jovencito. Miguel se miró después los dedos, como si le preocupase que Audie le hubiera robado uno.

—Bonitos zapatos —opinó Audie. Miguel se miró los pies—. Muy rojos.

El crío torció una pierna hacia adentro para echar una ojeada a sus zapatos; luego volvió a esconder el rostro en la falda de su madre.

Salieron aquella misma tarde y condujeron hasta la medianoche. Miguel durmió en el asiento trasero, abrazando un viejo

301

osito de peluche que llevaba a todas partes. El niño era demasiado grande para la edad que tenía. Automáticamente, se metía el dedo en la boca en cuanto sus párpados empezaban a cerrarse.

Viajaron con las ventanillas bajadas y hablaron del futuro. Belita le contó historias de su infancia, dejando caer los detalles como quien suelta migas de pan, para que Audie siguiera el rastro y le hiciese preguntas. Otras veces no sentían la necesidad de hablar. Ella se inclinaba, apoyaba la cabeza en su hombro y le rozaba los muslos con los dedos.

—¿Es esto lo que quieres? —preguntó Belita.

—Desde luego.

—Me quieres.

—Sí.

—Si me tomas el pelo, o me decepcionas, o te vas…

—No lo haré.

—¿Y nos casaremos?

—Sí.

—¿Cuándo?

—Mañana.

Se oyó una canción en la radio.

—No quiero escuchar música *country* —dijo ella—. Y no quiero casarme en la capilla de Elvis Presley.

—¿En serio?

—En serio.

—De acuerdo.

41

A la luz de la mañana, Desiree se sirve un bol de Grape-Nuts y corta un plátano en rodajas. Tiene que llamar a sus padres y decirles que no irá al día siguiente. Normalmente, el sábado va a visitarlos: disfruta de una comida casera y luego mira a su padre arbitrar un partido de fútbol americano desde el sillón, gritando hacia la pantalla y levantando imaginarias banderas para señalar faltas.

Se prepara mentalmente y hace la llamada. Su madre responde y recita su número de teléfono antes de preguntar con acento afectado: «¿En qué puedo ayudarle?». También tiende a pedir la comida con el mismo acento que el camarero que le está sirviendo. Y, desde luego, no comprende que alguien pueda considerarlo paternalista o denigrante.

—Soy yo —dice Desiree.

—Hola, querida. Precisamente estábamos hablando de ti, ¿verdad, Harold? Es Desiree. ¡Sí, Desiree, está al teléfono!

Su padre no oye sin audífono. Ella sospecha que lo deja apagado para no tener que escuchar a su madre.

—Acabo de comprar un jamón —dice su madre—. Lo iba a hacer al horno como te gusta a ti, con mostaza y glaseado con miel.

—No podré ir a casa. Tengo trabajo.

—Vaya, qué pena… Desiree no vendrá, Harold. ¡Tiene trabajo!

—Pero si tenemos jamón al horno —grita su padre de fondo, como si el resto del mundo también estuviera sordo.

—Ya lo sabe, Harold, se lo acabo de decir.

—¿Es que se ha buscado un novio? —pregunta.

—Quiere saber si has encontrado un hombre bueno para ti —dice su madre.

—Dile que me he casado y tengo gemelos. Timón y Pumba. Pumba se tira muchos pedos, pero es muy dulce.

—Preferiría que no gastaras bromas sobre esto —responde su madre.

De fondo oye gritar a su padre:

—Dile que no pasa nada si es lesbiana. A nosotros no nos importa.

—No es lesbiana —le riñe su madre.

—Lo único que digo es que, si fuera lesbiana, no nos importaría —aclara su padre.

—¡No le digas eso!

Y se ponen a discutir.

—Tengo que irme —dice Desiree—. Siento lo de mañana.

Cuelga y recoge sus cosas. Al salir del apartamento, baja la escalera exterior y saluda a su casero, el señor Sackville, que está moviendo las cortinas. El tráfico del fin de semana es escaso de camino a los barrios residenciales del norte de Houston.

Al cabo de media hora llega a Tomball y aparca junto a un pulcro bungaló azul y blanco con césped de color verde esmeralda y arbustos podados con aspecto desnudo y frío. Nadie responde al timbre de carillón. Oye el ruido de niños chillando y riendo en el jardín de atrás, así que abre el cerrojo de la portilla lateral y rodea la casa por el camino.

Hay globos y guirnaldas decorando un enrejado sobre el patio exterior, así como niños de todos los tamaños corriendo entre los árboles, persiguiendo a un perro. Hay mujeres sentadas alrededor de una mesa, charlando y batiendo huevos para hacer torrijas y preparando masa de tortitas. Los pocos hombres se han reunido alrededor de la barbacoa, ese artilugio capaz de igualar las clases sociales y el estatus, donde se juzga a un hombre por la frecuencia con la que da la vuelta a su bistec y no por el dinero que gana o el coche que tiene.

El antiguo forense del condado de Dreyfus, Herman Willford, ya jubilado, está sentado en una silla de tijera plegable, con un plato de plástico en el regazo. Lleva la correa de los pantalones por encima de la cintura y una chaqueta de lana con botones. Mira a los niños estremeciéndose con cada chillido, como si el ruido le diese dentera.

Una mujer madura y corpulenta se acerca a Desiree mientras se seca las manos en el delantal. Se queda mirando la placa.

—Esto es una reunión familiar.

—Es importante. En caso contrario, no los molestaría.

La mujer suspira, pero Herman parece casi aliviado de tener permiso para ausentarse. Lleva a Desiree a la casa y le ofrece algo de beber. Ella rechaza la invitación amablemente. Herman se queja de que cada vez es más viejo e impaciente: le gustaría que se fuese todo el mundo.

—Es el problema de la familia —dice, con la mirada avispada bajo sus espesas cejas—: no hay forma de jubilarse de ella.

Desiree ha traído fotografías y mapas de la escena del crimen. Las dispone sobre una mesita en el salón y el viejo forense las examina casi con cariño, como recordando una época en la que se sentía más joven y útil.

—¿Lo que quiere saber es desde dónde se efectuaron los disparos?

—Estoy tratando de comprender la secuencia de los hechos.

—Las muertes de Vernon y Billy Caine las causaron armas oficiales de la policía. Vernon recibió un disparo en el cuello y Billy en el corazón.

—¿Y Audie Palmer?

—Fue a corta distancia.

—¿Cómo de corta?

—Un metro o poco más. El viejo forense coge una de las fotografías. —Por el ángulo del disparo, diría que se efectuó desde delante.

—¿Encontraron la bala?

—Había heridas de entrada y de salida, pero el proyectil no se recuperó.

—¿Suele pasar?

—Aquel día se efectuaron setenta disparos; no se recuperaron todas las balas.

—¿Puede decirme qué agente fue el que le disparó?

—No con certeza.

—¿Por qué no?

Se ríe.

—Intento no practicar autopsias a seres vivos.

—¿Por qué lo encontraron tan lejos de los demás?

—Según declaraciones de la policía, estaba tratando de huir.

—Recibió un disparo desde un metro de distancia. —Se encoge de hombros—. Y tenía quemaduras en las manos, ¿cómo las explica?

—Un depósito de gasolina estalló en llamas.

—¿Por qué solo las manos?

El forense suspira.

—Escúcheme, agente especial: ¿qué importa quién disparase o cómo se quemó las manos? El caso es que sobrevivió. Mi trabajo era decirle al juez de instrucción cómo se produjeron las muertes.

—La mujer no fue identificada. ¿No le parece extraño?

—No.

—¿En serio?

—Pásese por el depósito de cadáveres de un condado cualquiera y encontrará cadáveres que nadie ha reclamado.

—¿Cuántos de ellos no han sido identificados?

—Le sorprendería. En el condado de Brooks se encontraron el año pasado ciento veintinueve cuerpos. Sesenta y ocho de ellos no han sido identificados; lo más probable es que fueran inmigrantes ilegales que murieron en el desierto. A veces no se encuentran más que huesos. Esa mujer estaba quemada más allá de la posibilidad de reconocerla. Ni siquiera pudimos reconstruir su rostro, porque un calor tan intenso provoca nu-

306

merosas fracturas. No hubo conspiración, agente especial. Es solo que no pudimos ponerle nombre a esa pobre mujer.

Desiree se da cuenta de que la hija de Willford está espiándola desde la puerta, como si estuviese lista para intervenir si su padre necesitara protección. Recogiendo las fotografías, le da las gracias al forense y se disculpa por interrumpir su almuerzo.

En el exterior, un niño grita y empieza a llorar. Willford suspira.

—Dicen que los nietos son una bendición del cielo, pero los míos son un sagrado espanto. Es como estar encerrado en un manicomio lleno de enanos. —Echa un vistazo a Desiree—. Sin ánimo de ofender.

$\mathcal{A}$udie mira a Sandy Valdez a través de los ventanales del centro de *fitness* en el que está corriendo en una cinta. La melena se mece sobre sus hombros. Sale poco después, duchada, vestida con bermudas blancas y un top sin mangas que parece caro y que, sin ser ajustado, destaca sus pechos. Las piernas bronceadas acaban en unas zapatillas sin calcetines. Compra un café para llevar, mira escaparates, se prueba una camisa.

Audie atisba desde detrás de un periódico, observando cómo se desplaza por el vestíbulo iluminado y sube por las escaleras mecánicas. Están en el centro comercial, debajo de una cúpula transparente. Por un muro de cristal fluye una corriente de agua que va a parar a un estanque, que, al parecer, representa una selva tropical. Saluda con la mano a una amiga que baja por la otra escalera. Se hacen gestos: teléfono, café, charlar, hasta luego.

En otra tienda, Sandy elige una falda y una blusa. Entra en el probador. Al cabo de unos minutos sale y se dirige de nuevo a los percheros, buscando una talla distinta.

Audie ha sobrevivido durante tanto tiempo sin un ápice de suerte que le cuesta reconocerla cuando le llega. Sandy ha dejado la bolsa del gimnasio en el probador. Él se desliza en la cabina, abre la cremallera y coge el teléfono móvil.

Una dependienta se acerca.

—¿Puedo ayudarlo en algo?

—Mi mujer necesita su teléfono —contesta, haciendo un gesto hacia Sandy, que está examinando una etiqueta.

Se da la vuelta y va hacia el probador. Otro cliente ha atraído la atención de la dependienta. Audie baja la cabeza y pasa a un palmo de Sandy, esperando una voz de alarma o a alguien llamando a gritos a la policía. Cinco metros..., ocho..., diez... Ya ha salido de la tienda... Está en las escaleras mecánicas... Ha atravesado el vestíbulo...

Minutos más tarde está sentado al volante del Camry, revisando los mensajes de texto de Sandy hasta que encuentra uno del niño. Pulsa la opción de responder y escribe:

«Cambio de planes. Queremos que vengas a casa. Te recogeré en la escuela dentro de quince minutos. Mamá XX».

Pulsa «Enviar» y espera. El teléfono vibra con otro mensaje:

«¿Qué pasa?»

«Te lo explico luego. Nos vemos en el aparcamiento.»

Audie busca en la lista de contactos y pulsa otro número. Responde una mujer, con voz luminosa y alegre.

—Instituto Oak Ridge.

—Soy el *sheriff* Ryan Valdez —contesta Audie, alargando las vocales.

—¿En qué puedo ayudarle, *sheriff*?

—Mi hijo Max está en tercer año. Necesito que venga a casa. Lo recogeré dentro de unos minutos.

—¿Ha presentado una hoja de autorización?

—No. Por eso llamo.

—Su esposa nos dijo que era una cuestión de seguridad.

—Por eso es importante que lo pase a recoger. Llamo desde el teléfono de mi mujer.

La secretaria comprueba el número.

—De acuerdo. Voy a buscar a Max a su clase.

Cuelga y suelta el teléfono en su regazo. Al parar en el siguiente semáforo, alarga la mano detrás de él y saca la escopeta de cañones recortados de la mochila que está en el asiento. Tiene tres cartuchos. Los hace rodar sobre la palma y siente el frescor de los bordes metálicos.

Aparca cerca de la entrada de la escuela, deja el motor al ralentí y observa la puerta principal. El cielo es de un azul prístino; ni cobalto ni descolorido por la contaminación.

El móvil suena con un mensaje de texto de Max:

«¿Dónde estás?»

«Ven hacia la salida.»

«Tienes que firmar no sé qué.»

«Diles que lo haré luego. Tenemos que darnos prisa.»

Al cabo de un momento ve a Max empujar la pesada puerta de cristal y bajar trotando los escalones. Lleva una gorra de béisbol bien calada y se mueve con la torpeza desgarbada de los adolescentes, buscando el coche de su madre.

Audie enciende las luces de emergencia. Max se acerca. Se agacha para mirar por los vidrios tintados; la ventanilla baja.

—Entra en el coche.

El chico lo mira y parpadea. Sus ojos se desplazan hacia la escopeta en el regazo de Audie. Durante un instante fugaz parece pensar en salir corriendo.

—Tengo a tu madre —dice Audie—. ¿Cómo iba a poder montar todo esto si no?

Max duda. Audie le muestra el teléfono de Sandy.

—Entra en el coche. Te llevaré con ella.

El chico mira por encima del hombro. Está indeciso y asustado. Se monta en el asiento del copiloto. Audie desliza la escopeta hacia el suelo, junto a la mano izquierda, y maniobra para alejarse de la acera. El cierre centralizado se activa. Max prueba la manija de la puerta.

—Quiero hablar con mamá.

—Pronto.

Conducen hacia el norte por el carril central de la I-45. Audie comprueba los retrovisores, frenando o acelerando ocasionalmente, comprobando que no los están siguiendo.

—¿Dónde está?

Audie no responde.

—¿Qué le ha hecho?

—Está bien.

Audie se mueve al carril exterior.

—Dame tu teléfono.

—¿Por qué?

—Hazlo.

Max se lo entrega. Audie baja la ventanilla y tira el teléfono de Sandy y luego el de Max a la mediana de la autopista; se hacen añicos y las piezas rebotan por el asfalto.

—¡Eh! ¡Era mi teléfono! —grita Max, mirando por el parabrisas trasero.

—Te compraré otro.

Max le lanza una mirada asesina.

—No me va a llevar con mi madre, ¿verdad?

Silencio.

Max tira de la manija de la puerta y empieza a chillar. Golpea la ventanilla, gritando a los coches que pasan. Los conductores, encerrados en sus propios micromundos, le ignoran. Se tira hacia el volante. El Camry atraviesa dos carriles y casi choca con la valla de seguridad. Los vehículos se apartan, hacen sonar el claxon. Max aún está agarrando el volante. Audie le da un codazo en la cara y el chico vuelve a caer en el asiento, sosteniéndose la nariz, con los dedos ensangrentados.

—Podrías haber hecho que nos matásemos —le grita Audie.

—Me va a matar de todos modos —dice Max entre hipidos.

—¿Cómo?

—Me va a matar.

—¿Por qué iba a hacerlo?

—Venganza.

—No voy a hacerte daño.

Max baja las manos.

—¿Y esto qué es?

El corazón de Audie aún está acelerado.

—Siento haberte dado un golpe. Me has asustado. —Saca un pañuelo y se lo da a Max. El chico lo aprieta en la nariz—. Inclina la cabeza hacia atrás.

—Ya sé lo que tengo que hacer —responde Max, enfadado.

Conducen en silencio. Audie echa un vistazo a los retrovisores otra vez y se pregunta si el accidente que casi han tenido habrá quedado grabado en una cámara o si algún conductor habrá informado de él.

La nariz de Max ha dejado de sangrar. Se la toca con precaución.

—Mi padre dice que usted robó un montón de dinero. Y que por eso le disparó. Esta vez lo matará de verdad.

—Estoy seguro de que es lo que quiere.

—¿Y eso qué significa?

—Que tu padre me quiere muerto.

—¡Y yo también!

Se arrellana en el asiento, con la barbilla en el pecho, mirando pasar los campos y las granjas.

—¿Adónde vamos?

—A un lugar seguro.

43

Desiree llama a la puerta de una casita sencilla de madera en Conroe. Oye a una mujer gritar, diciéndole a alguien llamado Marcie que baje la música y que no deje salir al perro.

Una adolescente abre un poco la puerta. Lleva unos vaqueros ajustados cortados y una camiseta de Minnie Mouse. Un perro rasca el suelo de madera, queriendo colarse por entre sus piernas.

—No queremos comprar nada.

Desiree le muestra la placa.

Marcie grita por encima del hombro.

—¡Mamá, son los federales!

«Esta chica mira demasiada televisión», piensa Desiree.

Marcie agarra del collar al perro, que tiene aspecto húmedo. Se lo lleva a rastras por el pasillo, dejando a Desiree de pie en el umbral. Aparece una mujer limpiándose las manos. Desiree le muestra la placa.

—Lamento molestarla.

—Por lo que he visto, cada vez que alguien dice una cosa así, no lo lamenta para nada.

La señora Beauchamp se aparta varios mechones de los ojos con el dorso de la muñeca. Lleva unos pantalones cortos y una camisa vaquera muy grande, salpicada de gotas de humedad.

—Estaba bañando al perro. Se ha estado revolcando en algo muerto.

—Quería hacerle algunas preguntas sobre su difunto marido.

—En enero hizo doce años que se fue. Difícil estar más difunto.

Pasan a un salón lleno de cosas. La mujer aparta unas revistas del sofá para hacer sitio. Desiree se sienta. La señora Beauchamp se mira la muñeca, aunque no lleva reloj.

—He estado volviendo a examinar el asalto y el robo del furgón de Armaguard —dice Desiree.

—Ha salido de la cárcel, ¿verdad? Lo he visto en las noticias. —Desiree no responde—. La gente me sigue mirando raro; en el supermercado o en la gasolinera, o cuando voy a recoger a Marcie a la escuela. Todos piensan lo mismo: que sé dónde está el dinero. —Se ríe con sarcasmo—. ¿Es que creen que estaría viviendo así si tuviese todos esos millones? —El borde de sus fosas nasales palidece, como si recordara otro pensamiento que ha dejado a medias—. Le echaron la culpa a Scotty.

—¿Quiénes?

—Todo el mundo: la policía, los vecinos, desconocidos… Pero sobre todo Armaguard. Por eso se negaron a pagar su seguro de vida. Tuve que denunciarlos. Gané, pero los abogados acabaron quedándose con casi todo el dinero. ¡Ladrones!

Desiree escucha con calma a la mujer hablar del robo, de cómo oyó la noticia del asalto por la radio, de cómo trató de llamar a su marido.

—No contestaba. Cuando Marcie llegó a casa de la escuela, le mentí: le dije que su padre había tenido un accidente. No fui capaz de decirle lo que había pasado. El forense del condado dijo que había muerto por las heridas. Murió tratando de proteger ese dinero. Era un maldito héroe y lo hicieron quedar como un maleante.

—¿Qué dijo la policía?

—Fueron ellos los que empezaron con los rumores. No se encontró ninguna prueba, pero decidieron culpar a alguien porque no pudieron recuperar el dinero y porque Scotty ya no se podía defender.

—¿Solía hacer el viaje de Chicago?

—Lo había hecho cinco o seis veces.

—¿Siempre por una ruta distinta?

Se encoge de hombros.

—Scotty no hablaba conmigo sobre el trabajo. Había estado en el ejército. Cuando estuvo en Afganistán nunca me contaba dónde lo destinaban. Era información operativa. Secreta. —Se pone de pie y abre la cortina de red—. La verdad es que se suponía que no debía estar haciendo ese recorrido.

—¿Por qué?

—Uno de los furgones se había averiado en un accidente, así que se saltaron una entrega anterior. A Scotty le debían días libres, pero le pidieron que hiciese el viaje.

—¿Quién se lo pidió?

—Su supervisor. —Se limpia algo sucio de la mejilla—. Por eso había tanto dinero en el furgón. Cuatro semanas de efectivo, en lugar de dos.

—¿Cómo se había averiado el furgón?

—Alguien puso un tipo de gasolina equivocado en el depósito.

—¿Quién?

—No lo sé… Algún aprendiz…, algún idiota. —Suelta la cortina—. Tengo dos trabajos: ambos apenas por encima del salario mínimo. Y la gente me sigue mirando raro si me compro algo nuevo.

—Debían de tener algún motivo para sospechar de su marido.

La mujer tuerce el rostro y replica en tono de burla:

—Tenían una fotografía que alguien había tomado en una estación de servicio, un mes antes del robo. ¿La ha visto? —Desiree niega con la cabeza—. ¡Pues échele un vistazo! Scotty está aguantando una puerta para dejar pasar a un hombre, que resulta ser Vernon Caine. Scotty podría haber estado diciendo: «¿Cómo está?». Podrían haber estado hablando del tiempo o de fútbol… Y eso no quiere decir que Scotty formara parte de la banda. —Se está enfadando—. Luchó por su país,

315

murió por su trabajo y lo tratan como si fuese escoria, un criminal. Y luego ese chico confesó y lo condenaron a diez años, en lugar de a la silla eléctrica. Y ahora está suelto por ahí, libre como un pajarito. Si parezco amargada y furiosa es porque lo estoy. A Scotty le dieron medallas. Se merecía algo mejor.

Sin saber qué decir, Desiree aparta la mirada. Se disculpa por el tiempo que le ha hecho perder y le desea feliz Acción de Gracias. Fuera, el día parece más luminoso y el verde de los árboles parece más intenso sobre el fondo azul del cielo. Llama a Jenkins en Washington y le pide una lista de los empleados de Armaguard, incluido el nombre del supervisor en enero de 2004.

—Eso fue hace once años —responde él—. Puede que no haya registro de esa información.

—Supongo que no lo habrá.

44

Moss aparca la camioneta detrás de una hilera de tiendas. Hay unas oficinas en el piso superior. Se arrellana en el asiento y cierra los ojos. Se siente como si alguien le hubiese estrujado el cerebro y lo hubiese puesto a secar bajo el sol. Es su primera resaca en este siglo y piensa que no le importaría esperar otros cien años más para la siguiente.

A estas alturas, la gente que lo sacó de la cárcel ya lo sabrá. Sabrá que no tiene a Audie Palmer, lo que significa que notificarán su ausencia… o algo peor. Pase lo que pase, no será libre. Lo volverán a detener o lo matarán y lo enterrarán en un bosque; puede que tiren su cadáver en el golfo. Según lo que se cuenta, Eddie Barefoot tiene una forma creativa de deshacerse de los cadáveres: alquila una astilladora y hace que la lleven a un lugar adecuado. Solo pensar en ese arco carmesí manchando el suelo hace que le entren arcadas.

La gran pregunta es ¿por qué? ¿Por qué quieren matar a Audie? Todo sería mucho más fácil de aceptar si conociese los motivos. Si alguien se lo explicase, quizá sería capaz de perdonar y olvidar.

No deja de venirle a la memoria el aspecto de Audie en el claro: acosado, aterrorizado. En todo el tiempo que había pasado con él en la cárcel, nunca le había visto así. Era, simplemente, una persona noble, no como los demás. Era como si llevase viviendo desde que Adán mordió la manzana y Eva le hubiera cubierto las espaldas. No podía sorprenderse ni asombrarse porque ya estaba de vuelta de todo.

Moss se mira los brazos desnudos. El sol entra con fuerza por la ventana, pero él sigue sintiendo frío. Quiere estar con Crystal, abrazarla, escuchar su voz.

En la esquina hay una vieja cabina telefónica. Mete la mano en el bolsillo en busca de unas monedas y se mete en ella. Llama siguiendo las instrucciones. Crystal contesta a la tercera llamada.

—¿Cariño?

—Hola.

—¿Cómo estás?

—Parece como si estuvieras borracho.

—Me he tomado un par de copas.

—¿Va todo bien?

—Encontré a Audie Palmer, pero lo volví a perder.

—¿Te encuentras bien?

—Sí.

—¿Estás metido en un lío?

—Creo que las cosas no van a salir como lo tenía planeado.

—Odio decir esto, pero te lo dije.

—Ya lo sé. Lo siento.

—¿Por qué das por supuesto que te culpo a ti?

—Deberías hacerlo.

—¿Qué piensas hacer ahora?

—No estoy seguro.

—Entrégate. Cuéntale a la policía lo que pasó.

—Lo haría si supiese en quién puedo confiar. Escucha, quiero que vayas a casa de tus padres unos días.

—¿Por qué?

—No me fío de esta gente y quiero asegurarme de que estás a salvo.

Mirando por la ventanilla ve a un hombre obeso con camisa formal y corbata azul al volante de un Mercedes. Aparca, sale del coche, coge un abrigo de una percha y un maletín. Sube los escalones mientras cierra la puerta por encima del hombro.

—Me tengo que ir, muñeca —se despide Moss.

—¿Adónde?

—Te llamaré.

Moss cruza la calle a paso ligero y sube los escalones de dos en dos, metiendo el pie entre la puerta y el marco antes de que se cierre automáticamente. El abogado aguanta el maletín con la barbilla mientras se pelea torpemente con un pesado juego de llaves y una cerradura doble.

—¿Clayton Rudd?

El abogado se da la vuelta. Tiene sesenta y pico años, una tripa abultada y una mata de pelo blanco, pero su rasgo más destacado es el bigote al estilo del sur, retorcido en los extremos, como si vendiese pollo frito. Lleva un traje que podría haberle sentado bien a una versión más joven de sí mismo, pero ahora los botones están tan tensos que podrían saltarle el ojo a alguien.

—¿Tenemos una cita?

—No, jefe.

Moss sigue a Rudd a la oficina, donde el abogado cuelga el abrigo y se sienta detrás de un escritorio. Sus ojos, claros y saltones, parecen vagar sin rumbo, sin detenerse en ningún objeto concreto durante más de un instante.

—Dime, hijo, ¿qué desgraciados azares de la inicua fortuna te traen por aquí?

—¿Cómo dice?

—¿Una demanda? ¿Una lesión? ¿Unos daños y perjuicios?

—No, jefe.

—Bueno, ¿y para qué necesitas un abogado?

—No es para mí, señor Rudd. He venido para hablar de Audie Palmer.

El abogado se pone tenso y abre unos ojos como platos detrás de las gafas sin montura.

—No conozco a nadie con ese nombre.

—Usted le representó.

—Se equivoca.

—El robo al furgón blindado del condado de Dreyfus.

Con disimulo, Rudd abre con el pie el cajón inferior de su escritorio. Moss levanta una ceja.

—Si está pensando en sacar una pistola de ese cajón, señor Rudd, le pido que lo piense mejor.

El abogado mira hacia el cajón y lo vuelve a cerrar.

—No se puede pecar de exceso de confianza. ¿Es usted amigo del señor Palmer?

—Nos conocemos.

—¿Le envía él?

—No.

Rudd mira hacia el teléfono.

—Se supone que no puedo comentar los casos; confidencialidad entre abogado y cliente, ¿comprende? Audie Palmer no tiene derecho a quejarse. Tuvo suerte.

—¿Suerte?

—¡Suerte de que yo fuese su abogado! Le conseguí el trato del siglo. Podría haber ido a la silla eléctrica, pero finalmente fueron diez años.

—¿Cómo pudo lograr una cosa así?

—Hice bien mi trabajo.

—Espero que le diese las gracias.

—No suelen hacerlo. Cuando un cliente se libra, cree que ha vencido al sistema. Cuando va a la cárcel, me echa la culpa a mí. Sea como sea, el mérito nunca es mío.

Es cierto. Todos los presos te dirán que su abogado los vendió o que los polis le tendieron una trampa, o que han tenido mala suerte. Ninguno de ellos admite jamás que es estúpido, o codicioso, o vengativo. Audie era la excepción. Él no hablaba sobre su condena ni se quejaba del veredicto. Ayudaba a otros prisioneros en sus recursos de apelación o a presentar peticiones, pero ni una sola vez había mencionado sus propias circunstancias.

—¿Se le ocurre por qué Audie se fugaría el día antes de que lo soltasen?

Clayton Rudd se encoge de hombros.

—El chico tiene más metal en la cabeza que una tostadora.

—Creo que se equivoca —dice Moss—. Creo que sabía exactamente lo que hacía. ¿Habló alguna vez del dinero?

—No.

—Y supongo que usted no le preguntó.

—No es mi trabajo.

—Disculpe el lenguaje, caballero, pero creo que es usted un embustero de mierda.

Rudd se inclina hacia atrás y entrelaza los dedos sobre su pecho.

—Deje que le diga algo, hijo: el destino estaba haciendo horas extras para que le metieran diez años a Audie Palmer.

—¿Por qué no lo acusaron de homicidio en primer grado?

—Lo hicieron, pero llegué a un acuerdo.

—Pues menudo pedazo de acuerdo.

—Como ya he dicho, hice bien mi trabajo.

—¿Por qué aceptó una cosa así la oficina del fiscal del distrito?

El abogado suspira, cansado.

—¿En mi opinión? Creo que nadie esperaba que Audie Palmer sobreviviese. No querían que lo hiciera. Incluso cuando lo hizo, por alguna especie de milagro, los médicos dijeron que sería como un vegetal; por eso el fiscal del distrito sugirió un acuerdo. Aceptando la culpabilidad le ahorrábamos al estado el coste de un juicio. Palmer aceptó.

—No, fue algo más.

Rudd se pone de pie y abre un archivador, del que saca una carpeta que parece más pesada que un saco de arena.

—Toma, puedes leerlo tú mismo.

La carpeta contiene recortes de periódico del proceso, junto con una fotografía de Audie sentado junto a Clayton Rudd en la sala del tribunal, con la cabeza aún envuelta en vendas.

—No pude llamarlo al estrado porque era incapaz de hablar claramente. Los reporteros aullaban como perros rabiosos, pidiendo la pena capital para él por la muerte de una mujer inocente, aparte de la del guardia de seguridad.

—La gente culpaba a Audie.

—¿Y a quién iban a culpar si no? —Rudd mira hacia la puerta—. Y ahora, si me disculpa, tengo trabajo que hacer.

—¿Qué pasó con el dinero?

—Esa es una pregunta más de las que tiene permiso para hacer. Vamos, ya se puede largar.

45

El complejo de seguridad del condado de Dreyfus está situado en el número 1 de la avenida de la Justicia Criminal, una dirección ambiciosa que podría verse como una declaración de intenciones… o pura ilusión. El edificio tiene un aspecto moderno y funcional, pero carece del encanto arquitectónico de las comisarías, los juzgados y los ayuntamientos de estilo clásico, la mayoría de los cuales se han vendido porque el terreno que ocupan tiene más valor que la historia.

Desiree se mira en el retrovisor del coche. Ha estado reflexionando sobre la llamada de teléfono de Audie Palmer. Ha negado haber disparado a la madre y a la hija, pero no ha pedido que le crean ni ha suplicado que le comprendan. Es como si no le importase en absoluto si Desiree creía en su palabra o no. También ha dicho que su hermano estaba muerto y que, si quería pruebas, dragase el río Trinity.

¿Por qué decirlo ahora? ¿Por qué no informar de ello once años antes, cuando le habría servido de algo? Sin embargo, algo sobre la franqueza y la falta de doblez de Audie hace que tienda a creerlo.

Recuerda el momento en que entró en la habitación del motel. Había algo disonante en la escena, aparte de la violencia sin sentido. ¿Por qué iba a matar a Cassie y a Scarlett? Quizá culpaba a la chica de haber llamado a la policía, pero ¿por qué dispararle justo en ese momento, cuando Valdez llamó a la puerta?

Según el relato del *sheriff*, Audie efectuó tres disparos, mató a dos personas y echó abajo la puerta que unía la habitación con la de al lado; la atravesó, salió a la pasarela, bajó la escalera y cruzó el aparcamiento, completamente vestido, sin dejar ninguna posesión personal en la habitación de motel en la que había pasado las dos noches anteriores. Y todo esto, en el tiempo que el *sheriff* tardó en llamar a la puerta, anunciarse y utilizar la tarjeta-llave. No tiene ningún tipo de lógica. Lo normal es desconfiar de esa versión.

El *sheriff* Valdez tiene una oficina en la cuarta planta, con vistas a una fábrica anodina sin cartel en la puerta ni indicación alguna de lo que podría almacenar o fabricar. Cuando Desiree llama y entra, Valdez no levanta la vista. Está hablando por teléfono. Hace un gesto con la mano en el aire, invitando a Desiree a tomar asiento.

La llamada termina y el *sheriff* se inclina hacia atrás en el asiento.

—Espero no haberle pillado ocupado —dice ella.

—Es difícil estar ocupado cuando uno está suspendido. Cualquier agente que haga uso de un arma queda apartado hasta que se completa la investigación.

—Son las normas.

—Ya lo sé.

Desiree se ha sentado. Apoya el bolso en las rodillas, agarrándolo con ambas manos por la parte de arriba. No le gusta esa postura: la hace sentir como Miss Marple trayéndose la labor al interrogatorio. Finalmente, deja el bolso en el suelo, entre los pies. El *sheriff* entrelaza los dedos detrás de la cabeza y la examina.

—No le gusto especialmente, ¿verdad, agente especial?

—No me fio de usted, que es distinto.

Valdez asiente, como si su fiabilidad fuese nada más que una cuestión semántica.

—¿Por qué ha venido?

—Quería disculparme. Al parecer, le ofendió mi forma de hacer preguntas el otro día.

—Se excedió.

—Solo hacía mi trabajo.

—No está bien que hable con las personas como lo hace, sobre todo en el caso de un compañero. Me trató como a un desecho humano, como a un criminal.

—La visión de aquella joven y de su hija, muertas... Supongo que me hizo perder la perspectiva.

—Así fue.

Desiree ha ensayado lo que le va a decir a Valdez, pero las palabras se le quedan trabadas en la garganta, como si tratase de tragar un trozo de pan sin mantequilla.

—No estoy acostumbrada a ver la muerte de cerca. Obviamente, usted sí.

—¿Qué quiere decir?

—El robo al furgón blindado fue un baño de sangre, se mire como se mire. ¿Cómo se sintió al disparar a aquellos chicos?

—Estaba haciendo mi trabajo.

—Vuélvame a contar cómo fue el robo.

—Ha leído los informes.

—Usted declaró que había un todoterreno aparcado junto al furgón blindado, pero en la grabación de la comunicación original por radio no se habla de ningún todoterreno.

—Estaba aparcado al otro lado del furgón. Al principio no lo vimos.

—Suena verosímil —comenta Desiree.

—¿Verosímil? ¡Es la pura verdad!

Desiree oculta el placer que siente al haberle encontrado las cosquillas al *sheriff*.

—Esperaba poder hablar con Lewis y Fenway.

—Ya no son funcionarios del condado.

—Me gustaría que me ayudase, que me diera sus números de teléfono o sus direcciones de contacto.

Se hace un silencio momentáneo. Desiree echa un vistazo por la ventana: el polvo y el humo de un incendio distante han difuminado la luz, dándole una tonalidad dorada.

—Puedo darle la dirección de Lewis. ¿Tiene papel y lápiz? —pregunta Valdez.

—Sí.

—Cementerio de Magnolia, Beaumont, condado de Jefferson, Texas.

—¿Cómo?

—Murió en un accidente de ultraligero.

—¿Cuándo?

—Hace seis o siete años.

—¿Y Fenway?

—Lo último que sé de él es que abrió un garito en los cayos de Florida.

—¿Dirección?

—No la sé.

—¿Y un nombre?

—Creo que él lo llamaba «el garito».

Su sarcasmo hace que se active algo en Desiree.

—¿Qué pasó con la grabación de la cámara del salpicadero?

Valdez vacila, pero se recupera.

—¿Grabación? —pregunta, presionando la mandíbula inferior.

—En las fotografías de la escena del crimen se ve una cámara en el salpicadero de su coche patrulla. No pude encontrar referencia alguna a una grabación.

—La cámara no funcionaba.

—¿Por qué?

—Una de las muchas balas que dispararon hacia nosotros debió de averiarla.

—¿Es esa la explicación oficial?

Valdez parece masticar una bola de cólera, dándole vueltas en la boca como si fuera un escupitajo. Sonríe forzadamente.

—No sé nada sobre la explicación oficial; no presté demasiada atención. Supongo que estaba demasiado ocupado esquivando las balas que me estaban disparando unos hombres que querían matarme. ¿Le han disparado alguna vez, agente especial? —No espera a que responda—. No, supongo que no. La gente como usted vive en una especie de aislamiento privilegiado, en sus torres de marfil, lejos de los hechos y del sentido práctico del mundo real. Llevan una pistola y una placa, y persiguen a criminales de guante blanco, defraudadores de impuestos, fugitivos federales... Pero no saben lo que es enfrentarse a un adicto al crac con un machete o a un camello con una semiautomática. Nunca han trabajado en primera línea ni han tratado con la escoria. Nunca han tenido que arriesgar la vida por un colega o por un amigo. Cuando haya hecho algo así, podrá venir a criticar mis acciones o mis motivaciones. Hasta entonces, ya se puede ir largando de aquí.

Valdez está de pie. Tiene los músculos del cuello hinchados y perlas de sudor en la frente. El teléfono de su escritorio está sonando. Lo coge de malas maneras.

—¿Qué quieres decir? Yo no los llamé. ¿Y la escuela lo dejó marchar? —Echa una mirada a Desiree—. Muy bien, de acuerdo, cálmate. Vuélvemelo a contar. ¿Cuándo fue la última vez que viste tu teléfono? Eso quiere decir que probablemente te lo robaron. Cálmate, le encontraremos. Sí, ya lo sé... Todo irá bien. Voy a llamar a la escuela. ¿Dónde estás? Voy a enviar un coche patrulla a recogerte.

Baja el teléfono, tapando el micrófono.

—Alguien llamó a la escuela de mi hijo fingiendo que era yo.

—¿Cuándo fue eso?

—Hace cuarenta y cinco minutos.

—¿Y dónde está su hijo ahora?

—No lo saben.

46

$\mathcal{A}$udie toma la Autopista Sur, atravesando los suburbios de Houston hacia el condado de Brazoria. En el lago Jackson gira hacia el oeste en la 614 hacia East Columbia. Delante de él hay una camioneta oxidada con un adhesivo en el parabrisas trasero: SECESIÓN O MUERTE: PATRIOTA DE TEXAS. El conductor tira un cigarrillo, que rebota en el asfalto, lanzando una lluvia de chispas.

Casi todas las granjas tienen un aspecto pulcro y próspero. Los campos están cuajados de girasoles, algodón y los tallos rotos del maíz después de cosechado. Pasan junto a silos, molinos de viento, graneros y tractores; las personas siguen con sus vidas cotidianas, ajenos a un Camry de lo más ordinario con un hombre y un chico adolescente en su interior.

Una o dos veces, Audie echa un vistazo a Max, a la saliva seca en las comisuras de los labios y a los ojos enrojecidos. El chico está asustado: no entiende nada. ¿Cómo iba a entender? Los niños suelen crecer creyendo que el mundo es de una determinada manera. Escuchan cuentos y ven películas de las que dejan buenas sensaciones, en las que los huérfanos encuentran una familia y los perros perdidos dan con un nuevo hogar. Son historias con una moraleja: a las buenas personas les pasan cosas buenas y el amor siempre encuentra el camino. Pero, para muchos niños, la realidad no es tan bonita y sana, porque aprenden sobre la vida a través de una correa, un bastón o un puño cerrado.

Audie tenía un tío por parte de madre al que le gustaba sentarle en el regazo en las reuniones familiares. Le hacía cosquillas con una mano y al mismo tiempo le clavaba el pulgar en las costillas hasta que el chico pensaba que se iba a desmayar de dolor.

—Fíjate —decía su tío—, el pobre no sabe si reír o llorar.

Nunca había entendido por qué su tío le hacía daño ni qué placer obtenía de ello. Ahora mira a Max y espera que no haya tenido que aguantar a tíos sádicos ni a matones en la escuela, a gente que se ceba con los débiles.

Dos horas después de salir de Conroe, llegan a Sargent, que es poco más que un puñado de casas dispersas a lo largo del arroyo de Caney, que discurre durante kilómetros en amplias curvas hasta llegar a la costa del golfo. Por carretera, el viaje es casi en línea recta, hasta que el asfalto pasa por encima de un puente giratorio y se interrumpe de golpe en la playa de Sargent.

Al llegar a la intersección, Audie gira hacia el este por Canal Drive, siguiendo la carretera de un solo carril, que está cubierta de grietas provocadas por el calor y que, en algunos tramos, se llega incluso a desmenuzar. La carretera continúa frente al mar a lo largo de otros cinco kilómetros. Poco a poco, el número de casas empieza a reducirse. La mayoría de ellas son residencias de vacaciones construidas sobre pilares, pues las mareas y las tormentas hacen subir el mar casi hasta el nivel del suelo. Tienen los postigos cerrados por el invierno, los mástiles de bandera desnudos y los muebles de exteriores almacenados en el interior, atados. Las barcas aguardan en cobertizos o reposan ancladas en los patios delanteros.

A la izquierda, flanqueando la carretera, hay un gran canal, el Intracostero, a lo largo del cual circulan barcazas de dragado y cruceros de placer. Más hacia el interior hay ciénagas y kilómetros de praderas sin árboles y humedales salpicados de charcas poco profundas y estrechos cursos de agua. En la extraña luz crepuscular, Audie ve una bandada de patos volando en formación de V, como una flecha que señalase hacia costas lejanas.

En el lado contrario de la carretera, la playa, larga y plana, se ve punteada de montoncitos de algas y cruzada por huellas de neumáticos. Sale del coche y observa la playa vacía. La luz languidece y el aire tiene el color del agua sucia. Se acerca al lado del copiloto y abre la puerta.

—¿Por qué nos hemos parado? —pregunta Max.

—Voy a buscar un sitio donde dormir esta noche.

—Quiero irme a casa.

—No te va a pasar nada. Será como quedarse a dormir en casa de un amigo.

—¿Es que crees que tengo nueve años?

Audie le ata las manos con un rollo de cinta americana y lo empuja suavemente, señalando hacia la playa.

Se acercan a una casa oscura, protegida de la vista por dunas de arena, maleza y árboles bajos. Encogido en un hueco por encima de la línea de la marea, observa durante diez minutos, esperando alguna señal de actividad.

—Tienes que prometerme que te quedarás aquí en silencio. No trates de huir o tendré que encerrarte en el maletero.

—No quiero que me meta en el maletero.

—De acuerdo. No tardaré.

Max pierde de vista a Audie en la penumbra y espera sentir alivio por ello, pero lo que le sucede es lo contrario. No le gusta la oscuridad, la forma como amplifica el sonido de los insectos, su propia respiración o el rumor de las olas rompiendo contra la orilla. Mirando más allá de la playa ve luces en el mar, que podrían ser un barco o una plataforma petrolera, algo que se mueve muy lentamente o que no se mueve en absoluto.

¿Por qué no le asusta más este hombre? Una o dos veces ha echado una ojeada furtiva a Audie, estudiando a escondidas su rostro, tratando de averiguar qué convierte a una persona en un asesino, como si pudiese verlo en sus ojos o escrito en su frente. Debería ser obvio: odio, sed de sangre, ansia de venganza.

Durante todo el trayecto en coche, Max ha estado tomando notas mentales de los carteles y de los puntos de referencia, rastreando su posición por si tiene la oportunidad de llamar a la policía. Al salir de Houston se dirigieron al sur; luego giraron hacia el oeste a través de Old Ocean y Sugar Valley hacia Bay City. Audie había intentado iniciar una conversación, preguntándole por sus padres.

—¿Por qué lo quiere saber?

—Me interesa. ¿Te llevas bien con tu padre?

—Bueno, supongo que sí.

—¿Hacéis cosas juntos?

—A veces.

No mucho. Ya no.

Ahora, agazapado en la oscuridad, oyendo las olas, Max trata de recordar un tiempo en el que se sintiese cercano a su padre. Podría haber sido distinto si Max hubiera jugado al béisbol o al baloncesto, o si le gustasen las carreras de ciclocrós. Ni siquiera se le daba bien el monopatín, y más si se comparaba con Dean Aubyn o Pat Krein, que estaban en su clase del instituto. Max no tenía mucho en común con su padre, pero ese no era el principal motivo de que se hubiesen alejado. Lo que no podía soportar eran las discusiones. No las suyas, sino las que oía por la noche mientras estaba tumbado en la cama, inmóvil.

«¡Deberías haberte visto, flirteando con él! ¡Increíble! Sé lo que vi. ¿Celoso, yo? Jamás. ¿Por qué iba a estar celoso de una perra frígida y estéril como tú?»

Estas peleas terminaban con lanzamiento de objetos, con portazos y, a veces, con lágrimas. A Max le parecía que su padre estaba convencido de que su mujer y su hijo eran unos ingratos, quizás incluso indignos, pero las discusiones no solían durar hasta la mañana siguiente. Para la hora del desayuno las cosas habían vuelto a la normalidad; su madre preparaba la comida de su padre y se despedía de él con un beso.

Max los echa de menos a los dos y quiere que venga su padre. Se imagina un convoy de coches de policía con las luces rotatorias en marcha y las sirenas aullando, lanzados a toda velocidad por la carretera en su busca, mientras las aspas de un helicóptero retumban en el aire y un equipo de SEAL de la armada desembarca en la playa en barcas hinchables. Durante un momento escucha con atención, pero no oye sirenas, helicópteros o barcas. Con cuidado, empieza a moverse por el camino, mirando por encima del hombro, preguntándose si Audie lo estará vigilando. Llega al coche y hace una breve pausa, sorbiendo la oscuridad. La carretera aún está cien metros más allá. Puede indicarle a un coche que pare, dar la alarma.

Echa a correr, casi como en un galope de caballo, porque tiene las muñecas atadas y no puede balancear libremente los brazos. De repente, tropieza con algo y cae con la cara contra la arena.

—Eso ha sido un verdadero ensayo de cara —dice Audie, saliendo de detrás de una valla, apoyando la escopeta en el hombro.

Max escupe arena.

—Dijo que no me haría daño.

—Dije que no quería hacerte daño.

Audie lo ayuda a ponerse de pie y le sacude la arena. Irritado, Max le aparta las manos; no quiere que lo toque. Vuelven al camino y se acercan a la casa desde la playa; suben los escalones de una terraza en la parte de atrás, con vistas al océano. La pintura y el barniz de la barandilla y los barrotes han desaparecido por la combinación de sal, viento y luz solar.

Después de comprobar los postigos y las puertas exteriores, Audie se envuelve el antebrazo con el abrigo y rompe de un codazo un pequeño panel de cristal cuadrado que hay encima de la manija. Mete la mano, quita el pestillo y empuja la puerta para abrirla mientras advierte a Max que tenga cuidado con los cristales rotos. Le dice que se siente a la mesa de la cocina y recorre la casa rápidamente, buscando en todas las habitaciones. La casa huele a moho y da sensación de cerrada. Los sofás están cubiertos con sábanas; las camas no tienen ropa de cama y están tapadas con plásticos.

Audie encuentra un revistero con mapas y periódicos viejos de hace tres meses. Hay fotografías de una familia en la repisa de la chimenea y en algunos de los dormitorios. Padre, madre, tres niños. Bebés que se transforman en adolescentes a lo largo de una década o más.

Pone en marcha el frigorífico y examina los armarios para ver si hay alguna conserva. Sin encender la luz, abre un postigo en el lado de la casa que da al mar y mira hacia el golfo, hacia las plataformas petroleras que podrían ser ciudades flotando en el aire.

Max no ha dicho ni una palabra. Audie encuentra sábanas guardadas en arcones y enciende la luz piloto del calentador de agua.

—Tardará unas horas en calentarse. Quizá tengamos que ducharnos por la mañana. Hay algo de ropa en el armario.

—No es nuestra.

—Eso es verdad —contesta Audie—. Pero a veces la necesidad nos obliga a romper las normas.

—¿Es necesario que esté atado?

Audie reflexiona. En uno de los dormitorios ha visto una pandereta en un estante. La trae a la cocina, le ordena a Max que se ponga de pie y ata el instrumento con cinta entre las rodillas del joven. No puede moverse sin que suene un tintineo.

—Quiero que te sientes en ese sillón. Si oigo que te mueves, te ataré las manos y los pies. ¿Entendido?

Max asiente.

—¿Tienes hambre? —pregunta Audie.

—No.

—Bueno, voy a preparar algo de todos modos. Puedes comer si quieres.

Descubre una caja de *fusilli* en la despensa y vuelca el contenido en una cacerola de agua hirviendo. Luego da con una lata de tomate, hierbas aromáticas, polvo de ajo y condimento. Max lo mira cocinar. Comen en silencio en la mesa de la cocina.

333

El único sonido es el tintineo ocasional de la pandereta y el de los tenedores rascando en los platos.

—No soy muy buen cocinero. No he podido practicar demasiado.

Max empuja el plato hacia el centro de la mesa. Se aparta el flequillo de los ojos con un movimiento de la cabeza y mira las cicatrices que se entrecruzan en los antebrazos de Audie.

—¿Se las hizo en la cárcel? —pregunta al cabo de otro minuto de silencio.

Audie asiente.

—¿Cómo?

—A veces las personas tienen desacuerdos.

Max señala el dorso de la mano derecha de Audie; hay una cicatriz desde la base del pulgar a la muñeca.

—¿Cómo se la hicieron?

—Con un cuchillo improvisado, hecho con un cepillo de dientes fundido.

—¿Y esa?

—Navaja de barbero.

—¿Cómo consiguieron una navaja?

—Uno de los guardias debió de meterla a escondidas.

—¿Por qué iba a hacer una cosa así?

Audie lo mira con tristeza.

—Para matarme.

Mientras lavan los platos en la pila, Audie mira por la ventana y estudia el cielo.

—Puede que tengamos tormenta esta noche. Pero, si mañana despeja, podríamos ir de pesca. —Max no responde—. Supongo que sabes pescar, ¿no? —Se encoge de hombros—. ¿Y cazar?

—Mi padre me llevó una vez.

—¿Adónde?

—A las montañas.

Audie piensa en Carl y en sus excursiones de caza cuando eran adolescentes. Carl era impasible: cuando disparaba, no mostraba emoción alguna, ni siquiera un parpadeo. Patos,

ardillas, ciervos de cola blanca, palomas, conejos, gansos...
Su rostro era siempre como una máscara, mientras que cualquier cosa que Audie cazase temblaba por su nerviosismo y
sangraba por su angustia.

—¿Me va a disparar? —pregunta Max.

—¡¿Qué dices?! ¡No!

—¿Qué hago aquí?

—Quería que fuésemos amigos.

—¡¿Amigos?!

—Eso es.

—¡Joder, está chalado!

—No hace falta decir palabrotas. Tenemos mucho en
común.

Max se burla con desdén.

—¿Has estado alguna vez en Las Vegas? —pregunta Audie.

—No.

—Yo me casé en Las Vegas, hace once años. Me casé con la
mujer más guapa... —Hace una pausa, recordando el momento con una sonrisa amarga—. Fue en una de esas capillas
que salen en las revistas.

—¿Cómo la capilla de Elvis Presley?

—No fue esa —contesta Audie—. Se llamaba Capilla de las
Campanas, en Las Vegas Boulevard. Tenían un «Servicio Sí
Quiero» que costaba ciento cuarenta y cinco dólares, con mú-
sica y un certificado de matrimonio. Fuimos de compras antes.
Yo pensaba que lo que ella quería era comprar un vestido, pero
estaba buscando una ferretería.

—¿Por qué?

—Compró dos metros de cuerda suave y me pidió que buscase trece monedas doradas y se las diese. «No tienen que ser
de oro de verdad. Son símbolos», me dijo.

—¿Símbolos de qué? —pregunta Max.

—Se suponía que representaban a Jesús y sus discípulos
—responde Audie—. Y, al darle a ella las monedas, le decía que
la cuidaría a ella y a su hijo.

—¿Hijo? No había dicho nada de un hijo.

335

—¿No? —Audie se pasa el dedo por una de las cicatrices del antebrazo—. Fue mi padrino. Llevaba el anillo de boda.

Max no responde, pero por un momento Audie cree que el adolescente podría recordar. El momento pasa.

—¿Cómo se llamaba?

—Miguel: es Michael en español. —De nuevo, nada—. Durante la ceremonia, Belita hizo un nudo con el cordel alrededor de mi muñeca y luego ató la suya. Dijo que significaba nuestro lazo infinito, porque en aquel momento nuestros destinos quedaban ligados entre sí.

—Suena bastante supersticioso —opina Max.

—Si —dice Audie, mientras los primeros destellos distantes de los relámpagos empiezan a disolver las sombras—. Supongo que ella era supersticiosa, pero no creía que las cosas fueran malas, solo las personas. Un lugar no podía estar manchado, solo un alma.

Max bosteza.

336 —Deberías dormir un poco —dice Audie—. Mañana será un gran día.

—¿Qué va a pasar?

—Te voy a llevar de pesca.

47

*H*ay coches patrulla de la policía aparcados en el exterior de la casa de Valdez, y coches sin marcas en ambos lados de la calle. Los detectives recorren el vecindario puerta por puerta y un equipo forense ha tomado huellas dactilares y muestras de cabellos del dormitorio de Max.

Hay una discusión a voces en la cocina. Acusaciones y recriminaciones.

—No estamos seguros de que fuese Audie Palmer —dice Desiree, tratando de calmar los ánimos.

—¿Quién va a ser si no? —dice Valdez.

—Ya nos ha amenazado antes —añade Sandy, secándose los ojos con un pañuelo de papel.

—¿Cómo la amenazó?

—Apareciendo por casa, claro… Y hablando con Max.

Desiree asiente y mira hacia Senogles, que está sentado en un taburete, tocándose la barbilla, haciendo el papel de hombre prudente.

—Eso no explica por qué iba a secuestrar a Max —dice Desiree.

Sandy pierde la paciencia.

—¿Es que no ha prestado atención? Fue Ryan quien le disparó, lo arrestó e hizo que lo encerraran.

—De acuerdo, lo entiendo, pero aun así no tiene sentido. —Desiree prueba desde otro enfoque—. ¿Qué edad tiene Max?

—Acaba de cumplir quince años.

—¿Le dijo alguna vez a Palmer que tenía un hijo? —Valdez niega con la cabeza—. ¿Tuvo algún contacto o correspondencia con Palmer después de su condena?

—No. ¿Adónde quiere ir a parar?

—Estoy tratando de averiguar por qué Palmer vino por aquí el domingo pasado. Y, si Max era el objetivo, ¿por qué no se lo llevó el primer día? ¿Por qué esperar hasta ahora?

Valdez pestañea con furia, mirándola.

—¡Ese tipo está chalado! ¡Tiene daños en el cerebro!

—No según el psiquiatra que le trató en la cárcel. —Desiree intenta mantener la calma y el equilibrio en la voz—. ¿De qué habló con Max?

—¿Qué importancia puede tener eso?

—Estoy tratando de establecer sus motivos.

Valdez hace un gesto con las manos hacia arriba.

—Deberíamos haber tenido protección. Ustedes nos deberían haber proporcionado una casa segura.

Senogles responde.

—Yo te habría dado protección, Ryan, pero tú no la pediste.

—Entonces ¿es culpa mía, Frank?

—Dijiste que tú podrías hacerte cargo.

Los dos se miran fijamente. Desiree se pregunta cuándo empezaron a llamarse por el nombre de pila; puede que durante la investigación original.

—Max nunca debió haber ido a la escuela —interviene Sandy, sollozando con el rostro hundido en el pecho de su marido—. Es culpa mía; debí haberte escuchado.

Valdez la rodea con el brazo.

—No es culpa de nadie. Lo vamos a traer a casa sano y salvo. —Echa una mirada en dirección a Senogles—. Díselo tú, Frank.

—Haremos cuanto esté en nuestras manos. —Senogles se pone de pie y se frota las manos—. Muy bien, esto es lo que sabemos: los teléfonos móviles de Sandy y de Max estuvieron transmitiendo durante diez minutos después de que Max saliera de la escuela. La última señal localizada fue en la Interestatal 45, unos veintiséis kilómetros al norte de Woodlands. Estamos estudiando grabaciones de las cámaras de la Interestatal y del centro comercial para ver si podemos identificar el vehículo que Palmer conduce. Cuando lo sepamos, podremos rastrear sus movimientos en las cámaras de tráfico y acotar el área de búsqueda. —Mira hacia Sandy—. Necesitamos una fotografía reciente de Max para facilitársela a los medios. También es posible que decidamos montar una conferencia de prensa. ¿Estaría dispuesta a hacer una declaración?

Sandy mira a su marido.

—Puede generar más repercusión —explica Senogles—. «La emotiva petición de la familia: por favor, devuélvanos a nuestro hijo.» A eso me refiero.

—¿Tiene Max algún problema de salud? ¿Alergias? —pregunta Desiree.

—Es asmático.

—¿Medicación?

—La lleva encima.

—¿Sabe su grupo sanguíneo?

—¿Qué importancia tiene eso?

—No es más que una precaución —explica Desiree—. Informamos al personal de ambulancias y a los médicos para que estén preparados.

Sandy solloza de nuevo y Valdez lanza una mirada poco amable a Senogles.

—Llévatela de aquí, Frank.

Senogles indica a Desiree la puerta deslizante y la acompaña al patio. Una vez solos, se da la vuelta y contempla la piscina, el rostro bañado en el extraño resplandor azul de las luces sumergidas.

—Creo que está tratando a esta gente como si fuesen culpables de algo.

—No estoy de acuerdo.

—También creo que Audie Palmer la pone cachonda.

¿Tengo razón o no? ¿La excitan los asesinos hijos de puta, agente especial?

—¿Quién se ha creído que es para decirme algo así?

—Soy su maldito jefe, y creo que ya es hora de que empiece a aceptarlo.

Desiree está de pie apartada de la luz, el cabello cubriéndole las mejillas, los ojos brillantes en la penumbra.

—Audie Palmer no tiene daños en el cerebro. Posee una inteligencia superior, casi se sale de la escala. ¿Por qué arriesgarse a volver aquí si tiene todo ese dinero del robo a su disposición? ¿Por qué arriesgarse a secuestrar al hijo de un *sheriff*? No tiene ningún sentido. A menos que…

—¿A menos que qué?

Desiree hace una pausa y da un soplido hacia arriba, moviendo un mechón de pelo que tiene sobre la frente.

—¿Y si no hubo ningún cuarto hombre? ¿Y si fue la policía la que se llevó el dinero?

—¿Cómo?

—Escúcheme, por favor.

Senogles espera.

—Imagínese por un momento que Palmer y la banda asaltasen el furgón, pero que la policía tropezase con ellos antes de que pudieran descargar el dinero. Hubo una persecución a gran velocidad, un tiroteo, la banda está muerta. El dinero estaba allí para quien se lo quisiera llevar.

—¿Y Audie Palmer?

—Formaba parte de la banda.

—Los habría acusado.

—Le dispararon. No esperaban que viviese.

—Pero vivió.

—A lo mejor por eso regresó; para que le dieran su parte.

Senogles menea la cabeza y se pasa el pulgar y el índice por los labios.

—Aunque lo que dijese fuera cierto (y no lo es), Palmer se habría puesto en contacto con su abogado y habría tratado de llegar a un acuerdo.

—Quizás eso fue exactamente lo que hizo; le cayeron diez años cuando podría haber sido peor.

—No los diez años que se pasó en prisión. Fueron muy difíciles para él.

Desiree intenta discutir, pero Senogles la interrumpe.

—Está hablando de una conspiración en la que estarían implicados agentes de policía, la oficina del fiscal del distrito, el abogado de la defensa, el forense y quizás incluso el juez.

—Quizá no —responde Desiree—. Se pierde un expediente, se modifican los cargos.

Levantando un pie, Senogles se frota la punta del zapato contra la pernera del pantalón.

—¿Es consciente de lo que está diciendo? —pregunta, con la voz temblando de ira—. Audie Palmer es un asesino desalmado y usted está intentando disculparlo. Por si lo ha olvidado, se declaró culpable. Admitió el crimen. —Senogles carraspea y escupe una flema en el jardín—. Usted piensa que la trato con dureza, agente Furness, y he aquí la razón: yo hablo de hechos y usted habla de fantasías. Madure: ya no tiene siete años ni está jugando con Mi Pequeño Poni. Esto es la vida real. Ahora quiero que entre y les diga a esa buena gente que haremos cuanto esté en nuestra mano para recuperar a su hijo.

—Sí, señor.

—No la he oído.

—¡Sí, señor!

48

*L*a tormenta estalla en las primeras horas de la mañana, barriendo el golfo, lanzando lluvia y sal contra las ventanas y haciendo soplar un viento helado por debajo de las puertas y a través de las grietas entre las tablas de madera del suelo. Los relámpagos perfilan durante un instante las nubes lejanas. De niño, a Audie le encantaban las noches así, tumbado en la cama, escuchando las gotas de lluvia repiquetear contra las ventanas y el agua borbotear en los canalones. Ahora duerme en el suelo porque su cuerpo se ha acostumbrado a las superficies duras y a las mantas delgadas.

Durante un largo rato observa dormir al chico, preguntándose en qué estará soñando. ¿Estará visitando a chicas complacientes, bateando *home runs* o marcando *touchdowns* para lograr la victoria?

De niño, a Audie le dijeron que podía ser lo que quisiera: bombero, policía, astronauta, incluso presidente... A los nueve años quería ser piloto de caza, pero no como Tom Cruise en *Top Gun*, que parecía participar más en un videojuego que en una batalla. Él quería ser el barón Von Richthofen, el legendario as del aire alemán. Tenía un cómic sobre el Barón Rojo: una viñeta en concreto se le quedó clavada en la memoria. En ella, el barón saludaba solemnemente a un Sopwith Camel en llamas que se precipitaba humeando contra el suelo. En lugar de una mirada triunfante, parecía lamentar la pérdida de un oponente valeroso.

Cuando Audie, finalmente, se duerme, sueña con un viaje de Las Vegas a Texas, pasando por Arizona y las montañas de Nuevo México. Se paraban en los lugares turísticos del camino, como el museo de los Niños de Phoenix, el castillo de Montezuma cerca de Camp Verde y las cavernas de Carlsbad en las montañas de Guadalupe. Pasaban dos noches en un rancho hotel en Nuevo México, donde montaban a caballo y reunían reses. Audie le compraba a Miguel un sombrero de vaquero y un revólver de juguete con una pistolera de cuero falso.

Generalmente se alojaban en moteles de carretera o en cabañas en zonas de acampada. A veces Miguel dormía tumbado entre los dos; en otras ocasiones, tenían una segunda cama. Belita se despertaba una mañana y abofeteaba a Audie.

—¿Por qué has hecho eso?

—He soñado que te ibas —contestó ella.

—¿Cómo?

—He soñado que me despertaba y te habías ido.

Audie la rodeó con los brazos y apoyó la cabeza en su estómago, oliendo el algodón limpio de su camisón. Ella cruzó los brazos, se levantó el camisón y se quedó desnuda. Luego puso la mano de él donde más le gustaba e hicieron el amor lentamente. Cuando llegó el momento, Belita se agarró como si él pudiera impedir que se cayese.

—¿Me querrás siempre? —preguntó.

—Siempre.

—¿A que soy una buena esposa?

—La mejor de todas.

El quinto día cruzaron la frontera del estado y entraron en Texas. El cielo estaba cruzado por pálidas estelas, aviones de reacción tan lejanos que no podían verse. Miguel estaba más hablador, se reía con las bromas de Audie y le gustaba montar sobre sus hombros. Por la noche quería que Audie le leyese cuentos.

A Belita no le importaba. Los miraba a los dos, sin relajarse nunca del todo, comprobando continuamente la cadena de seguridad de la puerta. Solo desconectaba del todo cuando dormía, con una respiración tan débil que Audie presionaba los dedos con suavidad en su cuello para poder sentir la sangre circulando debajo de su piel, con la fluidez de una canción.

Hasta aquel momento, Audie no creía posible que alguien pudiese morir de amor. Pensaba que era una fantasía inventada por poetas y escritores como John Donne o Shakespeare, pero ahora comprendía lo que querían decir con aquel sufrimiento, y no habría cambiado los placeres que obtenía con él por nada del mundo.

Fuera, el viento arrecia, sacudiendo las ventanas. El aire se parte con el resplandor del relámpago y el trueno casi simultáneo. Max se levanta de repente, se sienta y salta fuera de la cama, chocando contra la puerta del armario. Audie lo atrapa y lo alza como si levantara torpemente unas pesas. Lo abraza, sosteniéndolo en el aire porque sus pies aún se mueven como si estuviera corriendo, la pandereta tintineando entre las rodillas.

Max está tosiendo y boqueando, como si tratase de dar mordiscos y tragar aire más rápido.

—¿Estás bien?

No puede responder.

Audie deja al chico en la cama. Tiene el rostro pálido y sudoroso, el pecho tenso, los labios con un tono azulado.

—¿Dónde tienes el inhalador contra el asma?

Agarra la mochila de Max y rebusca en los bolsillos. El chico ha empezado a respirar con dificultad.

—Trata de relajarte. Respira poco a poco —dice Audie.

Inclina la mochila y la agita para vaciarla. El inhalador rebota contra el suelo. Audie se pone a gatas, lo coge, lo agita con fuerza y mete la boquilla entre los labios y los dientes de Max. El chico no reacciona.

—Venga, tómatelo.

Max gira la cara.

—No me hagas esto —suplica Audie.

Le agarra la cabeza, le mete el inhalador entre los labios, presiona. Espera a que Max inhale y luego le pellizca la nariz, forzándolo a que aguante la respiración.

Finalmente, deja que respire con normalidad. Max se relaja, su pecho se afloja. Tiene los ojos cerrados y las mejillas húmedas.

—Quiero irme a casa.

—Ya lo sé.

Los truenos retumban sobre sus cabezas.

—Odio las tormentas.

—Siempre ha sido así, desde que eras pequeño —dice Audie.

—¿Cómo lo sabe?

Audie suspira. Le da miedo continuar. Quizá no tiene otra opción. Max se sienta, se apoya contra el cabezal. Respira normalmente.

—Sabía que era asmático.

—Sí.

—¿Cómo?

Cerrando los ojos, Audie aún recuerda el lugar, un motel de carretera en las afueras de Thoreau, Nuevo México, uno de esos complejos de bloques de hormigón de un solo piso, construidos de forma que pudieras aparcar delante de tu habitación.

El aparcamiento estaba lleno de tráileres, camionetas cuatro por cuatro, autocaravanas y *roulottes*. La recepcionista se movía y hablaba como si funcionase con baterías acabadas de recargar, aunque era medianoche.

—Metan a ese pequeño en la cama —les dijo—. El desayuno se sirve hasta las diez. Tenemos piscina, pero puede que el agua esté un poco fresca antes de mediodía.

Audie llevó a Miguel a la habitación y lo dejó en la cama más pequeña. Se maravilló de lo frágil que parecía, de su forma perfecta. La habitación estaba a veinte metros de la autopista; las luces de cada coche que pasaba recorrían las paredes, y los camiones hacían temblar las lámparas y sonaban como si fueran a atravesar la pared.

Sin embargo, a pesar del ruido, durmieron. Cada nuevo día los alejaba aún más de California, pero no se podían quitar de encima la sensación de que Urban Covic los estaba buscando.

En cierto momento, Audie se despertó con el ruido de un débil grito. Miguel se estaba sacudiendo en mitad de una pesadilla; su pecho se elevaba y se comprimía como si tuviese que luchar por cada bocanada de aire. Belita sacó un inhalador para el asma del bolso y le puso a Miguel una máscara sobre la boca y la nariz, sosteniéndola hasta que la medicación llegó a lo más profundo de los pulmones del niño. Luego lo apoyó sobre su pecho y lo meció, arrullándolo mientras él sollozaba con la cabeza en el cuello de ella. Finalmente, se quedó dormido, hecho un ovillo, el rostro iluminado por los coches que pasaban.

—Tienes que prometerme una cosa —dijo Belita más tarde, descansando la cabeza en el pecho de Audie.

—Lo que sea.

—No quiero lo que sea: quiero una cosa concreta.

—De acuerdo.

—Prométeme que cuidarás de Miguel.

—Cuidaré de los dos.

—Pero, si me sucede alguna cosa…

—No te va a suceder nada. No seas tan ceniza.

—¿Qué significa eso?

Audie trató de explicárselo, pero no se le ocurrió ninguna palabra en su idioma. Belita le dijo que se callase.

—Prométemelo por tu vida. Por la vida de tu madre. Poniendo a Dios por testigo. Prométeme que, si me sucediera algo, tú cuidarías de Miguel.

—No creo en Dios —bromeó Audie.

Ella le pellizcó el labio inferior hasta hacerle daño.

—Prométemelo.

—Te lo prometo.

El viento sopla en rachas furiosas, haciendo temblar las paredes. Max está sentado contra el cabezal, esperando a que Audie responda a sus preguntas, pero este mantiene el silencio, con los ojos cerrados, temblando mientras recuerda. El joven casi lo siente por él, sin poder explicarse el motivo. Es como si estuviera roto por dentro. No, está atrapado; es como un conejo atrapado en una trampa, golpeando el suelo con las patas, luchando contra el cable que cada vez presiona más fuerte.

—¿Qué día naciste? —pregunta Audie.

—El 7 de febrero.

—¿De qué año?

—De 2000.

—¿Dónde naciste?

—En Texas.

—¿Cuál es la primera cosa de la que te acuerdas?

—¿Qué quiere decir?

—Tu primer recuerdo.

—No lo sé.

—¿Has vivido siempre en la misma casa?

—Sí.

—¿Has estado alguna vez en California?

—No.

Audie se baja de la cama y busca su mochila. En uno de los muchos bolsillos hay una fotografía de una mujer de pie debajo de un arco de flores, con un pequeño ramo en la mano. Apenas visible, espiando por entre los pliegues de su vestido, un niño sonríe tímidamente a la cámara. Audie le da la foto a Max.

—¿Sabes quién es? —El chico examina la imagen y niega con la cabeza—. Es mi mujer.

—¿Y dónde está ahora?

—No lo sé.

Audie coge la fotografía, sosteniéndola con cuidado entre el pulgar y el índice; le brillan los ojos. Guarda la fotografía y vuelve a tumbarse en el suelo, donde dormía.

—Me iba a contar de qué me conoce —le recuerda Max.

—Puede esperar hasta mañana.

49

Valdez coge las llaves del coche y sale de su casa, sin hacer caso del tropel de reporteros acumulados en el extremo del camino de entrada. Se dirige hacia el oeste por Magnolia, aún dolido por una discusión con Sandy. Esa mujer tiene una lengua afilada y una mente desconfiada. Primero se culpa a sí misma y al cabo de un instante le está culpando a él.

Las cosas eran menos complicadas cuando era soltero. En aquel tiempo solo tenía que preocuparse de sí mismo; ahora siente como si tuviese una cadena alrededor del cuello y que, por alto que pretendiera volar, un tirón sutil de la muñeca de Sandy lo arrastraría de nuevo hacia el suelo.

Victor Pilkington vive en una mansión con vistas al lago Old Mill. Es una estructura de estilo gótico del sur con galerías rodeándola en ambos pisos, pintada de forma que parece un pastel de bodas. La fachada de estilo colonial sirve de camuflaje a una casa con las últimas tecnologías, con piscina, cine privado y caja de seguridad antibalas que puede hacer las veces de habitación del pánico o de refugio antibombas.

Una mujer negra responde a la puerta. Lleva veinte años sirviendo en casa de los Pilkington, pero no suele hablar a menos que le hablen primero. Algunos empleados domésticos tratan de ganarse a la familia, pero ella se desplaza por la casa como un fantasma que no sabe hacer nada más.

Lleva a Valdez a la sala y, al cabo de unos momentos, se

abren las puertas dobles y su tía Mina entra en la habitación, agitando un camisón largo. Es la hermana mayor de su madre; cuarenta y pico años, figura escultural pero con los bordes suavizados. Lo rodea con los brazos y solloza.

—Lo siento mucho. He oído las noticias. Es horroroso, simplemente horroroso. —No quiere dejarlo ir—. ¿Cómo está Sandy? ¿Aguantando? La quería llamar, pero ¿qué le puedo decir? —Baja las manos de los hombros a los antebrazos—. Max es un chico muy guapo. Seguro que no le pasa nada. La policía lo encontrará y atraparán a ese hombre terrible.

Valdez tiene que hacer fuerza para soltarse.

—¿Dónde está Victor?

—En su oficina. —Desvía la mirada hacia las escaleras—. Ninguno de nosotros podía dormir. Anda, sube.

Pilkington está viendo boxeo en un canal de pago por visión. Se inclina hacia delante en un gran sillón de cuero, moviendo los hombros como si estuviese lanzando puñetazos. «¡Vamos, dale, pedazo de marica!» Hace un gesto indicando a Valdez que se siente, sin quitar la vista de la pantalla, y añade: «Respira hondo, Ryan. No entres aquí enfadado».

—¿Se puede saber qué coño vamos a hacer?

Pilkington no le hace caso.

—¿Sabes cuál es el problema de los boxeadores hoy en día? Que no están dispuestos a meterse en materia y que les hagan daño. Por ejemplo, este muchacho. Es puertorriqueño y podría tener una oportunidad con Pacquiao, pero la única forma de que dure más de dos asaltos contra Manny es acercándose y recibiendo un poco de castigo.

—¿Has oído lo que he dicho?

—Te he oído.

Pilkington se levanta, se despereza, se sirve un café de una cafetera sin ofrecerle nada a Valdez. Aunque solo se llevan quince años, Pilkington es su tío por parte de madre. La edad no lo ha afectado físicamente.

—¿Cómo está esa mujer tan guapa que tienes? —pregunta.

—¡Dios mío! Pero ¿me estás escuchando?

—No utilices el nombre de Dios en vano.

—Nuestro hijo ha desaparecido y tú haces como si no pasara nada.

Pilkington no le hace caso.

—La mujer con la que te casaste es de las que hay que conservar. ¿Sabes cómo lo sé? —Valdez no responde—. Por su olor. —Pilkington echa un terrón de azúcar en el café y lo agita—. Los seres humanos no son tan distintos de los perros. Lo primero que captamos es a través del sentido del olfato. Es un instinto primario, inmediato, potente. ¿Me entiendes?

«No», piensa Valdez, que no entiende nada. Por lo que a él respecta, a Pilkington se lo puede follar un pez, mientras se mantenga alejado de Sandy y lo ayude a encontrar a Max.

El combate ha terminado: el chico puertorriqueño ha perdido. Pilkington apaga el televisor y se acerca con el café a la ventana, en la que hay un telescopio antiguo apuntado al edificio de delante.

—Es culpa tuya.

—¿Cómo?

—Palmer. Deberías haberte encargado del problema cuando tuviste la oportunidad.

—¡¿Crees que no lo intenté?! La mitad de la escoria de la cárcel recibió dinero para matarlo.

—Tus excusas no valen ni una mierda, Ryan. ¿Qué creías que iba a suceder cuando Palmer saliera? ¿Pensabas que se iba a comprar un chaleco de rombos y se iba a poner a jugar al golf?

—No creo que tengas derecho a darme sermones.

—¿Cómo?

—No me gustan los sermones.

—Ah, ¿no?

—¿Qué hiciste en la guerra, tío? ¿Cuántos tiros disparaste?

Pilkington coge un pisapapeles con la forma de un oso y lo sopesa en las manos. Valdez aún está hablando, descargando su cólera, la nariz casi en contacto con la del otro hombre.

—No me gusta recibir sermones de una persona que hace que otros le hagan el trabajo sucio y luego se queja de la peste.

Abre la boca para decir algo más, pero no tiene ocasión de hacerlo. Pilkington balancea el brazo, le hunde el pisapapeles en el estómago y lo hace caer de rodillas. Con una velocidad sorprendente para alguien de su tamaño, sostiene el oso de bronce sobre la cabeza de Valdez.

—Para ser un hombre de cierto nivel dices muchas idioteces, Ryan. Sin mí no serías nada: tu trabajo, tu bonita casa, tu cartera de propiedades de las que nadie sabe nada… Todo eso fue cosa mía. Hice que pusieran a Frank al cargo y es él quien te está cubriendo el culo, pero no voy a malgastar ni un céntimo más de mi capital político. Deberías haber silenciado a Palmer cuando tuviste ocasión de hacerlo.

—¿Y ahora qué se supone que debo hacer, eh? —dice Valdez, que aún tiene dificultades para respirar.

—Búscalo.

—¿Yo solo?

—No, Ryan; tienes los recursos combinados de agencias del condado, del estado y de federales. Eso debería bastarte. Y, cuando lo encuentres, me voy a asegurar de que el trabajo se hace en condiciones.

—¿Y mi hijo?

—Reza para que no se ponga en medio.

50

El apartamento de Desiree está en una segunda planta de Houston Heights, enfrente de Milroy Park, al final de un estrecho callejón y subiendo un tramo de escaleras de madera. Según su agente inmobiliario, la superficie es de noventa metros cuadrados, pero ella lo duda cada vez que intenta reorganizar los muebles.

Mientras sube por las escaleras, la asalta la repentina sensación de que se ha olvidado de algo. Comprueba su bolso: llaves, teléfono; no le falta nada.

Al llegar al rellano, se da cuenta de que la puerta está ligeramente abierta. Se queda inmóvil y se pregunta si su madre la habrá venido a visitar. Tiene llave, pero suele llamar primero. Y habría cerrado la puerta, eso desde luego.

¿Quién más tiene llave? Es posible que su casero, el señor Sackville, esté haciendo una inspección. Tal vez esté dentro probándose la ropa interior.

Desiree saca de la funda la semiautomática Glock y considera la posibilidad de dar aviso, pero no está segura de que se trate de una falsa alarma. Imagina las risas si se equivoca; Senogles se lo recordaría toda la vida.

Pone la oreja contra la puerta y escucha por si oye pasos, movimiento o alguna conversación. Si fuese su madre, habría encendido el televisor, al que en casa de sus padres se idolatra como si fuera un dios.

Tras empujar la puerta suavemente con el pie, entra en el pequeño recibidor. Siente la pistola tibia y extrañamente pegajosa en la mano. Al final del pasillo está la sala y una minúscula cocina. El dormitorio queda a la izquierda; el baño, a la derecha. Lleva tres años viviendo en este apartamento, y ahora lo ve diferente. Las sombras se han convertido en escondites; las esquinas, en zonas sin visibilidad.

En primer lugar inspecciona el dormitorio, moviendo la pistola de un lado a otro, mirando detrás de la puerta. En la habitación, larga y estrecha, hay una cama de matrimonio apretada contra la otra esquina, un armario de madera con tocador y un sillón rojo. Todo está tal como ella lo dejó, con la ropa de la tintorería —la chaqueta negra, los pantalones— aún envuelta en plástico, extendida encima de la cama. En la mesita de noche hay un marco antiguo de plata con una fotografía en blanco y negro del día de la boda de sus padres.

Al otro lado del pasillo está el baño. El lavabo está abarrotado de frascos de champú, gel de baño y polvos de talco. Aún hay más productos alineados en el estante de cristal, sobre el que hay un cesto de mimbre lleno de esas botellitas que uno encuentra en los hoteles. La cortina de la ducha está corrida. ¿Lo hizo ella? ¿Se acaba de mover?

Desiree palpa detrás con la mano izquierda y enciende la luz. La cortina blanca es translúcida. No hay sombras. El baño está vacío. Un grifo gotea.

Se da la vuelta, regresa al recibidor y se dirige hacia la sala. Hay un sofá, un sillón, una mesita baja y una estantería con libros que quiere leer de autores que cree que debería haber leído. Echa un vistazo al montón de ropa sin plegar, la bandeja de ropa por planchar y los platos del desayuno en la pila, prueba de negligencia o de firmeza, no sabe exactamente de qué.

¿No había una carpeta en la mesita baja? Contenía copias de fotografías de la escena del crimen del asalto al furgón blindado; en concreto, las imágenes en las que se muestran las cámaras del salpicadero de los coches de policía. También declaraciones, notas y recortes.

Pasa la vista de un lado a otro de la habitación; la carpeta no está en la estantería ni en los bancos. ¿Se la llevó al dormitorio? Se arrodilla con una pierna y mira debajo del sofá y de la mesita baja. Apoya la mejilla en el suelo y nota una débil corriente de aire. Debe de haber una ventana abierta, o quizá la puerta deslizante del balcón.

En el mismo instante se le ocurre que ella apenas abre esa puerta, si no es para regar su planta solitaria; debería haber comprobado el balcón. Es lo último que le pasa por la cabeza antes de que una sombra cruce por delante de la luz y un objeto la golpee en la nuca.

Moss se despierta una hora más tarde con una botella de burbon apoyada en la axila y un vaso sucio en la almohada, al lado de la cabeza. Tumbado muy quieto, oye el lento latido de su propia sangre y las ráfagas de viento en el exterior. No recuerda haber caído dormido; solo un sueño incoherente, un desfile de rostros de sus años en prisión. Dicen que un asesino sueña con las personas a las que ha matado, pero él no ha pensado nunca dos veces en el hombre al que mató a golpes con una pesa en el patio de ejercicios. No es que Dewie Heartwood no se lo mereciese, pero Moss es más viejo y dueño de sí mismo ahora.

Dando traspiés por el baño, a oscuras, se inclina para beber agua del grifo a grandes tragos y saciar la sed; tiene la garganta seca. En el exterior se oyen las voces de los sin techo peleándose por cajas de cartón o colillas de cigarrillo.

En el dormitorio, enciende el televisor. La pequeña pantalla hace un ruido sibilante y parpadea. Se ve una mujer dando un informe de tráfico; por el tono, parece que se trate de una noticia fundamental. La imagen cambia y muestra a dos locutores leyendo los titulares del día.

—Se cree que un fugitivo al que se busca por los asesinatos de una mujer de Houston y su hija ha secuestrado al hijo de un *sheriff*; se le vio por última vez a la salida del instituto, ayer por la tarde.

Moss sube el volumen.

—Audie Palmer se fugó de una prisión federal hace una semana, y es ahora el objetivo de una enorme operación de busca y captura en la que está implicada la policía, el FBI y el servicio de Marshals.

»El chico desaparecido, de quince años de edad, es Maxwell Valdez, el hijo del *sheriff* del condado de Dreyfus Ryan Valdez, que arrestó a Palmer hace más de diez años, después del asalto a un furgón blindado. Se espera que la familia celebre hoy mismo una conferencia de prensa...

Moss no presta atención al resto del boletín; está tratando de comprender por qué iba a hacer Audie una cosa así. Durante todos esos años en la cárcel, Audie fue el hombre más inteligente que conoció. Era Yoda, Gandalf, Morpheus. Y ahora se había convertido en una nota de suicidio ambulante. ¿Por qué?

A Moss le duele la cabeza, y no es solo por culpa del burbon. Decide que la motivación, como fuerza que controla los asuntos humanos, está sobrevalorada. A veces las cosas pasan porque sí, sin lógica, sin planificación.

Rebusca un frasco de aspirinas en el bolsillo de la chaqueta y mastica dos tabletas. Luego se echa al suelo y hace cincuenta flexiones que hacen que la cabeza le duela aún más. Flexiona los músculos y se mira en el espejo: cada vez está más fofo.

Se ducha, se afeita, se pone los vaqueros, se abotona la camisa. Cuando recoge la chaqueta oye el ruido de un papel en el bolsillo: son las notas que tomó en la biblioteca. Las vuelve a leer, tratando de encontrarle el sentido al robo y a sus consecuencias. Los nombres y las fechas han quedado emborronados por culpa del sudor. Recuerda cuándo se encontró con el viejo que había sido testigo del tiroteo y que divagaba sobre no sé qué de mantener la boca cerrada.

Theo McAllister estaba asustado, pero no de Moss. ¿Qué puede dar miedo a un hombre que vive solo en el bosque, con una escopeta al lado de la puerta?

51

*D*esiree se sienta en el borde del sofá, sosteniendo una bolsa de hielo en la nuca. Una enfermera le examina los ojos con una pequeña linterna, pidiéndole que mire arriba, abajo, a la izquierda y a la derecha.

—¿Cuántos dedos estoy mostrando?

—¿Contando el pulgar o no?

—¿Cuántos?

—Tres.

Senogles está en el balcón, mirando hacia fuera.

—Deberías haber comprobado antes que nada la puerta del balcón —dice, afirmando con maestría una obviedad.

Desiree no responde; tiene la lengua hinchada. Se la debe de haber mordido cuando le dieron el golpe.

—¿Por qué no diste aviso enseguida? —pregunta Senogles.

—No estaba segura.

Senogles mira en derredor, pasando los dedos por los lomos de los libros de la estantería. Philip Roth, Annie Proulx, Toni Morrison, Alice Walker.

—Probablemente sería algún drogadicto.

—Generalmente, los drogadictos no fuerzan la cerradura con ganzúas —responde Desiree, aún luchando contra las náuseas.

—Y dice que no se llevaron nada.

—Solo la carpeta.

—Una carpeta de fotografías y declaraciones que no debía estar aquí. —Senogles está examinando los libros de cocina—. ¿Se da cuenta de que soy yo el que está a cargo de esta investigación? Soy yo el que da las órdenes.

—Sí, señor.

Desiree sabe que se acerca una bronca y que el instinto de autoconservación le exige que se calle la boca y se la trague. Al mismo tiempo está intentando comprender por qué alguien querría llevarse la carpeta. ¿Quién sabía que tenía copias de fotografías de la escena del crimen y declaraciones? Su nombre estaba en el libro de registro de la oficina de archivos. Visitó a Herman Willford. Le hizo preguntas a Ryan Valdez sobre las cámaras del salpicadero.

Senogles sigue hablando, pero Desiree levanta la mano.

—¿Podemos seguir con esto más tarde? Necesito vomitar.

Finalmente, el personal de emergencias y los técnicos forenses se van. Senogles le dice a Desiree que no vaya a la oficina por la mañana.

—¿Estoy suspendida?

—Está de baja médica.

—Me encuentro bien.

—Entonces está suspendida del servicio activo hasta nuevo aviso. Y no se moleste en llamar a Warner; ha aprobado mi decisión.

Después de darse una ducha, se sienta en la cama; sus pensamientos crepitan en la oscuridad. Caminando descalza por el apartamento, va a buscar otra bolsa de hielo al frigorífico. El teléfono móvil muestra dos mensajes de llamada perdida. Llama al buzón de voz y oye la voz de Jenkins, en Washington: «Tengo noticias del vehículo que querías que encontrase, el Pontiac 6000 de 1985. Se vendió por primera vez en Ohio en 1985, y tenía tres propietarios anteriores. El último fue un tipo llamado Frank Robredo, de San Diego, California; compra coches usados y los revende. Dice que le vendió el Pontiac a un tío que le pagó novecientos pavos, en enero de 2004. Firmó los papeles de propiedad, entregó un contrato de compraventa y presentó el formulario de exención de responsabilidad antes de cinco días, pero la transferencia de propiedad nunca se completó porque el comprador no fue a una oficina de tráfico para presentar la solicitud de transferencia y pagar las tasas. No se acordaba del nombre del tipo, pero sí recuerda hablar con un agente de policía del condado de Dreyfus que le dijo que el comprador había utilizado un nombre falso. Me he puesto en contacto con la Oficina de Tráfico de California por si aún tienen el papeleo original. Cuando sepa algo más te llamo».

El mensaje termina y empieza otro. Es Jenkins de nuevo: «La Oficina de Tráfico de California me ha llamado con información sobre el Pontiac 6000. La versión digital del papeleo no está, así que están buscando los documentos físicos. Pero hay algo extraño: otra persona ha estado interesándose por la misma información. Fue hace seis meses; la solicitud la hizo el bibliotecario de la prisión federal de Three Rivers».

Desiree mira la hora; demasiado tarde para llamar a la cárcel. El mensaje prosigue: «También he buscado los nombres que me diste. Timothy Lewis murió en un accidente de ultraligero hace siete años. No he encontrado nada sobre que Nick Fenway sea propietario de un bar en Florida, pero lo seguiré intentando».

El mensaje termina y Desiree se queda mirando hacia la tranquila calle por la ventana. Audie Palmer tenía acceso al ordenador de la biblioteca, pero ¿por qué iba a estar interesado en el Pontiac? Todo el caso estaba plagado de notas discordantes, como un niño apretando las teclas de un piano y haciendo ruido en vez de música.

Sentada en el escritorio, saca el iPad de la mochila y repasa los correos electrónicos antiguos. Uno de ellos tiene un adjunto: el expediente de Palmer en la cárcel, junto con los nombres de las personas que lo visitaron durante los últimos diez años.

Estudia la lista, de apenas media página. La hermana de Audie lo visitó una docena de veces. Y hay otros ocho nom-

359

bres. Uno de ellos es Frank Senogles, que debió de entrevistarse con Audie cuando estaba a cargo del caso cerrado. Fue a la cárcel tres veces: dos en 2006 y otra (qué extraño) hace solo un mes. En ese momento ya le había pasado el caso a Desiree. ¿Para qué hablar con Audie si el caso ya no era suyo?

Examina los demás visitantes que aparecen en la lista. Uno de ellos, Urban Covic, utilizó como identificación un permiso de conducir de California. Desiree escribe su nombre en un motor de búsqueda y aparece como empresario de San Diego. El nombre de Covic ha sido citado en diversos artículos acerca de una urbanización con campo de golf llamada Sweetwater Lake; un grupo ecologista local protestó contra ella porque, según afirmaban, representaba una amenaza para un humedal. La oficina central del grupo fue atacada con artefactos incendiarios; hubo denuncias sobre donaciones ilegales a concejales.

Desiree entra en la base de datos del FBI con su nombre de usuario y contraseña. Lleva un dispositivo en el llavero que genera un número aleatorio, lo que ofrece un nivel de seguridad adicional. Una vez que ha obtenido acceso, busca «Urban Covic» y lo encuentra de inmediato. Covic tiene cuatro alias y, según informes de inteligencia, había trabajado para la familia mafiosa Panaro en Las Vegas, pero rompió su relación con ellos a mediados de los noventa cuando Benny Panaro y sus dos hijos fueron condenados por estafa.

Desde entonces, ha ganado una fortuna con *night-clubs* y bares de *striptease* en San Diego, antes de diversificar sus negocios hacia la construcción, la promoción inmobiliaria y la agricultura.

¿Por qué iba a visitar Urban Covic a Audie Palmer en la cárcel?

El archivo contiene una lista de direcciones y personas relacionadas con Covic, incluidos sus números de teléfono. Desiree echa una mirada al reloj; es casi medianoche. O sea, que en California aún son las diez de la noche. Hace una llamada: un hombre responde, más gruñendo que saludando.

—¿Es Urban Covic?

—¿Quién quiere saberlo?

—Soy la agente especial Desiree Furness del FBI.

Se hace un breve silencio.

—¿Cómo ha conseguido este número?

—Lo tenemos en nuestro archivo.

Otra pausa.

—¿En qué puedo ayudarla, agente especial?

—Hace diez años visitó una prisión federal en Texas. ¿Lo recuerda?

—No.

—Fue a ver a un preso llamado Audie Palmer.

—¿Y?

—¿De qué conoce a Palmer?

—Había trabajado para mí.

—¿Haciendo qué?

—Era mi recadero. Si yo quería algo, él lo iba a buscar.

—¿Durante cuánto tiempo trabajó para usted?

—No lo recuerdo.

Covic suena aburrido de la conversación.

—Entonces ¿no era un empleado especialmente valioso?

—No.

—Y, aun así, usted cruzó la mitad del país para visitarlo en la cárcel.

El comentario es recibido con silencio. Covic suspira.

—Si va a acusarme de algo, agente especial, le sugiero que vaya al grano o me deje en paz.

—Audie Palmer fue condenado por asaltar un furgón y robar siete millones de dólares.

—Eso no tiene nada que ver conmigo.

—Entonces ¿visitó a Audie Palmer como amigo?

—¿¡Como amigo?! —Covic se ríe.

—¿Qué tiene de gracioso?

—Me robó.

—¿Qué le robó?

—Algo que apreciaba de verdad..., aparte de ocho mil dólares.

—¿Notificó el robo?

—No.

—¿Por qué no?

—Decidí encargarme yo mismo del asunto; pero, finalmente, no tuve que molestarme.

—¿Por qué no?

—Audie Palmer la jodió él solito.

—Entonces ¿por qué lo visitó?

—Para regodearme.

52

Audie mira al techo y se siente aturdido por lo absurdamente que se ha comportado: secuestrar a un niño, esperando que un nuevo error compense de algún modo los demás y arregle las cosas. Pero las probabilidades no cambian por el hecho de que, al lanzar una moneda, salga el mismo resultado una docena de veces seguidas o más. Y no hay una báscula o un libro de cuentas invisible que haya que cuadrar a lo largo de la vida.

Cuando la gente sobrevive a un desastre (una inundación, un huracán…), los periodistas suelen preguntarles cómo se las han arreglado. Algunos de ellos hablan de que Dios escuchó sus oraciones o dicen que «no les había llegado la hora», como si cada uno de nosotros llevase una fecha de caducidad oculta. Normalmente, no tienen respuesta. No hay secretos ni habilidades especiales. Por eso, muchas veces, los supervivientes se sienten culpables. No se ganaron su buena suerte por ser más valientes, o más inteligentes, o más fuertes; fueron simplemente más afortunados.

Audie sale de la cama, va hacia la cocina y mira por la ventana. Puede ver el césped, del color del metal bruñido, aferrado a las dunas, y sentir cómo el viento sigue azotando la casa, golpeando los postigos. Mañanas como esta, puras, sin contaminar, parecen una especie de victoria sobre la noche.

Oye una cisterna descargarse y el tintineo de la pandereta. Max, descalzo, con el cabello despeinado y marcas de las arrugas de la almohada en el rostro, se apoya en el marco de la puerta.

—¿Quieres desayunar? —pregunta Audie—. Tenemos café instantáneo; leche no.

—No tomo café.

—Es bueno saberlo. —Audie agita un bol con huevos en polvo y sigue hablando—. ¿Has dormido bien? ¿Qué tal el colchón? Puedo conseguirte otra manta.

Max no responde.

—No hace falta que hablemos —prosigue Audie—. Estoy acostumbrado a mantener conversaciones en las que solo hablo yo. —Echa los huevos en una sartén caliente—. Lo siento, no hay pan, pero he encontrado unas galletas. —Mira por la ventana con el postigo abierto—. Sé que te prometí llevarte a pescar, pero hay mucho viento. La tormenta no ha terminado de pasar. Escuché las noticias en la radio: dijeron que había otra tormenta fuera de temporada procedente de Cuba y que era posible que se convirtiese en un huracán, pero que no estaba previsto que se dirigiera hacia el noroeste próximamente.

—No quiero ir a pescar. Quiero irme a mi casa —dice Max.

Audie pone el plato en la mesa, delante de él y comen en silencio. Cuando terminan, lava y seca los platos. Max no se ha movido.

—Me lo iba a contar hoy.

—Es cierto.

Audie mira alrededor, como tratando de estimar las dimensiones de la habitación. Saca el cuaderno de su macuto y le enseña a Max la misma fotografía.

—¿Recuerdas que te dije que estaba casado?

El chico asiente.

—Tardé mucho en dar con esto. El fotógrafo de la capilla matrimonial perdió su empleo por borracho y se fue de Las Vegas sin dejar una dirección de contacto. Luego estuvo viajando por Europa durante unos cuantos años. Pensó en librarse de sus antiguos archivos digitales, pero conservó unos cuantos discos en un trastero.

Max frunce el ceño, pero algo, en alguna parte, parece reaccionar.

—¿Por qué me enseña esto?

—Ese eres tú —dice Audie, señalando al niño de la fotografía.

—¿Cómo?

—Solo tenías tres años. Y la mujer que te tiene cogido de la mano es tu madre.

Max menea la cabeza.

—Esa no es Sandy.

—Se llama Belita Ciera Vega y es de El Salvador.

Otro silencio; esta vez más prolongado.

—Tu nombre completo es Miguel Ciera Vega —dice Audie—. Naciste en el hospital de San Diego el 4 de agosto de 2000. He visto tu partida de nacimiento.

—Mi cumpleaños es el 7 de febrero —contesta Max, cada vez más alterado—. Soy norteamericano.

—No he dicho que no lo fueses.

—No soy un ilegal. Tengo madre y padre.

—Lo sé.

—Pero usted dice que soy adoptado.

—Digo que esta es tu madre.

—Esto es una idiotez —grita Max—. Yo nunca he estado en Las Vegas ni en San Diego. Nací en Houston.

—Deja que te explique…

—¡No, es mentira!

—Tenías un muñeco favorito cuando eras pequeño, ¿recuerdas? Llevaba una corbata de pajarita de color violeta y sus ojos eran botones negros. Lo llamabas Bubu, como el amigo de Yogui.

Max vacila.

—¿Cómo lo sabe?

—Solo tenía una oreja —prosigue Audie—. La otra se la habías arrancado chupando, igual que te chupabas el pulgar.

—Max calla—. Íbamos de camino de California a Texas. Nos paramos para casarnos en Las Vegas y luego cruzamos Arizona y Nuevo México en coche. Visitamos un montón de sitios. ¿Recuerdas la caverna de Carlsbad? Había estalactitas y estalagmitas. Tú dijiste que parecían hechas de hielo rosa.

Max agita la cabeza, como tratando de librarse de una idea.

Audie empieza por el principio, intentando contar la historia con las mismas palabras que utilizó Belita, describiendo el terremoto y la pérdida de su marido, sus padres y su hermana. Relata el éxodo y el viaje a través del desierto, la muerte de su hermano y el viaje a California. Los ojos de Audie empiezan a cubrirse de lágrimas, pero no se detiene, porque tiene miedo de que pronto no pueda comunicarse, de que las palabras de amor y de pérdida lo abandonen.

—Estaba embarazada de ti. Naciste en San Diego, pero yo no te conocí hasta más tarde. Para entonces ya me había enamorado de Belita. Parecía tan fácil como olvidarse de uno mismo y no pensar más que en otro. Huimos juntos para escapar de un tipo peligroso. Veníamos a Texas a empezar una nueva vida. Ella iba a tener otro bebé; nuestro bebé, un hermano o hermana para ti…

Mientras habla, Audie se ve reflejado en los ojos del chico y empieza a preguntarse si no habrá cometido un error. Está reformulando la historia de Max, desmontando todo aquello que el joven ha sabido, en lo que ha confiado o creído.

—Se equivoca —susurra Max—. Está mintiendo. —En sus palabras se detecta cierto odio.

Audie siente un vértigo terrible, como si lo estuviesen arrastrando hacia un remolino gigante que no puede causar más que destrucción.

Durante todos aquellos años en la cárcel, se había imaginado a Miguel creciendo, montando su primera bicicleta, perdiendo su primer diente, yendo a la escuela, aprendiendo a leer, escribir y dibujar y otro millar de rituales cotidianos. Se había imaginado llevándolo a un partido de béisbol, escuchando el golpe seco del bate de madera y sintiendo el rugir de la multitud al ver la bola ascender hasta el cielo y caer en un bosque de brazos alzados. Imaginaba conocer a su primera novia, invitarlo a la primera cerveza, llevarlo al primer concierto de rock. Pensaba en viajar todos a El Salvador a buscar al resto de los familiares de Belita, en pasear por la playa por donde ella caminaba de niña. Quería subir a torres, descender por rápidos, mirar puestas de sol, leer los mismos libros, ver las mismas películas, comer del mismo pan y dormir bajo el mismo techo.

Pero era todo un disparate. Había pasado demasiado tiempo y todo se había echado a perder.

Max no le iba a dar las gracias por haberle salvado la vida: lo iba a culpar por habérsela arruinado.

53

$\mathcal{L}$a conferencia de prensa empieza con mal pie: obligan a los periodistas, fotógrafos y equipos de televisión a esperar bajo la lluvia porque la escuela no les deja entrar hasta que no llega el senador Dowling. El senador se disculpa ante los rostros mojados y empieza a hacer una declaración sobre educación, pero lo que interesa a los reporteros es el secuestro del hijo del *sheriff* del condado de Dreyfus.

—Conozco al *sheriff* en cuestión —dice el senador—. Es un viejo amigo mío y quiero tranquilizar a Ryan Valdez diciéndole que haremos cuanto esté en nuestras manos para devolverle a su hijo.

El senador Dowling vuelve al discurso que tenía preparado, pero otro periodista formula una pregunta en voz alta.

—¿Por qué no se acusó a Audie Palmer de homicidio en primer grado cuando fue procesado y usted era fiscal del distrito en el condado de Dreyfus?

Dowling se pasa el revés de la mano por los labios y el micrófono capta el sonido áspero de la patilla contra la mano.

—Disculpe, pero no estoy dispuesto a volver sobre la historia y llevar a cabo una revisión de todos los casos que han pasado por mis manos.

—¿Sobornó Audie Palmer a los funcionarios del estado para obtener una reducción de los cargos?

—¡Eso es una mentira absurda! —El senador señala

enérgicamente al reportero mientras su rostro se enrojece de ira—. No fui yo quien tomó tal decisión. No fui yo quien sentenció a Audie Palmer. Y no voy a justificar todas las decisiones que tomé cuando era fiscal del distrito. Mi historial habla por mí.

Un asistente se acerca y le susurra algo al oído. Dowling asiente y sus labios muestran incertidumbre antes de volver a hablar, con un tono más suave, imbuido de franqueza e integridad.

—Hay algo que todos tienen que comprender: para usted esto no es más que otra historia, pero para esta familia se trata de su hijo. Antes de empezar a señalar, deberían pensar un momento en ese pobre niño, en las garras de un asesino, y en su familia esperando noticias y rezando. Habrá tiempo de sobra para revisar el caso cuando el chico esté en casa, Dios mediante, sano y salvo. Y, como cargo electo, voy a hacer todo lo que esté a mi alcance para que eso suceda.

El senador hace caso omiso del resto de las preguntas, baja del estrado y lo acompañan a través de una puerta lateral hacia un pasillo, en el que se pone a despotricar e insultar a los «putos periodistas, sanguijuelas, parias».

El objetivo de su cólera cambia cuando ve a Victor Pilkington acurrucado debajo de un paraguas, junto a la puerta principal. Después de decirle a sus subordinados que «ahuequen el ala», arrastra a Pilkington escaleras abajo hacia la limusina que lo está esperando. Un chófer intenta seguirlos con un segundo paraguas y Dowling le dice que «se esfume un rato». Empuja a Pilkington al interior del coche.

—Dijiste que lo tenías controlado.

—En general —dice Victor.

—¿En general?

—Ha habido un pequeño contratiempo.

—¡Ha secuestrado a un niño, joder! Si eso es lo que tú entiendes por pequeño, estás mirando por el lado contrario del puto telescopio. No tenemos nada que podamos usar contra él.

—La policía está haciendo todo lo que puede.

—Vaya, eso me deja mucho más tranquilo. ¿Y si habla?

—Nadie le creerá.

—¡Joder, cómo no se me había ocurrido!

—Cálmate.

—No me digas que me calme. He hablado con Clayton Rudd por teléfono: se quejaba, decía que necesitaba protección. Decía que había aparecido un negrata en su oficina a hacerle preguntas sobre Audie Palmer. Y ahora tengo a los periodistas preguntándome por qué no pedí la pena de muerte cuando tuve la ocasión. No estoy dispuesto a cargar con este muerto.

—Nadie tiene que cargar con ningún nada.

—Solo un tipo. Un puto tipo.

—¿Puedo hablar? Yo...

—¡No! ¡Cállate la boca! Me da igual cuánto dinero te gastaste en mi campaña, Victor. Lo devolveré todo. No quiero ver tu cara nunca más. No quiero volver a saber nada de ti. Encuentra a ese cabrón. Después, se acabó: tú y yo habremos terminado.

54

$\mathcal{M}$oss aparca la camioneta en un bosquecillo de pinos, a setenta metros de la cabaña, y sigue el camino por entre la hierba
alta hasta el porche. El viento ha dejado de soplar y ya no
llueve, pero el cielo aún tiene el color de un cigarrillo mojado.
Se frota las palmas de las manos en las perneras del pantalón
antes de abrir la mosquitera y mantenerla abierta con el pie.
Llama con el nudillo y la puerta interior se abre bruscamente.
Dos ojos escrutan desde la oscuridad como nubes pálidas, cambiando de forma al recibir la luz de fuera. La sorpresa repentina hace que Moss retroceda trastabillando y la mosquitera se
cierre de golpe.

—¡¿Tú otra vez?! ¡¿Es que quieres que te peguen un tiro?!
—Theo McAllister sostiene un rifle con las dos manos. Lleva
un sombrero de lana del que asoman mechones de pelo gris
por los bordes—. ¿Qué quieres ahora?

—Tengo otra pregunta.

—¡Lárgate!

—Es sobre el niño.

Theo vacila y entorna los ojos.

—¿Cómo sabes lo del niño?

—Igual que tú.

—¿Te envía el *sheriff*?

—Sí.

—¿Qué quiere?

—Que sigas cooperando.

Moss no tiene ni idea de qué están hablando, pero tiene pensado llevar la conversación tan lejos como sea posible antes de que el otro se dé cuenta de que va de farol. El viejo lo mira con atención mientras se rasca la picada de un insecto en el cuello.

—Bueno, será mejor que entres.

Moss sigue a Theo por un oscuro pasillo que huele a aceite y a posos de café. La sala está bañada por la luz azul de una pantalla de televisión. Hay una mujer asiática en un sillón viendo una comedia con risas enlatadas. Tiene la mitad de la edad que el viejo y lleva unos vaqueros cortos y una camiseta de tirantes.

—¿El *sheriff* ofrece más dinero?

—¿Es eso lo que quieres?

—Tengo una esposa nueva que mantener. Perdí a la primera hace tres años. Esta vino de Asia, pero es norteamericana, ¿me comprendes? Me aseguré de eso.

El suelo de la cocina está mugriento; el linóleo está levantado en algunos lugares y se ven papeles de periódico amarillos debajo.

—Le puedes decir al *sheriff* que no le he contado lo del niño a nadie, ni a una sola persona. Yo he mantenido mi parte del trato.

—Te pagaron.

—No lo bastante.

—¿Cuánto más quieres?

Theo se vuelve a rascar el cuello y sopesa una cifra.

—Dos mil.

—Eso es mucho.

—Que quede claro que no es una amenaza, no quiero que le des la impresión de que se trata de eso. No quiero que parezca que soy un desagradecido.

—Muy bien, para que me aclare: quieres que el *sheriff* te dé más dinero para no decir nada sobre lo del niño.

—Eso es.

Theo se acerca a la fregadera, abre el grifo, llena de agua un tarro de mermelada y bebe de él, derramando un poco: el líquido baja por la barbilla y cae sobre los botones de la camisa de cuadros que lleva. Vuelve a llenar el tarro y se lo ofrece a Moss.

—No, gracias —dice Moss—. ¿Dónde encontraste al niño?

Theo vacía el tarro.

—Por ahí —señala más allá de las andrajosas cortinas—. Perdido, sucio como no podía estarlo más, tres o cuatro años a todo tirar, con un sombrero de vaquero y una pistola plateada de plástico en una funda. No entiendo cómo se las arregló para sobrevivir ahí fuera. Podía haberse caído en un río o haberse roto una pierna... Lo podían haber atropellado. No era más que la sombra de una persona. Mojado, sucio de barro. Lo miré y dije: «¿De dónde has salido tú, campeón?», pero no me contestó.

Moss observa cómo cambia el rostro del hombre mientras habla:

—¿Estaba sano?

—Por lo que yo pude ver, sí.

Theo se apoya el pulgar en un lado de la nariz, sopla por el otro y echa una flema en el fregadero.

—¿De dónde venía?

Se toca la nariz.

—Tengo mis sospechas, pero me las guardo.

Moss asiente.

—Enséñame dónde encontraste al niño.

—¿Por qué?

—Me interesa.

Theo acompaña a Moss afuera y camina a su lado siguiendo la valla. Pasan por una puerta que cuelga de una única bisagra. Atraviesan una extensión de hierbas altas y zarzas.

—Antes tenía mis perros aquí. Los criaba para caza. Si hubieran estado hambrientos, se podrían haber comido al chiquillo, pero lo encontré ahí sentado, rodeado por ellos, como si formase parte de una camada de cachorros y cubierto de mugre. No dijo ni una palabra. Supongo que llevaba allí toda la noche.

—¿Y qué hiciste?

—Me lo llevé a casa y le di de comer. Tenía cortes y magulladuras por todas las piernas. Creía que su madre vendría en cualquier momento y llamaría a la puerta, pero no fue así, de manera que puse en marcha la tele y presté atención. Supuse que, si alguien había perdido a su niño, llamaría a la policía o mandaría a un grupo de gente a buscarlo. ¿Me explico?

·Moss asiente.

—Entonces ¿qué hiciste?

—El *sheriff* vino a verme para hablar del robo y del tiroteo. Entonces no era más que un agente.

—Así que eso fue el mismo día del tiroteo.

—No, fue al día siguiente… o quizás al otro.

—Dijiste que habías visto el tiroteo.

—Vi fogonazos en la oscuridad.

—¿Ahí fue donde conociste al agente Valdez?

—Dijo que me iban a dar una recompensa y me ayudó a redactar una declaración.

—¿Sobre el niño?

—Y el tiroteo.

—¿Y qué te dijo?

—Me dijo que, si venía alguien haciendo preguntas sobre el niño, tenía que decirles que lo había encontrado en otra parte.

—¿Dónde?

—A tres kilómetros de aquí, en el pantano.

—¿Te dijo por qué?

—No. —Theo se quita la gorra de lana y vuelve la vista hacia la casa, hacia la caravana y el camión herrumbrosos—. Fue entonces cuando me dio la recompensa. Me dio dos mil dólares por encontrar al pequeño vaquero. En el periódico hablaron de mí.

—¿Volviste a ver al niño?

Theo niega con la cabeza.

—Vi la foto del agente en el periódico. Le dieron una medalla al valor por disparar a los asaltantes armados.

—Y, desde entonces, ¿lo has visto?

—Se pasa por aquí cada varios años. Por eso sé lo de su promoción a *sheriff*. Creo que espera que me muera, pero aquí sigo. Esta es la primera vez que envía a otro. Supongo que te tiene mucha confianza.

—Supongo que sí.

55

*E*l sol, de color amarillo, está alto en el cielo, calentando el porche y haciendo reverberar el asfalto. Max está sentado en el sofá, inclinado sobre la fotografía de Belita. Audie lo observa desde el sillón, esperando. Si entorna los ojos, aún puede ver al niño, con tres años, fingiendo leer un libro de himnos sentado en la iglesia, junto a su madre. Ahora ya ha crecido; es casi un hombre. Audie no estuvo para leerle cuentos a la hora de dormir, para ponerle tiritas en las heridas ni para contarle que a veces la vida es terrible y que otras veces es maravillosa.

—¿Así que dice que esta es mi madre real y que es una inmigrante ilegal de El Salvador?

—Sin documentos.

—¿Y que nací en San Diego?

—Sí.

El joven se recuesta y mira al techo. Audie sigue hablando.

—Era hermosa, con una melena larga y negra que brillaba al sol, y motas doradas como la miel en los ojos.

—¿Y dónde está ahora?

Audie no responde. Desde que pensó en secuestrar a Max, este es el momento que más temía. Es el punto sin retorno. O cuenta la historia, o guarda silencio.

—No estaba seguro de si iba a encontrarte. Pensé que me dispararían durante la huida, o que me ahogaría en el lago, o que me volverían a detener. Por eso lo escribí todo; para que, en el caso de que me pasara algo, tuvieses la oportunidad de conocer la verdad. Puedes leerlo o puedes quemarlo. La decisión es tuya.

Le alarga el cuaderno a Max, que no lo coge.

—Cuénteme la historia.

—¿Estás seguro?

—Sí.

Y Audie empieza a hablar, con la memoria y desde el corazón.

El último día dejaron atrás Austin y se dirigieron hacia el este por la 290, atravesando Elgin, McDade y Giddings. En Brenham tomaron la 105 hacia Navasota y luego hacia Montgomery, pues Audie quería enseñarle a Belita el lago donde iba a pescar de niño.

La urgencia había quedado atrás. Tomaron carreteras secundarias, pasando por campos de cultivo y bodegas, conduciendo con las ventanas abiertas y música en la radio, cantando canciones sobre vaqueros que en el campo abierto se sentían en casa. Miguel nunca había visto un bisonte. Audie le señaló uno.

—Es como una vaca peluda —dijo el chico.

Se rieron.

Audie le preguntó a Miguel si sabía contar hasta diez, y el crío lo hizo.

—¿Sabes el alfabeto?

Miguel negó con la cabeza.

—Sé el abecedario.

—Es lo mismo.

Se rieron de nuevo. Miguel frunció el ceño porque no entendía qué tenía aquello de gracioso.

Sin embargo, a pesar de la alegría y el buen humor, Audie se sentía más desconcertado a medida que pasaban los kilómetros. Se estaban acercando al lago Conroe, un lugar que le era imposible disociar de su hermano Carl, por los numerosos recuerdos de infancia en el lago, entre los que se encontraban algunos de los días más felices de su vida, antes de que Carl fuera a la cárcel y de que encontraran un tumor en los pulmones de su padre. Pescar, nadar, ir en canoa, cocinar en una hoguera y contar historias de fantasmas o jugar al escondite con linternas.

A kilómetro y medio del desvío, Audie pasó por encima de un puente. Había una zona de acampada entre un grupo de árboles. Un pequeño embarcadero de madera, descolorido por el sol, separaba una sección del lago en la que se había situado una plataforma flotante, a un centenar de metros de la orilla. El agua era negra y fresca; la sensación en las yemas de los dedos de Audie era casi sedosa.

Almorzaron un pícnic en las orillas del lago Conroe, frente a Ayer's Island. Luego tiraron migas de pan a los patos y compraron helados. Miguel se puso en el regazo de Audie, el chocolate goteando sobre su camisa. Se negó a quitarse el sombrero de vaquero o la pistola. Más tarde estuvieron mirando las embarcaciones ancladas en el puerto deportivo, preguntándose de qué famosos serían.

Audie rodeó a Belita con el brazo y se enrolló su trenza en el puño. Era tan joven y hermosa…

—¿Crees que hay cosas que son inevitables? —preguntó ella.

—¿Como el destino?

—Sí.

—Creo que sacamos lo mejor que podemos de la mala suerte y de la buena.

Audie la estrechó con fuerza. Ella le devolvió el gesto. Audie notó el movimiento de su cadera debajo de la falda.

—Hoy estás triste. ¿Qué tienes en la cabeza?

—Pienso en mi hermano Carl. —Audie le besó el pelo—. Solíamos venir aquí cuando éramos niños. Pensé que estaría bien volver, pero ahora no veo la hora de marcharme.

—En El Salvador tenemos un refrán que dice que los recuerdos nos ayudan a no tener frío —dijo ella, acariciándole la mejilla—, pero creo que no se puede aplicar a ti.

Volvieron a ponerse en marcha al final de la tarde. Audie tenía previsto llegar hasta las afueras de Houston y llamar a su madre por la mañana. No quería visitarla hasta estar seguro de que Urban no había enviado a nadie a esperarlo.

—Tengo que mear —dijo Miguel.

—¿Puedes aguantar?

—¿Qué es lo que tengo que aguantar?

Audie se salió de la carretera.

—Muy bien, chico, vamos a hacerlo detrás de un árbol.

—Como los vaqueros.

—Eso es, como los vaqueros.

Pasaron por entre los árboles en el aire húmedo, caminando sobre una capa de hojas y agujas de pino. Los mosquitos se alzaban en nubes a su paso.

—¿Quieres que te ayude?

—No.

Miguel separó las piernas, echó el culo atrás y observó el delgado chorro dorado salpicar contra un tronco de árbol.

—Así lo hacen los chicos mayores —dijo.

—Eso es —respondió Audie.

El crío empezó a decir algo, pero la atención de Audie se había desviado. En alguna parte (parecía como si viniera de arriba) oyó el sonido de sirenas.

—¿Es un camión de bomberos? —preguntó el chico.

—Creo que no —respondió Audie, que había mirado por encima del hombro, pero no pudo ver nada más allá de la curva de la carretera.

Las sirenas se estaban acercando; al principio, Audie no sabía desde qué dirección. Miró a Belita, que lo saludó con la mano desde el asiento del copiloto del Pontiac. Luego volvió la cabeza y vio los faros encendidos de un furgón. Tardó un momento en darse cuenta de que circulaba demasiado rápido para poder tomar la curva. Viró hacia el lado contrario de la carretera y los neumáticos del lado próximo invadieron el arcén. El conductor corrigió el giro en exceso y el furgón se desvió hacia la izquierda. Audie podía imaginarse al hombre al volante, tratando de hacerse con el control y luego echando los brazos arriba, en ese extraño gesto que se hace para intentar evitar una colisión. Era demasiado tarde. Durante un instante, el furgón se inclinó sobre dos ruedas; luego volcó y se deslizó de lado por la carretera.

En un momento, el Pontiac estaba junto a la carretera, luego había desaparecido. Audie oyó el rechinar del metal, los chispazos y una explosión. El tiempo se ralentizó y luego se detuvo por completo. Con un esfuerzo extraordinario, Audie se inclinó, levantó a Miguel y lo protegió con su cuerpo como si fuese un bebé. Corrió a través de los árboles hasta llegar al borde de la carretera.

Veía el furgón, pero no el coche. Dejó a Miguel en el suelo, a sus pies, y lo tomó del antebrazo, hundiéndole los dedos en la delgada carne.

—Quédate aquí. Coge este árbol con la mano y no lo sueltes.

—¿Dónde está mamá?

—¿Has oído lo que he dicho?

—¿Dónde ha ido mamá?

—No te muevas.

«¡Dios mío! ¡Por favor, Dios mío!»

Corrió, tropezó, intentó comprender lo que acababa de suceder. Sus ojos lo habían engañado. Llegaría al coche y vería que no había pasado nada.

Había sirenas y luces giratorias detrás de él. El furgón yacía sobre el lateral, desgarrado como si algo hubiera explotado en su interior. Audie trató de respirar, pero sus pulmones se habían quedado paralizados. Vio el Pontiac del revés, treinta metros más allá. Ya no parecía un Pontiac; ni siquiera parecía un coche. Era un montón de metal retorcido en el que dos ruedas seguían girando en el aire.

Audie gritó un nombre e intentó abrir lo que quedaba de una puerta, que parecía que hubiera quedado cerrada y soldada por la fuerza del impacto. Se tumbó en la carretera y, trabajosamente, se introdujo por el hueco del parabrisas trasero hecho trizas, por encima del techo aplastado del Pontiac. El frontal de su camisa se empapó de gasolina y se cortó las manos y las rodillas con los fragmentos de cristal.

Entre la confusión de cables arrancados y asientos hechos jirones vio un brazo y una mano con los dedos ensangrentados. Durante un instante pensó que no había cuerpo.

Agarrando el asiento que tenía encima de él, se arrastró hacia delante, casi dislocándose el hombro. Entonces la vio: su cuerpo estaba encajado debajo del salpicadero, doblado de una forma nada natural. Audie estiró el brazo y le tocó la cara. Sus ojos se abrieron. Estaba viva y asustada.

—¿Qué ha pasado?

—Ha habido un accidente.

—¿Miguel?

—Se encuentra bien.

Los vapores del combustible irritaban los ojos de Audie y se le pegaban a la garganta, provocándole arcadas. Oía el crepitar de la gasolina al derramarse sobre metal caliente.

—¿Puedes mover las piernas?

Movió los dedos de los pies.

—¿Y las manos?

Movió los dedos. Tenía el brazo roto, y los cristales le habían herido la mejilla y la frente. Intentó moverse, pero tenía las piernas atrapadas bajo el salpicadero. Audie oyó disparos. Había dos hombres en el furgón, que se las habían arreglado para encaramarse a una ventanilla y dejarse caer al suelo.

Uno de ellos dio una vuelta en el aire y se derrumbó agarrándose el cuello: la sangre manó por entre sus dedos. El otro recibió un tiro casi al mismo tiempo; la bala le destrozó la rodilla. El agente de policía uniformado tenía una pistola cogida con ambas manos y apuntaba hacia arriba. Llevaba el pelo cortado al estilo militar y lucía un oscuro bronceado.

Audie escudriñaba desde las ventanillas hechas añicos del Pontiac, debajo de una de las ruedas que seguían girando. Vio a un segundo agente a unos treinta metros, al otro lado del furgón. Uno de los hombres heridos intentó ponerse de pie. Miró a Audie con una expresión de indefensión e inquietud; la pistola colgaba inútilmente de la mano. El agente abrió fuego. Dos disparos derribaron al hombre hacia atrás. En su camisa, nacieron dos flores de color escarlata. El último disparo lo hizo voltearse: se quedó sentado sobre los muslos, como si su esqueleto se hubiese esfumado.

El agente aún no había visto a Audie. Su colega gritó. El agente se guardó la pistola en la funda y desapareció de la vista. Audie estaba a punto de pedir ayuda, pero algo hizo que se detuviera. Vio de nuevo a los dos agentes; esta vez llevaban unos sacos de lona hacia el maletero abierto del coche patrulla. Lo hicieron varias veces. Uno de los sacos se enganchó en un saliente de metal y se rajó, derramando billetes que el viento se encargó de dispersar, esparciéndolos por el asfalto, enganchándolos en las hierbas y en los troncos de árbol. Se oyeron más sirenas.

Se volvió a arrastrar hacia Belita, ayudándose de brazos y codos. El techo comprimido hacía que la cabeza de ella quedara torcida en un ángulo extraño. Le tocó la mano y le rodeó la muñeca con los dedos. Tiró de ella y la oyó quejarse de dolor.

Audie retrocedió y gritó hacia los agentes de policía. Uno de ellos se dio la vuelta y caminó hacia él. Sus pantalones tenían la raya marcada con la plancha; llevaba zapatos negros de cuero. Audie miró hacia arriba: las mejillas pálidas del agente se veían coloradas del esfuerzo. Dejó un saco de dinero en el suelo.

—Tenemos que sacarla de aquí —suplicó Audie.

El agente giró la cabeza.

—Eh, Valdez.

—¿Qué pasa?

—Tenemos un problema.

Valdez se unió a él, agachándose y apoyando los brazos en

los muslos, el revólver en la mano derecha con el cañón inclinado hacia abajo.

—¿De dónde ha salido este?

Su compañero se encogió de hombros. Valdez se inclinó y se acercó; notaba el aliento ácido y un hilo de saliva que se estiraba y se encogía entre los labios. Volvió la cabeza y vio a Belita atrapada entre los restos del coche. Se rascó la barbilla.

Audie agarró al agente por la camisa, arrugando la tela en el puño.

—¡Ayúdela! —gritó.

En el mismo instante, la carretera reverberó y el aire se llenó con el resplandor azul de una llama por encima del asfalto: el depósito de combustible del furgón. Belita abrió los ojos como platos y se quedó helada.

—¡Fuego! —gritó Audie, repitiéndolo una y otra vez.

Reptó hacia atrás, buscando la mano de Belita, tratando de tirar de ella. Les gritó a los agentes para que le ayudaran, pero ellos se quedaron de pie, mirando, con las manos en el costado. Audie se escabulló y corrió al otro lado de los restos del coche, se arrancó la camisa y golpeó las llamas con ella, pero de pronto sus manos se prendieron también. Tiró la camisa, pero siguió tratando de separar el metal con los dedos. El calor lo hizo retroceder. Valdez cogió la gorra y se la puso en la cabeza. El otro agente levantó las bolsas de dinero.

Los gritos de Belita se hicieron más débiles y acabaron por detenerse. Audie se derrumbó de rodillas y se puso a sollozar. La sangre corría por sus pulgares ennegrecidos. Se dio cuenta de que un agente estaba de pie a su lado, mirándolo. Valdez vació los casquillos de la munición usada y se puso a recargar. Se puso junto a Audie y le apuntó con la pistola a la frente. Sus ojos no expresaban emoción alguna; sabía que la razón y la lógica no tenían cabida en un mundo absurdo.

Audie volvió la vista y vio a Miguel de pie entre los árboles, aún con el sombrero de vaquero y el oso de peluche en la mano. Intentó encogerse y desvanecerse dentro de su propia piel, expulsar la conciencia y las sensaciones de su mente, convertirse nada más que en polvo que flota en la brisa y que más tarde vuelve a convertirse en su cuerpo y en su alma, que le permite volver a estar completo.

—No te lo tomes como algo personal —dijo el agente mientras apretaba el gatillo.

Max recuerda. En alguna parte dentro de su cabeza hay puertas y ventanas que se abren. Papeles que vuelan de un escritorio, polvo que se levanta, máquinas que zumban, teléfonos que suenan. Los fotogramas se encadenan, como en una película que se monta, se rebobina y se proyecta. Imágenes de una mujer con un vestido estampado de flores, que olía a vainilla y mango, que lo llevó a un parque de atracciones con luces de colores. Fuegos artificiales.

Y, sin embargo, a medida que se abre su mente, Max trata de cerrarla. No quiere tener un pasado distinto: quiere el que conoce, el que ha vivido. Se pregunta por qué no hay fotos suyas de recién nacido. Antes no había pensado en ello, pero ahora estudia mentalmente los álbumes de fotos que Sandy guarda en un cajón de su armario ropero y vuelve las páginas en su cabeza. No hay ninguna foto suya envuelto en una manta de algodón o mamando en una cama de hospital.

Sus padres nunca le habían hablado de su nacimiento. Usaban, en cambio, frases como «cuando llegaste» o «te esperamos durante mucho tiempo». Hablaban de fecundación *in vitro*, de abortos. Fue un niño querido, un niño buscado.

«Se está inventando estas historias. ¡Es un asesino! ¡Un embustero!» Pero la forma en que hablaba, cómo relataba los hechos… Max sabía que era verdad. Audie hablaba como si hubiese estado presente desde el principio.

—¿Te encuentras bien? —pregunta Audie.

Max no responde. Sin decir palabra, se dirige al baño y bebe agua con la mano, intentando quitarse el mal sabor. Se queda mirando su reflejo en el espejo. Se parece a su padre: tiene la misma tez olivácea, los mismos ojos pardos. La piel de

Sandy es más clara, con pecas, pero eso no significa nada. Son sus padres, lo han criado y le quieren.

Cierra la tapa del retrete y se sienta, con la cabeza entre las manos. ¿Por qué ese hombre, ese extraño, le ha tenido que contar todo eso? ¿Por qué no lo ha dejado en paz?

Cuando era niño quería ser vaquero. Tenía una pistola plateada que disparaba tapones y un sombrero con una estrella en la cinta. Tenía un oso de peluche con una corbata de pajarita de color violeta. Sabe que todo eso es cierto, pero en las últimas horas se ha convertido en una persona distinta.

Había nacido en San Diego. Había viajado a Texas. Había visto morir a su madre.

56

*D*esiree cruza el vestíbulo de la oficina y pasa junto a una mujer que debe de tener su misma edad: bien vestida, guapa, atareada. Probablemente tiene planes para el fin de semana. Puede que vaya a ver una película con su novio o a tomar una copa con una amiga. Desiree no tiene planes así, cosa que debería deprimirla más de lo que lo hace.

Alguien ha pegado un recorte de periódico en una pizarra blanca, junto al refrigerador de agua; es una fotografía tomada en el exterior del hotel Star City Inn. Se ve a Desiree, sesenta centímetros más baja que el detective que está de pie a su lado, señalando algo en el segundo piso. Un bocadillo sale de su boca: «¡Es el avión, jefe! ¡El avión!».

Desiree no arranca el recorte. «Que se diviertan», piensa. Se supone que no debe estar en la oficina, pero sabe que Senogles se ha ido una hora antes y duda de que haya alguna otra persona a la que le importe si recupera fuerzas en su casa o en su mesa.

Suena el teléfono.

—¿Es la agente especial Furness?

—¿Quién llama?

—Probablemente no se acuerde de mí. Hablamos en la prisión de Three Rivers. Quería información sobre Audie Palmer.

Desiree frunce el ceño y mira el número que aparece en la identificación de llamada.

—Le recuerdo, señor Webster. ¿Tiene alguna información sobre Audie?

—Sí, señora, creo que sí.

—¿Sabe dónde está?

—No.

—¿Qué quería decirme?

—Creo que podría ser inocente del robo que dijeron que cometió.

Desiree suspira por dentro.

—¿Y qué le ha hecho llegar a esa sorprendente conclusión?

—El niño al que ha secuestrado. Creo que era hijo de la mujer que murió en el robo, esa a la que nunca identificaron.

—¿Cómo?

—Creo que iba con un niño. No me pregunte por qué no estaba en el coche cuando sufrió el impacto. Quizá salió despedido. No lo encontraron hasta unos días más tarde.

—¿Cómo sabe eso?

—Acabo de hablar con el hombre que lo encontró.

—¿Por teléfono?

—No, señora.

—¿Ha ido a la cárcel?

—No estoy en la cárcel.

—¡Pero si estaba condenado a cadena perpetua!

—Me han dejado salir.

—¿Quiénes?

—No conozco sus nombres. Me dijeron que, si encontraba a Audie Palmer, harían que me conmutasen la sentencia, pero creo que me mintieron. Creo que van a matar a Audie y luego me van a matar a mí por hablar con usted.

Desiree aún está intentando asumir el hecho de que Moss Webster no esté en la cárcel.

—¡Un momento, por favor! ¡Repita eso!

—Se me van a acabar las monedas dentro de poco —dice Moss—. Tiene que escucharme. El hombre con el que hablé me contó que un agente le dijo que mintiese sobre dónde había encontrado al niño. El policía dijo que había sido a kilómetros de distancia, pero fue justo al lado del tiroteo.

—Vuelva al principio: ¿quién le ha dejado salir de la cárcel?

—No lo sé.

—¿No lo vio?

—Me pusieron una capucha en la cabeza. Iban a decir que había huido, señora, pero no es así. Me dejaron salir.

—Tiene que venir aquí, Moss. Puedo ayudarle.

Moss parece estar al borde de las lágrimas.

—El que necesita ayuda es Audie. La merece. Yo voy a volver a la cárcel de todos modos, si es que vivo lo suficiente. Ojalá no me hubiese hecho nunca amigo de Audie. Quisiera poder ayudarlo.

Se oye un pitido en la línea.

—Se me acaban las monedas. Recuerde lo que le he contado del niño.

—¿Moss? Entréguese. Anote mi número de teléfono.

—Desiree dice el número a gritos, pero no sabe si Moss ha podido oír las últimas cifras antes de que se corte la comunicación y la línea quede en silencio.

Se pone en contacto con la centralita y pregunta si es posible localizar la llamada. El operador le responde al cabo de un rato con una ubicación: un teléfono público en un supermercado de Conroe. Para entonces, Desiree ha conseguido llamar por teléfono al alcaide Sparkes de la prisión de Three Rivers.

—Moss Webster fue trasladado dos días después de la huida de Audie Palmer —le cuenta el alcaide.

—¿Por qué?

—No siempre nos dicen la razón. Los prisioneros son trasladados continuamente. Podría ser por una razón operativa o por compasión.

—Alguien debe de haber aprobado algo así —dice Desiree.

—Tendrá que hablar con Washington.

Una hora y una docena de llamadas más tarde, Desiree sigue al teléfono.

—¡Esto es una tomadura de pelo! —grita, reprendiendo a un empleado joven de la Oficina de Prisiones Federales, que debe de estar lamentando haberle devuelto la llamada—. ¿Por qué trasladaron a Moss Webster de una prisión federal de alta seguridad a un centro de vacaciones en el condado de Brazoria?

—Con el debido respeto, agente especial, la Unidad de Darrington es una granja prisión, no un centro de vacaciones.

—Es un asesino convicto con una sentencia de cadena perpetua.

—No puedo decirle más que lo que estoy viendo.

—¿Es decir?

—Webster utilizó un cuchillo improvisado para amenazar y desarmar a un alguacil durante una parada de descanso en un local Dairy Queen en West Columbia. El alguacil resultó ileso. Se ha informado a la policía del estado.

—¿Quién autorizó el traslado?

—No dispongo de esa información.

—¿Por qué no notificaron la huida al FBI?

—Está en el sistema.

—Quiero declaraciones del alguacil y de cualquier otro testigo. Quiero saber por qué se le trasladaba y quién dio la aprobación.

—He redactado una nota para el director. La verá el lunes a primera hora, estoy seguro.

Desiree detecta el sarcasmo en la voz de ese burócrata. Cuelga el teléfono de un golpe y la tienta la idea de arrojarlo al otro lado de la habitación, pero eso es lo que haría un hombre... Y está harta de los hombres.

En vez de eso, reflexiona sobre lo que le dijo Moss: conecta el ordenador y busca información sobre niños desaparecidos.

«¿Tiene usted idea, señor Webster, de la cantidad de niños que desaparecen cada año en Texas?»

Limita la búsqueda al condado de Dreyfus en enero de 2004 y encuentra una noticia del *Houston Chronicle*:

389

ENCONTRADO NIÑO DESCALZO Y PERDIDO

Un niño pequeño, vestido de vaquero, fue hallado junto al pantano de Burnt Creek en el condado de Dreyfus County el lunes, con signos de haber pasado la noche a la intemperie, según dijo la policía.

El niño, de entre tres y cuatro años, fue encontrado por Theo McAllister y su perro *Buster* en la orilla este del pantano.

«Estábamos dando un paseo por el camino y *Buster* encontró un montón de ropa debajo de un arbusto. Me acerqué y me di cuenta de que era un niño —declaró el señor McAllister—. Estaba hambriento, el pobre, así que le di de comer. Como no pude encontrar a su madre, llamé a la policía.»

El chico fue trasladado al hospital de Saint Francis, donde los médicos vieron que sufría deshidratación e hipotermia, aparte de los arañazos y magulladuras; todo ello indicaba que había pasado la noche al raso.

Según el agente Ryan Valdez: «El chico sufre claramente un trauma y aún no ha sido capaz de hablar con nosotros. Nuestra prioridad es encontrar a su madre y proporcionarle la ayuda que necesite».

Desiree abre un mapa en el ordenador. El pantano de Burnt Creek se encuentra a casi tres kilómetros del lugar donde sucedió el tiroteo. Según la línea temporal, lo encontraron tres días más tarde. No hay nada que vincule los dos acontecimientos, salvo Ryan Valdez... y la llamada de Moss Webster.

Casi una semana más tarde apareció una segunda noticia en el *Chronicle*.

EL MISTERIO DEL LLANERO SOLITARIO

Autoridades del estado y federales han redoblado sus esfuerzos para resolver el misterio del niño con el sombrero de vaquero hallado el lunes pasado, deambulando cerca del pantano de Burnt Creek en el condado de Dreyfus.

El niño, de unos cuatro años de edad, tiene la tez olivácea, ojos marrones, cabello oscuro, noventa centímetros de altura y quince kilos de peso. Cuando lo encontraron, llevaba unos vaqueros azules de cintura elástica, una camisa de algodón y un sombrero de vaquero.

Las autoridades están utilizando el sistema NCIC del FBI, además del Sistema Nacional de Personas Desaparecidas no Identificadas (NamUs) con la esperanza de localizar a los padres o tutores legales del niño.

El ayudante del *sheriff* Ryan Valdez dirige la investigación. «Ha sido difícil, porque el niño no ha pronunciado una sola palabra. Creemos que no habla inglés o que está traumatizado. De momento, lo llamamos Buster, por el perro que lo encontró».

Desiree hace una llamada al Departamento de Familia y Servicios Sociales del condado de Dreyfus. Tiene que dar explicaciones tres veces antes de que la pongan con una asistente social que lleva desde el año 2004 en el departamento.

—Abrevie, tengo trabajo —dice la mujer, que está en mitad de la calle, en un lugar muy ruidoso—. Estoy con cuatro agentes de policía y tenemos que rescatar a un niño de un nido de drogadictos.

Desiree se lo resume:

—Enero de 2004: encontraron a un niño, de tres o cuatro años, deambulando solo cerca de un pantano en el condado de Dreyfus. ¿Qué fue de él?

—¿Se refiere a Buster?

—Eso es.

Le grita a alguien que espere.

—Sí, lo recuerdo bien. Un caso bien raro. El niño no abrió la boca ni una sola vez.

—¿Encontró a su familia?

—No.

—Entonces ¿qué pasó?

—Lo tomaron en acogida.

—¿Quién?

—Se supone que no puedo dar detalles así como así.

—Lo comprendo. Mire, le voy a hacer una propuesta; si me equivoco, cuelgue; si no, siga en la línea.

—Puede que cuelgue de todos modos.

—El niño fue acogido por un agente del *sheriff* y su mujer. Creo que más tarde lo adoptaron.

Hay una pausa prolongada. Desiree oye la respiración de la asistente.

—Creo que ya hemos hablado lo suficiente —dice la mujer.

—Gracias.

57

*E*l sol aparece brevemente por detrás de los retazos de nubes, creando sombras en el agua que parecen monstruos marinos prehistóricos nadando por debajo de la superficie. Audie y Max están sentados en el porche mirando la playa, donde las gaviotas flotan en el aire, volando contra la brisa.

—¿Qué se siente cuando te disparan?

—No lo recuerdo, la verdad.

—Debió de ser un accidente —dice Max—. Pensaban que era uno de la banda.

Audie no responde.

—Mi padre nunca haría algo así a propósito. Fue un error —dice Max—. Y no se llevó ese dinero. Si habla con él, le ayudará.

—Ya es demasiado tarde para eso —contesta Audie—. Hay demasiadas personas que tienen mucho que perder.

Max rasca la pintura que se desprende del brazo de su silla.

—¿Por qué no habló antes?

—Estuve en coma durante tres meses.

—Pero entonces se despertó. Podría haber hablado con la policía o con un abogado.

Audie recuerda despertarse en el hospital y adquirir lentamente conciencia del entorno. Oía a las enfermeras hablar entre sí, sentía sus manos cuando lo lavaban, pero era como una escena recortada del sueño de un borracho. Cuando abrió los

ojos por primera vez, solo podía ver formas imprecisas y remolinos de colores. El brillo fue demasiado para él, así que se
volvió a dormir. Los periodos de consciencia se hicieron cada
vez más prolongados, lapsos de tiempo indistintos que brillaban como túneles de luz, con sombras oscuras moviéndose en
medio del resplandor. Siluetas. Ángeles.

Audie volvió a abrir los ojos poco después y vio a un neurólogo de pie junto a su cama, hablando con un grupo de estudiantes y pidiendo a uno de ellos que examinase al paciente.
Un joven con el pelo rizado se inclinó sobre la cama y estuvo a
punto de abrirle el párpado a Audie.

—Está despierto, doctor.

—No diga tonterías —dijo el neurólogo.

Audie parpadeó y provocó una revolución.

Era incapaz de hablar, tenía un tubo metido en la boca y
otro en la nariz. Parecía como si alguien estuviese pasando de
un lado a otro de sus pulmones. Si giraba la cabeza, podía ver
números naranjas en una máquina junto a la cama y un punto
de luz verde moviéndose por una pantalla de cristal líquido
como la de los equipos estéreo que muestran ondas de luz de
colores moviéndose arriba y abajo.

Al lado de la cabeza tenía un soporte cromado del que
colgaba una bolsa de algún líquido que discurría por un tubo
flexible y desaparecía debajo de una tira de cinta que llevaba
fijada en el antebrazo izquierdo.

Encima de la cama había un espejo en el que veía a un hombre tumbado sobre una sábana blanca, inmovilizado como un
insecto pinchado en un trozo de cartón, con la cabeza rodeada
de vendas que le cubrían el ojo izquierdo. La imagen era tan
surrealista que pensó que a lo mejor ya estaba muerto y estaba
viviendo una experiencia extracorpórea.

Pasaron semanas así. Aprendió a comunicarse moviendo
las manos vendadas o parpadeando. El neurólogo lo visitaba
casi cada día. Llevaba vaqueros y botas. Se presentaba como
Hal y le hablaba lentamente, vocalizando, como si Audie tuviese la edad mental de un niño de cinco años.

—¿Puede mover los dedos de los pies?

Audie hizo lo que le pedían.

—Siga mi dedo —dijo Hal, moviéndolo de un lado a otro.

Él movió los ojos.

El médico pasó un instrumento metálico en forma de gancho por los brazos y las plantas de los pies de Audie.

—¿Lo ha notado?

Audie asintió.

Ya le habían quitado los tubos de la boca y de la nariz, pero tenía dañadas las cuerdas vocales y no podía hablar. Hal acercó una silla y se sentó en ella con el respaldo hacia delante, apoyando los brazos en él.

—No sé si puede entenderme, señor Palmer, pero le voy a explicar lo que sucedió. Le dispararon. La bala le entró por la frente y recorrió el lado izquierdo de su cerebro antes de salir por la nuca. Podrían pasar meses antes de que podamos determinar el grado de daño permanente que ha sufrido, pero el hecho de que esté vivo y sea capaz de comunicarse es un verdadero milagro. No sé si es usted una persona religiosa, pero alguien, en alguna parte, debe de haber estado rezando por usted. —Hal sonrió con expresión tranquilizadora—. Como le he dicho, la bala le atravesó el hemisferio izquierdo del cerebro; habría sido peor si hubiese afectado a los dos hemisferios. A veces, un cerebro puede tolerar la pérdida de la mitad de él; es como un avión con dos motores que pierde uno de ellos. En su caso, el proyectil no tocó el terreno más valioso, por así decirlo: el tronco encefálico y el tálamo.

»El lado izquierdo del cerebro controla las funciones del lenguaje y del habla; por eso puede tardar algún tiempo en recuperarlas, aunque es posible que no las recupere nunca. Dentro de unos días programaré una resonancia magnética y empezaremos a hacer algunas pruebas neurológicas para comprobar el funcionamiento de su cerebro.

Hal le tomó la mano. Audie le apretó los dedos.

Al cabo de unas horas, se despertó en una habitación oscura, con la única iluminación de las máquinas. Había un hombre sentado junto a su cama, pero Audie no podía volver la cabeza para ver su rostro.

La figura se inclinó hacia delante y apoyó el puño en las vendas que rodeaban su cabeza, presionando contra los huesos rotos. Fue como si alguien hubiese hecho explotar una granada dentro de su cráneo.

—¿Ha notado eso? —dijo la voz.

Audie asintió.

—¿Entiende lo que digo?

Asintió de nuevo.

—Sé quién es y dónde está su familia, señor Palmer.

El puño siguió retorciéndose contra su cabeza, machacando los huesos y las placas metálicas. Los brazos de Audie se agitaban en el aire como si alguien hubiese cortado los controles.

—Tenemos al niño, ¿comprende? Si quiere que viva, haga lo que le voy a decir.

El dolor era tan terrible que a Audie le costaba oír lo que le decían, pero la esencia del mensaje llegó hasta él.

—Mantenga la boca cerrada, ¿me entiende? Declárese culpable o el niño morirá.

La alarma del monitor de ritmo cardiaco empezó a sonar. Audie perdió el conocimiento. No esperaba volver a despertarse; en realidad, no quería despertarse. Se dijo a sí mismo que quería morir; luego revivió el accidente, los gritos de Belita mientras moría y el rostro de Miguel. Se despertaba cada noche con el mismo sueño hasta que el miedo le impedía dormirse otra vez; entonces miraba su reflejo en el espejo del techo, viendo los leves movimientos de su garganta al tragar saliva.

—¿Quién era? —preguntó Max.

—Un agente del FBI llamado Frank Senogles.

El chico se queda mirando a Audie como tratando de decidir si está exagerando o si se está inventando las respuestas sobre la marcha.

—¿Está diciendo que fue a la cárcel por mi culpa?

—No fuiste tú quien me metió en la cárcel.

—Pero ¿lo hizo porque me amenazaron?

—Le hice una promesa a tu madre.

—Podría habérselo dicho a la policía.

—¿En serio?

—Podría haberles demostrado quién era.

—¿Cómo?

—Le habrían creído.

—No podía hablar. Cuando pude hacerlo, las pruebas ya habían sido manipuladas, o las habían extraviado o fabricadas a medida. No tenía forma de demostrar mi inocencia. Y sabía que, si lo intentaba, me matarían.

Max se pone de pie y se pone a andar de un lado a otro, como fuera de sí.

—¡Se equivoca! ¡Es mentira! ¡No puede ser! Mi padre nunca me haría daño. Mataría a cualquiera que lo hiciera. Lo matará cuando lo encuentre... —Max cierra los ojos con fuerza, con el rostro deformado por la ira y el asco—. Mi padre ganó una medalla al valor. Es un maldito héroe.

—No es tu padre.

—¡Es un puto embustero! ¡Se equivoca! Yo era feliz. Me quieren. No tenía derecho a secuestrarme.

Max, furioso, entra en la casa y cierra la puerta del dormitorio de un portazo. Audie no trata de seguirlo. Siente que su relación es distante, como si filmara desde fuera todo lo que sucede, sin tomar parte en ello. Está en el mismo lugar que Max, pero no está conectado a él. Aquella conexión quedó interrumpida cuando las llamas envolvieron el Pontiac y Belita gritó su nombre.

«¿Qué esperaba que hiciera el chico? ¿Qué más podía haber dicho?»

Durante once años han querido que Audie tuviese la boca cerrada, se esfumara, desapareciera, muriese... Si le hubieran dejado en paz, quizá les habría concedido ese deseo. Podría haber sucumbido a uno de los muchos intentos de acabar con su vida, o acabar con todo en uno de esos innumerables episodios de violencia que tenían lugar en la cárcel. Sin embargo, era incapaz de abandonar el recuerdo de Belita, que lo seguía hipnotizando y lo atraía como un precipicio a un sonámbulo. Le había hecho una promesa.

No es que Audie se hubiera quedado de brazos cruzados. Primero se dejó dar cualquier paliza y soportó cualquier humillación, porque incluso el castigo físico le ayudaba a disimular su dolor interior. Pero llegó un momento en el que poner la otra mejilla se convirtió en un problema, porque tenía magullados ambos lados del rostro y cerrados los dos ojos. Sabía que estaba cumpliendo la penitencia por los pecados de otro. Era una rata en la jaula de una boa, aplastado lentamente por el peso de su propio dolor y por la promesa que hizo.

No le podía contar a Max que lo habían golpeado, acuchillado, quemado y amenazado. Y no le contó que, un mes antes del día en que lo iban a liberar, el mismo hombre que le había visitado en la cama del hospital vino a Three Rivers. Se sentó al otro lado de una pantalla de Perspex e hizo un gesto indicándole que descolgase el teléfono. Audie se lo puso lentamente en la oreja. Era una sensación extraña, volver a escuchar aquella voz y recordar la última vez que habían hablado.

El hombre se rascó la mejilla con cuatro dedos, con gesto despreocupado.

—¿Me recuerda?

Asintió.

—¿Tiene miedo?

—¿Miedo?

—De lo que le espera al otro lado.

Audie no respondió. Mareado, temblando, parecía incapaz de mantener el teléfono en la oreja, pero lo sostuvo con tal fuerza que se provocó una magulladura que le duró semanas.

—Estoy impresionado —dijo el hombre—. Si alguien me hubiese dicho que seguiría vivo después de diez años aquí dentro, le habría dicho que era un cretino. ¿Cómo se las ha arreglado para sobrevivir? —El hombre no esperó respuesta—. ¿Adónde iremos a parar si no es posible encontrar un puto asesino competente en una cárcel?

—A los competentes no los pillan —dijo Audie, tratando de parecer valiente; pero su corazón golpeaba contra las costillas como un gato en un contenedor de basura.

—Hasta intentamos que repitieran el juicio, pero el fiscal acabó por rajarse. —El hombre tamborileó los dedos en la pantalla—. Así que ahora crees que vas a salir de aquí. ¿Cuánto tiempo piensas que vas a durar? ¿Un día? ¿Una semana?

Audie meneó la cabeza.

—Solo quiero que me dejen en paz.

El tipo se metió la mano en la chaqueta, sacó una fotografía y la sostuvo contra el Perspex.

—¿Lo reconoce?

Audie pestañeó al ver la imagen de un chico adolescente con pantalones cortos y camiseta.

—Aún lo tenemos —dijo el hombre—. Si hace aunque solo sea un mínimo gesto hacia nosotros… ¿Me entiende?

Audie colgó el teléfono y volvió renqueando a su celda, la espalda encorvada, cadenas en las muñecas y los tobillos, con la desesperación de un hombre condenado. Aquella noche estaba furioso. La ira le sentó bien, lo purificó, limpió sus cicatrices. Había estado luchando demasiado tiempo contra fantasmas, pero ahora los fantasmas tenían nombre.

$\mathcal{A}$udie oye acercarse un coche, el motor rugiendo al sacudirse con los baches. Desde la ventana de la cocina mira una vieja camioneta Dodge mientras pasa salpicando por los charcos que ha dejado la tormenta. Aparca en el lado norte de la casa y da marcha atrás hasta la puerta del cobertizo para barcas.

De la camioneta sale un viejo con mono, botas de trabajo y una gorra descolorida de los Houston Oilers. Los Oilers se fueron de Houston en 1996, pero algunos los recuerdan como si fuera ayer. Abre la puerta del cobertizo y retira la cubierta de un bote de aluminio, doblando pulcramente la lona antes de enganchar el remolque del bote a la bola de la camioneta.

Es un vecino o un amigo que toma prestado un bote. Quizá no suba. Puede que no tenga una llave. ¿Dónde está Max? Está en el dormitorio, escuchando música en su iPad.

El viejo saca un motor fueraborda de la camioneta y lo lleva al bote, donde lo engancha a la popa y aprieta los pernos. Luego lleva una lata de combustible y una caja de señuelos de pesca. Después de guardarlo todo, se vuelve a poner tras el volante, pero echa una ojeada hacia arriba y se da cuenta de que hay un postigo abierto. Rascándose la cabeza, se baja de la camioneta y camina cruzando el césped.

Audie coge la escopeta y la sostiene a su lado. Aún puede ir todo bien; el viejo culpará a la tormenta del postigo abierto.

Mientras no se acerque a comprobar la puerta… Ha subido los escalones. La madera cruje bajo su peso. Cierra el postigo y examina las bisagras. Nada parece estar roto o doblado. Se desplaza por el porche hacia la puerta. Cuando aún está a cuatro pasos, ve el panel de cristal roto.

—Malditos niños —murmura, metiendo la mano por el panel y abriendo el cerrojo—. ¿Cuánto mal habréis hecho, pequeños cabrones?

Empuja y abre la puerta. Entra y se queda mirando los dos orificios negros de la escopeta a dos dedos de su frente. Las piernas le fallan, se tambalea y su rostro palidece.

—No voy a hacerle daño —dice Audie.

El viejo trata de responder, pero su boca se limita a abrirse y cerrarse, como si estuviera hablando en el lenguaje de los peces. Al mismo tiempo se lleva la mano al pecho, encima del corazón; el golpe produce un ruido sordo y hueco. Audie baja la escopeta.

—¿Se encuentra bien?

El hombre niega con la cabeza.

—¿El corazón?

Asiente.

—¿Tiene pastillas?

Asiente de nuevo.

—¿Dónde?

—Camioneta.

—¿Salpicadero? ¿Guantera? ¿Bolsa?

—Bolsa.

Max sale del dormitorio, aún dando golpes a la pandereta entre las rodillas. Al ver al viejo, el tintineo se detiene.

—Tiene un problema de corazón —explica Audie—. Hay pastillas en su camioneta. Necesito que vayas a por ellas ahora mismo.

Max no cuestiona la orden. El ruido de la pandereta se escucha mientras baja las escaleras y cruza el jardín; luego se detiene. Audie no ve la camioneta porque el postigo ahora está cerrado.

Le acerca una silla al viejo y hace que se siente. Tiene el rostro amarillento y húmedo de sudor. Mira a Audie como si estuviese viendo al fantasma de las Navidades pasadas.

—¿Cómo se llama?

—Tony —gruñe el hombre.

—¿Es un ataque al corazón?

—Angina de pecho.

Max abre la puerta de la camioneta y rebusca hasta encontrar una vieja bolsa de deporte. Las llaves están colgando del contacto. Esta podría ser su oportunidad: podría llevarse la camioneta y desaparecer antes de que Audie tuviese tiempo siquiera de bajar las escaleras. Podría parar a alguien o buscar un teléfono. Podría rescatarse a sí mismo y convertirse en un héroe. Quizás así Sophia Robbins querría salir con él.

Está pensando en todo esto mientras revuelve en la bolsa; sus dedos se cierran alrededor de un teléfono móvil. Al lado hay un frasco de plástico con pastillas. Mirando hacia la casa, Max abre el teléfono y teclea un mensaje de texto que envía al móvil de su padre: «Soy Max. Estoy bien. Casa en playa. Este de Sargent, entre golfo y canal. Casa azul. Tejado de madera. Porche. Cobertizo para barcas».

Apaga el teléfono y se lo mete por dentro de los calzoncillos. Coge las pastillas y cierra la puerta, echando un vistazo por la playa. A casi un kilómetro ve un todoterreno haciendo derrapes en la arena.

—¿Has encontrado las pastillas? —grita Audie, de pie en el porche.

—Sí, las tengo.

Max sostiene el frasco por encima de la cabeza y lo agita.

—Tráeme toda la bolsa.

—De acuerdo.

Audie le trae un vaso de agua a Tony y abre el frasco.

—¿Una o dos?

Tony levanta dos dedos. Audie le pone las pastillas en la palma de la mano y mira cómo se las traga y las hace pasar con agua.

—¿Se pondrá bien? —pregunta Max.

—Creo que sí.

—A lo mejor deberíamos llamar a una ambulancia.

—Vamos a esperar un momento.

Tony abre los ojos y parece casi tranquilo, bajo los efectos de la droga que hace que su corazón lata con regularidad o le calme el dolor. Mira a Max, sonríe y pide otro vaso de agua.

—Estoy enfermo del corazón —explica, con los párpados pesados—. Dicen que necesito un *bypass*, pero no tengo seguro. Mi hija ha estado ahorrando, pero costará 159.000 dólares. Tiene dos trabajos, pero de todos modos me moriré veinte años antes de que ella pueda pagarlo. —Se seca la cara con un pañuelo, poco más que un harapo—. Por eso voy a pescar, para poner un poco de comida en la mesa. Les tomo prestado el bote a los Halligan, pero ellos no lo saben. —Mira a Audie—. Supongo que tampoco saben nada de vosotros. —Audie no responde—. Bueno, ¿quiénes sois y qué hacéis aquí?

Observa a Max y a Audie. Baja los ojos y ve la pandereta entre las rodillas de Max. Se le ocurre una idea. Levanta las cejas.

—Tú eres ese chico al que están buscando. Sales en las noticias. —Mira a Audie con el ceño fruncido—. Y dicen que tú eres un asesino.

—Se equivocan.

—¿Y qué piensas hacerme?

—Me lo estoy pensando.

—No iré a pescar.

—Hoy no. ¿A qué hora le esperaba su hija en casa?

—Al anochecer, más o menos.

—¿Tiene teléfono móvil?

Max interrumpe.

—En la bolsa no está. —Mira hacia Tony y algo se transmite entre los dos.

—Mi hija no deja de darme la tabarra con que lleve uno —dice Tony—, pero no les acabo de pillar el truco.

—¿Se siente mejor? —pregunta Audie.

—Estoy bien.

—Debería llevarlo al hospital —dice Max.

—Lo haré si empeora —contesta Audie mientras comprueba las ventanas y pone el seguro de la escopeta.

—¿Y mi hija? —pregunta Tony—. Estará preocupada por mí. Audie mira el reloj.

—No hasta el anochecer.

59

*D*esiree atraviesa la muchedumbre de reporteros y cámaras de televisión que la rodean como perros a la espera de un hueso. Las unidades móviles y los coches de los medios están bloqueando la calle donde está la casa de Valdez, atrayendo espectadores y morbosos que han venido a ver cómo se gesta una noticia.

Una agente de policía especializada en relaciones con familia abre la puerta con una mano sobre la culata de la pistola. Sandy Valdez está de pie en el recibidor, a su lado, con los ojos muy abiertos y una mirada de esperanza. Lleva una camiseta descolorida y unos vaqueros, y está descalza; tiene el cabello despeinado y no lleva maquillaje en la cara. Se nota que no ha dormido. Hablan en el salón, que tiene las cortinas echadas y las persianas bajadas. Desiree se sienta y rechaza un café.

—¿Está su marido en casa?

Sandy niega con la cabeza.

—A alguien como Ryan no se le puede pedir que se quede mano sobre mano. Quiere salir a agitar las cosas, a gritar desde los tejados.

Desiree dice que lo comprende, aunque Sandy parece dudarlo.

—¿Por qué no le dijeron a Max que era adoptado?

Sandy hace una pausa, el pañuelo de papel junto a la nariz.

—¿Y eso qué tiene que ver?

—¿Ocultaron la información a propósito?

—¡No! ¡Desde luego que no!

—¿Cuándo lo adoptaron?

—Cuando tenía cuatro años. ¿Qué importa eso ahora?

Desiree no hace caso de la pregunta.

—¿Lo hicieron a través de una agencia?

—Pasamos por todos los conductos apropiados, si es eso lo que pregunta. —Sandy se desplaza al borde del sofá, con las rodillas juntas, amasando el pañuelo entre los dedos hasta que empieza a deshacerse—. Ryan dijo que lo habían abandonado. Alguien lo encontró caminando por el bosque, sucio y helado. Ryan lo llevó al hospital e intentó encontrar a su madre; luego se mantuvo en contacto con el Departamento de Familia y Servicios Sociales.

—¿Lo tuvieron en acogida y luego lo adoptaron?

—Habíamos estado intentando fundar una familia. Pasamos por todo el proceso (inyecciones, extracción de óvulos, fecundación *in vitro*), pero no funcionó. Nunca habíamos hablado en serio de adopción hasta que apareció Max. Fue como si Dios nos lo hubiese enviado.

—¿Lo sabe Max?

Sandy se mira las manos.

—Teníamos pensado decírselo cuando tuviese la edad suficiente.

—Tiene quince años.

—No encontrábamos el momento adecuado. —Sandy cambia de tema—. ¿Sabe que no dijo ni una palabra durante cinco meses? Ni un sonido. Nadie sabía cuál era su verdadero nombre. Lo llamamos Buster (por el perro que lo encontró) durante mucho tiempo, pero entonces empezó a hablar y dijo que se llamaba Miguel. Ryan no quería llamarlo así, de manera que quedamos en llamarlo Max; al niño pareció darle igual.

Desiree no dice nada.

—¿Les dijo su apellido?

—No.

—¿Y de dónde venía?

—Una o dos veces señaló imágenes o habló de algo que podía ser una pista, pero Ryan dijo que no debíamos presionarlo. —Sandy hace una mueca con los ojos—. Solía tener miedo de que un día alguien viniera a buscarlo. Cada vez que oía el teléfono o que alguien llamaba a la puerta pensaba que sería su madre, que quería volver con él. Ryan dijo que daba igual, porque Max ya era legalmente nuestro. —Mira a Desiree, a punto de llorar—. ¿Por qué se nos castiga? Hicimos una cosa buena. Somos unos buenos padres.

Audie mira en los armarios de la cocina buscando comida que llevarse. Se les acabará el tiempo antes de que se les termine la comida. Tony lo observa; su rostro está pálido, pero ya no brilla de sudor.

Le gusta hablar, hacer observaciones que enlazan con alguna historia de su propia vida. Quizás ha leído en alguna parte que los rehenes deben establecer una relación con sus secuestradores. O tal vez simplemente está tratando de matar de aburrimiento a Audie.

—¿Ha estado en el ejército? —pregunta.

—No.

—Yo estuve en la Marina. Demasiado joven para luchar contra los alemanes o los coreanos, demasiado viejo para Vietnam. Era soldador. Solía encargarme de trabajos de fontanería y de aislar las salas de máquinas con asbesto. Así murió Maggie, mi mujer. Dijeron que lo traía a casa en la ropa; ella la lavaba y las fibras se le metieron en los pulmones. Los míos no quedaron afectados, pero ella murió. Esto es lo que quiere decir la gente cuando dicen que una cosa es irónica, ¿no?

—Me parece que no.

—Supongo que fue mala suerte, nada más. No me quejo. —Hace una pausa, aprieta los labios—. ¡No, joder! ¡Claro que me quejo! Pero nadie me hace caso.

—¿No tiene seguro médico por ser veterano? —pregunta Audie.

—No tuve destinos en el extranjero.

—No me parece justo.

—Saber que algo es justo no hace que suceda.

Tony se estremece y se golpea el pecho, como para poner en marcha un marcapasos que no está ahí. Debería estar en un hospital o, como mínimo, visitar a un médico. Audie no quiere cargar con otra muerte en su conciencia. La siguiente parte del plan iba a ser un problema ya desde un principio. Tal vez no se preocupó en prever una estrategia de salida porque no creía que fuese a llegar hasta aquí. Max ya sabe la verdad; quizá no crea alguno de los detalles, pero esa decisión es suya. Es como llevar a un niño a la iglesia y a la escuela dominical, dándole una fe que puede aceptar o rechazar.

Le quedan ciento doce dólares; cuenta el dinero y se lo mete en el bolsillo de delante. Abre la cremallera de la mochila, saca el teléfono móvil y le pone una SIM nueva antes de ponerlo en marcha y buscar cobertura. Lo primero que hace es llamar al Hospital para Niños de Texas y preguntar por su hermana. Bernadette está en el edificio donde tiene la guardia. Alguien va a buscarla.

Audie mira hacia Tony. Está hablando con Max, asintiendo. Quizás estén tramando algo; pero, dentro de poco, ya no importará.

—Soy yo. Solo puedo hablar un momento.

—¿Audie? La policía ha estado aquí. —Bernadette está cubriendo el micrófono y hablando en susurros.

—Ya lo sé.

—¿Piensas hacerle daño al chico?

—No.

—Entrégate. Deja que vuelva a casa.

—Lo haré, pero necesito que me hagas un favor. ¿Aún tienes esa carpeta que me has estado guardando?

—Sí.

—Quiero que se la des a una persona. Se llama Desiree Furness: es agente especial del FBI. Se la tienes que dar directamente a ella, no a otra persona. Cara a cara. ¿Me has entendido?

—¿Y qué le digo?

—Dile que siga la pista del dinero.

—¿Cómo?

—Lo entenderá cuando lea lo que hay en la carpeta.

La voz de Bernadette tiembla.

—Querrá saber dónde estás.

—Ya lo sé.

—¿Y qué le digo?

—Dile que el chico está a salvo y que yo lo cuido.

—Vas a meterme en más líos. Siempre le digo a la gente que eres buena persona, y entonces vas y demuestras lo contrario.

—Te compensaré.

—¿Y cómo piensas hacerlo si estás muerto? Deja que el chico se vaya a casa.

«Dónde será eso», se pregunta Audie.

—Lo haré.

Cuelga el teléfono y hace otra llamada. La única persona en la que puede más o menos confiar es la que le ayudó a sobrevivir en la cárcel. No entiende cómo se las ha arreglado Moss para salir de Three Rivers y encontrarlo, pero se suponía que la tumba que Audie estaba cavando en el bosque era para los dos.

Responde una mujer.

—Clínica dental Harmony.

—Estoy buscando a Crystal Webster.

—Al habla.

—Me llamo Audie Palmer. Nos hemos visto un par de veces.

—Sé quién es —dice Crystal, nerviosa.

—¿Ha tenido noticias de Moss?

—Me llama casi todos los días.

—¿Sabe por qué lo dejaron salir de la cárcel?

—Se suponía que tenía que encontrarle.

—¿Y luego?

Vacila.

—Entregarlo. Dijeron que podía quedarse con el dinero si le encontraba.

—Ese dinero no existe.

—Moss lo sabe, pero esperaba que le conmutasen la sentencia si hacía lo que le pedían.

—¿Y ahora qué cree?

—Sabe que mentían.

Audie mira por la ventana y ve volar las gaviotas por encima de las olas, batiendo las alas y graznando con sonidos extraños y profundos. A veces suenan como bebés humanos.

—Cuando Moss se ponga en contacto con usted, dígale que tengo un plan. Quiero que venga y se lleve al chico. Puede quedarse con los honores. Dele esta dirección. Estaré aquí otras seis horas.

—¿Puede llamarlo?

—Voy a apagar este teléfono.

—¿Está bien el chico?

—Se encuentra perfectamente.

—¿Por qué no iba a llamar a la policía ahora mismo y decirle dónde está?

410   —Consúltelo con Moss. Si él está de acuerdo, que llame a la policía.

Crystal se lo piensa durante unos momentos.

—Si alguien le hace daño a Moss, iré a por usted. Y deje que le diga, señor Palmer, que yo doy mucho más miedo que él.

—Lo sé, señora. Moss me habló de usted.

60

$\mathcal{P}$ilkington levanta la mirada, entrecerrando los ojos. Observa las nubes, que se desplazan rápidamente por el cielo. Hay dos vehículos estacionados en el estrecho camino de acceso a su casa, a la sombra de un árbol muerto, con las ramas como huesos descoloridos en el fondo de un lago seco.

—Esta vez lo haremos como se debe hacer —dice mientras masca el extremo empapado de un cigarro que no ha encendido—. Que no le entren las prisas a nadie.

Desvía la mirada hacia Frank Senogles, que está comprobando un fusil, mirando por la mira telescópica con el ojo derecho mientras cierra el izquierdo. Valdez cierra el maletero del coche y abre la cremallera de una funda negra para fusiles. Hay otros dos hombres con pantalones de lona negros con bolsillos en los muslos. Mercenarios con nombres inventados: Jake y Stav. No hablarán a menos que tengan alguna cosa que decir. Mientras les paguen, harán su trabajo. Jake tiene el pelo largo recogido en una cola de caballo, pero tiene entradas, como si la marea se estuviera retirando y dejase las cejas abandonadas. Stav es más bajo y moreno de piel; lleva el pelo al rape y tiene un tic nervioso: se seca la boca con el revés de la muñeca. Tiene cicatrices en el cuello, como si se hubiera quemado.

Pilkington no puede evitar quedarse mirando aquella piel irregular.

—¿Le pasa algo a mi cara? —pregunta Stav.

Pilkington aparta la mirada y murmura una disculpa. No le gusta que lo presionen ni perder el control de las cosas. Ese no es su terreno. Su padre había ido a la cárcel por fraude de bolsa y de telecomunicaciones. Al salir, profesaba un inesperado respeto hacia criminales y sinvergüenzas. En aquel mundo violento, las personas valoraban más el poder que el dinero. La violencia era un fin, no solo un medio: lleva un palo más grande, golpea más fuerte, golpea antes, golpea más veces.

Pilkington da una palmada con sus manos enguantadas como para animar a un equipo de béisbol infantil.

—Todos para uno y uno para todos, ¿eh?

Nadie le responde.

Senogles lanza una mirada de rabia a Valdez.

—Bueno, supongo que el que debería resolver el problema es el tío que lo ha provocado.

—Le disparé en la cabeza —replica Valdez—. ¿Qué más podía hacer?

—Dispararle dos veces.

—Deja de quejarte —interviene Pilkington.

—Palmer es como un puto vampiro —dice Valdez—. Puedes apuñalarlo en el corazón, quemarlo y enterrarlo, pero alguien lo desentierra y lo hace resucitar.

—Así que el cabrón es difícil de matar —dice Jake.

—Sangra, como cualquier hijo de vecino —responde Stav mientras se ajusta las tiras de Velcro de un chaleco antibalas.

—¿Y si el niño recuerda? —pregunta Senogles.

—No lo hará —contesta Valdez.

—¿Por qué, si no, iba a llevárselo Palmer? Debe de querer que el chico confirme su historia.

—Max no tenía ni siquiera cuatro años. Nadie se lo creerá.

Senogles no está convencido.

—¿Y las pruebas de ADN? ¿Y si Palmer puede demostrar que no tomó parte en el robo?

—No puede.

Valdez quita y pone un cargador en una pistola automática. Senogles mira hacia Pilkington en busca de una garantía.

—Max no dirá nada; es un buen chico —dice el viejo.

—Es un puto cabo suelto.

Valdez le interrumpe.

—A Max no lo toca nadie; quiero que todos estemos de acuerdo.

—Yo no estoy de acuerdo con nada —replica Senogles—. Y no voy a ir a la cárcel porque tú hayas adoptado a un puto niño hispano.

Valdez toma al agente y lo lanza contra el coche, que se balancea por el impacto. Le presiona la garganta con el antebrazo.

—¡Es mi puto hijo! No lo va a tocar nadie.

Senogles lo mira fijamente; ninguno de los dos parpadea ni se echa atrás.

—Muy bien, vamos a calmarnos todos —dice Pilkington—. Tenemos un trabajo que hacer.

Valdez y Senogles se clavan la mirada durante unos segundos antes de que Valdez afloje la presa y aparte al agente de un empujón.

—Muy bien, Frank, dinos qué es lo que va a pasar aquí —dice Pilkington.

Senogles desenrolla un mapa de satélite en el capó de un Ford Explorer.

—Creemos que la casa está aquí, en Canal Drive. Solo hay un camino de entrada y de salida. Cuando lo cerremos, quedará atrapado, a menos que tenga una lancha.

—¿Sabe Palmer que vamos para allá? —pregunta Pilkington.

—No es probable.

—¿Está armado?

—Vamos a suponer que lo está.

—¿Cuál es nuestra coartada? —pregunta Pilkington.

—La familia recibió una demanda de rescate —responde Senogles— y el *sheriff* Valdez decidió encargarse del asunto por su cuenta porque le preocupaba la seguridad de Max. —Se vuelve y mira a los demás—. Yo nunca he estado aquí, ¿de acuerdo? Si nos abordan, el que habla es el *sheriff*. Nada de te-

413

léfonos móviles, ni de buscas, ni de receptores GPS, ni de *walkie-talkies*, ni de identificación. Y las armas, ocultas.

—Yo necesito el teléfono móvil por si llama Max —dice Valdez.

—De acuerdo, solo el teléfono.

La cabeza de Valdez es un hervidero de dudas. Todos los asesinos tienen que convivir con imágenes que no pueden borrar de sus sueños, imágenes de crímenes que permanecen indelebles en su subconsciente. Durante tres noches, Valdez había estado viendo a Cassie Brennan y a su hija Scarlett. Cuando las mató a tiros, no las conocía. Pensaba que era Audie quien estaba en el baño, pero resultó ser la niña. Después de matarla, no tenía elección: tuvo que matar también a la madre.

Y ahora no se lo podía contar a nadie, ni a su mujer, ni a sus compañeros de trabajo, ni al cura, ni al camarero. La culpa es de Audie Palmer. No tiene nada que ver con el dinero, que gastó ya hace tiempo. Sí, podrían haberlo intentado de nuevo. Y había agencias de adopción y servicios de vientres de alquiler, pero Max había llegado a ellos por azar, el más feliz de los accidentes y la respuesta a sus oraciones.

Y ahora está en poder de Audie Palmer. La gran pregunta es: ¿por qué? Si hubiera querido matar a Max, lo habría hecho el primer día, junto a su casa. No, él nunca mataría al crío: eso es lo fundamental. Pero ¿y si le cuenta a Max lo que sucedió o le ayuda a recordar? ¿Y si pone a Max contra las personas que lo criaron?

Si Audie Palmer hubiese muerto cuando se suponía que debió hacerlo…

61

$\mathcal{B}$ernadette Palmer aún lleva el uniforme de enfermera, una blusa de colores vivos y pantalones ajustados, mientras espera en el vestíbulo del edificio del FBI.

Audie le había dicho que buscase a la persona más baja que hubiera.

«Esa debe de ser», pensó Bernadette al ver a Desiree Furness salir del ascensor. Incluso con botas de tacón alto, la agente especial no le llega a Bernadette al pecho, pero está perfectamente proporcionada, como si fuese un modelo a escala.

Desiree le sugiere que se sienten, y lo hacen en extremos opuestos de un sofá de cuero. La gente las mira al dirigirse hacia los ascensores, lo que exacerba la timidez de Bernadette. «Cuanto antes se termine esto, mejor», piensa mientras saca un sobre de papel manila del bolso.

—No sé lo que significa ni por qué es importante, pero Audie me dijo que se lo diese a usted y a nadie más que usted.

—Ha tenido noticias suyas.

—Me llamó al trabajo.

—¿Cuándo fue eso?

—Hace una hora.

—¿Dónde estaba? ¿Se lo dijo a la policía?

—Se lo estoy diciendo a usted.

Desiree abre la carpeta. El primer documento es una partida de nacimiento de El Salvador, de una persona llamada Belita Ciera Vega, nacida el 30 de abril de 1982. Sus padres eran un comerciante de origen español y una modista de origen argentino. El siguiente documento es un certificado de matrimonio en el que también aparece Belita, emitido por una capilla de Las Vegas en enero de 2004. El nombre del novio es Audie Spencer Palmer. Desiree levanta la vista de la carpeta.

—¿De dónde los ha sacado?

Bernadette parece pensar en lo que implica la pregunta, en si se va a meter en problemas.

—Me los envió Audie. Teníamos un sistema: él disponía de una cuenta de correo electrónico y me dio el nombre de usuario y la contraseña. Cada semana iniciaba sesión en ella y miraba los mensajes que él me había dejado en la carpeta de borrador. A veces, los mensajes tenían documentos adjuntos. Tenía que imprimirlo todo, borrar los mensajes y vaciar la carpeta de borrador, y no se lo podía decir a nadie. Tampoco podía usar la cuenta para nada más.

416 Desiree se imagina exactamente el mecanismo. Audie configuró una cuenta anónima de Gmail o Hotmail con un ordenador de la biblioteca de la cárcel. Dejar mensajes en la carpeta de borrador era un viejo truco empleado por terroristas y adolescentes para evitar que los descubriesen, porque estas comunicaciones no se envían nunca y, por tanto, dejan menos rastro digital.

En la carpeta hay una fotografía en la que se ve a Audie debajo de un arco de flores de color blanco y rosa, con el brazo rodeando la cintura de una mujer; entre los pliegues de su vestido, un niño pequeño asoma la cara.

—¿Sabía que su hermano estaba casado?

Bernadette niega con la cabeza.

—¿Conoce a esta mujer?

—No.

Desiree encuentra una partida de nacimiento del condado de San Diego, de un niño nacido el 4 de agosto de 2000. Nombre: Miguel. Apellidos: Ciera Vega. Nombre del padre: Edgar Roberto Díaz (fallecido).

Pasando las hojas más rápido, echa un vistazo al resto de la carpeta, en la que hay consultas al registro de la propiedad de Texas, copias de títulos de propiedad, recibos, informes financieros, informes de rendimiento de empresas y artículos de revistas. Debe de haber costado años recopilarlos.

En los documentos aparece con frecuencia un nombre: Victor Pilkington. Es un nombre conocido para cualquiera que haya crecido en Texas. Desiree tiene una relación familiar concreta con él: su tatarabuelo, Willis Furness, nació en una plantación propiedad de la familia Pilkington en 1852, y trabajó en los campos de la familia durante casi cincuenta años. Su mujer, Esme, ama de cría y costurera, probablemente dio de mamar al abuelo de Victor Pilkington o le remendó los calcetines.

Entre los Pilkington ha habido dos congresistas y cinco senadores del estado antes del derrumbamiento de su imperio durante la crisis energética de mediados de los setenta. La fortuna familiar se desvaneció, y uno de ellos (Desiree no recuerda quién) fue a la cárcel por fraude bursátil y uso fraudulento de información confidencial.

En los últimos años, Victor Pilkington había logrado restablecer parte del estatus de la familia al ganar una fortuna con negocios de propiedad y compraventa hostil de empresas. Entre los recortes hay una fotografía suya sonriendo a las cámaras frente al Museo de Bellas Artes de Houston, donde presidió la gala latinoamericana de recaudación de fondos. Corbata negra, dientes blancos, una onda brillante en el pelo. En otra noticia aparece haciendo el primer lanzamiento ceremonial en un partido de los Rangers, con un uniforme de béisbol que aún muestra los pliegues de haber estado dentro de una caja. Los medios de comunicación lo apodaban «el presidente». Pilkington interpretaba el papel, apareciendo siempre en las fotografías con un cigarro sin encender en la mano. Se casó con una chica de la alta sociedad con un apellido poderoso, cuyo padre había estado de fiesta con George Bush Jr. la noche en que lo detuvieron por conducir borracho en Maine, en 1976.

Dinero llama a dinero. Desiree lo sabe, pero nunca ha envi-

417

diado a las élites acaudaladas, que tienden a ser fabulosamente aburridas, ignorantes de las vidas de los demás y ciegas a la belleza del mundo natural. Echa otro vistazo a la carpeta de Audie; en algunos de los documentos se mencionan empresas fantasma y cuentas en terceros países. Va a necesitar un perito contable para comprenderlos.

Hacia el final de la carpeta se tropieza con un papel que se desliza entre otros dos y cae al suelo meciéndose. No es una hoja entera, solo la mitad superior. En el encabezado dice:

DEPARTAMENTO DE VEHÍCULOS DE MOTOR DE CALIFORNIA.

DOCUMENTO DE TRANSFERENCIA DE PROPIEDAD

Y EXENCIÓN DE RESPONSABILIDAD

Desiree tarda un momento en darse cuenta de la importancia del documento, en el que se menciona un Pontiac 6000, la misma marca, modelo y número de matrícula del coche que ardió e incineró a una conductora en el condado de Dreyfus, en 2004. El coche fue adquirido en San Diego, California, el 15 de enero de 2004, a un tal Frank Robredo. Al precio de 900 dólares. El hombre que lo compró se presentó como Audie Spencer Palmer.

Desiree vuelve la página. Es una fotocopia, pero no parece una falsificación.

—¿Reconoce esta firma?

—Es la de Audie.

—¿Comprende lo que eso significa?

—No.

Desiree sí lo comprende; toma la carpeta y deja a Bernadette en el vestíbulo mientras se dirige a los ascensores a paso rápido. Los detalles están encajando, a un ritmo mayor del que ella es capaz de manejar. Se siente como una dama de honor intentando coger el ramo en una boda; sin embargo, la novia tira ramos a docenas y Desiree no puede abarcarlos todos. La mujer del coche era Belita Ciera Vega, la esposa de Audie. Lo más probable es que el niño de la fotografía sea su hijo.

Desiree ha llegado a su escritorio. Abre la carpeta de nuevo y se queda mirando la fotografía de boda, estudiando al jovencito. Tiene unos rasgos más españoles que salvadoreños. El padre de Belita era español; su madre era argentina. Accede a una fotografía de Max Valdez de adolescente y lo compara con el niño. Aparte de la diferencia de edad, no cabe duda: es el mismo chiquillo. ¿Cómo es posible?

Valdez organizó la adopción. Tenía contactos en la oficina del fiscal del distrito, abogados y jueces, personas que podían suavizar las gestiones. Nadie apareció para reclamar a Miguel. Su padre había muerto en un terremoto; su madre, en un incendio de un coche. Audie yacía en coma y, probablemente, no se recuperaría nunca. Los informes médicos mostraban que le habían disparado a corta distancia, casi a bocajarro, como si alguien hubiese intentado ejecutarlo. Pero consiguió sobrevivir y era testigo de lo que había sucedido. ¿Cómo se hace callar a un hombre así?

—¿Qué, trabajando hasta tarde?

Desiree suelta un grito ahogado y cierra la carpeta de golpe. Estaba tan concentrada que no había oído acercarse a Eric Warner.

—Dios mío, está más nerviosa que una virgen en un rodeo de la cárcel —dice, rodeando el escritorio.

—Me ha sobresaltado.

—¿Qué está leyendo?

—El archivo de un caso antiguo.

—¿Hay alguna noticia de Palmer?

—No, señor.

—Estaba buscando a Senogles, no contesta al teléfono.

—No lo veo desde anoche.

Warner saca un paquete de tabletas antiácido del bolsillo y rompe el envoltorio.

—Me han contado que entraron en su casa. ¿Se encuentra bien?

—Estoy bien.

—Pensé que le habían dicho que se quedara en casa.

—Sí. ¿Le puedo hacer una pregunta?

Warner se pone una tableta en la lengua.

—Depende.

—¿Por qué puso a Frank a cargo de la investigación?

—Porque era más veterano.

—¿Y ninguna otra razón?

Warner levanta la mano: «Stop».

—¿Le he contado alguna vez que conocí a JFK? Mi padre formaba parte de la escolta de Kennedy. No de la última que tuvo, gracias a Dios; no creo que hubiese podido soportarlo. Yo no era más que un chiquillo. Una de mis citas favoritas de Kennedy es esa de que la política es como el fútbol: si ves un hueco, te metes.

—¿Fue una cuestión política?

—¿Acaso no lo es todo? —responde con una sonrisa triste e irónica.

62

*A*ntes de salir de la casa, Audie deshace las camas, lava la vajilla y tira de la cadena en los baños, por si acaso. Luego coge algunas prendas de ropa interior limpias y un impermeable. Lo mete todo en una funda de almohada.

—Solo voy a tomar estas cosas prestadas —le dice a Max—. Las devolveré.

—¿Adónde va?

—Aún no lo he decidido.

—¿Sabe lo que está haciendo?

—Empecé con un plan.

—¿Cuál?

—Mantenerte a salvo.

—¿Y cómo va el plan?

Audie se ríe y Max se une a él. Siente una oleada de calor interior y de alivio. En la cárcel solía imaginar momentos así. Y, aunque nada es exactamente como pensó (la vida es capaz de hacer añicos y ensuciar el más corriente de los sueños), casi tiene la sensación de que esta vez sí es casi tal cual lo había imaginado.

—¿Y qué pasa conmigo? —pregunta Max.

—Ahora viene un amigo mío. Se asegurará de que llegues a casa.

Tony está mirando desde una silla, en la mesa de la cocina. Tiene las manos atadas con cinta delante de él, para poder alcanzar sus pastillas y un vaso de agua si lo necesita. Audie le ha aflojado la cinta de los tobillos.

—¿Y yo, qué? —pregunta.

—Lo dejaré en un hospital.

—No quiero ir al maldito hospital. Me dirán lo que ya sé, nada más.

Audie contempla la oscuridad, cada vez más profunda. Por el oeste, el horizonte está veteado de rojo y naranja, como si alguien hubiese rajado un saco de brasas ardientes. Recoge su bolsa y la funda de almohada.

—Voy a dejar esto en el coche y luego vendré a por usted, Tony.

—¿Piensa robarme la camioneta?

—La dejaré en un lugar seguro.

Max mira nerviosamente las ventanas cubiertas con postigos. Desde que envió el mensaje de texto a su padre siente que algo le corroe por dentro, como si una rata hambrienta luchara por salir al exterior. No sabe si ha hecho bien. Su padre estará orgulloso de él; le dará una palmada en la espalda y fanfarroneará con sus amigos. Dirá que Max mantuvo la cabeza fría, igual que su viejo el día del tiroteo.

—¡No se vaya! —suelta de pronto.

Audie hace una pausa en la puerta.

—Moss estará aquí enseguida.

—No quiero quedarme solo.

—Yo puedo quedarme con él —dice Tony—. O puede dejar que me lleve al chico. Tendrá un poco de ventaja antes de que llame a la policía.

Audie deja la bolsa en la mesa de la cocina, abre uno de los bolsillos y saca de él el teléfono móvil y una tarjeta SIM nueva.

—En cuanto nos vayamos, puedes llamar a tu madre.

Max no responde.

—¿Qué pasa? —pregunta Audie.

—Nada.

—¿Seguro?

Max asiente sin convicción. Nota el teléfono móvil de Tony dentro de su ropa interior e imagina a la policía viniendo de camino. Desea decirle a Audie lo que ha hecho, pero no quiere decepcionarlo.

—Trata de no preocuparte —dice Audie—. Todo saldrá bien.

—¿Cómo lo sabe?

—Para ti, siempre ha salido bien.

63

*L*a desvencijada camioneta azul se para al lado de Desiree cuando ella se acerca a su coche en el aparcamiento subterráneo. Al volver la cabeza, casi se cae al suelo al ver quién es el hombre sentado al volante.

Tambaleándose, trata de erguirse, pero uno de sus tacones se ha quedado atascado en una rejilla de ventilación. Al intentar tirar de él, ha de dar un saltito hacia atrás y torcer la bota.

—¿Necesita ayuda? —pregunta Moss, que tiene un brazo apoyado encima del volante y el otro sobre el respaldo del asiento del copiloto.

Desiree quiere sacar la pistola de la funda, pero va a parecer un gesto torpe y poco profesional, porque tiene la carpeta de Audie Palmer en los brazos. Si suelta los papeles, volarán y se perderán.

—¿Qué está haciendo aquí?

—Entre.

—¿Se está rindiendo?

Moss parece reflexionar.

—De acuerdo, podemos llamarlo así, pero antes necesito que venga conmigo.

—No voy a ir a ninguna parte con usted.

—Audie necesita nuestra ayuda.

—No estoy aquí para ayudar a Audie Palmer.

—Ya lo sé, pero está solo ahí afuera y hay personas que tratan de matarlo.

—¿Qué personas?

—Creo que son los hombres que robaron realmente el dinero.

Desiree mira a Moss y parpadea. Es como si Moss hubiera leído su correo electrónico.

—¿Ha entrado en mi apartamento?

—No, señora.

—¿Va armado?

—No.

Desiree, que ha conseguido liberar el tacón de la rejilla, alcanza la pistola y la apunta a través de la ventanilla abierta del lado del copiloto.

—Salga del vehículo.

Moss no se mueve.

—Le dispararé si es necesario.

—No me cabe la menor duda.

Moss mira a través del parabrisas y levanta la vista como si se sintiese frustrado por cómo está yendo el día. Desiree no baja el arma.

—Dígame dónde está. Nosotros nos encargamos a partir de ahora.

—Sé exactamente lo que hará —dice Moss—. Se lo dirá a su jefe, él convocará una reunión, llamarán a un equipo de los SWAT que reconocerá el área, estudiará fotos de satélite, pondrá controles en las carreteras y evacuará el vecindario. Mientras, lo único que encontrarán de Audie Palmer es una mancha de sangre. Si no viene conmigo, iré yo solo.

—No puede irse. Está usted arrestado.

—Supongo que va a tener que dispararme.

Desiree se pasa los dedos por el pelo, tocándose con cuidado el chichón de la cabeza. Cada una de las fibras de su entrenamiento le dice que arreste a Moss Webster, pero su instinto le indica otra cosa. En las veinticuatro horas anteriores, alguien ha forzado la entrada de su casa, la ha dejado inconsciente y se ha llevado sus archivos. Su jefe le ha mentido y, desde el principio, no ha hecho más que intentar apartarla o darle tareas inútiles para mantenerla fuera de la circulación. Si se equivoca con Audie Palmer, será el final de su carrera. Si tiene razón, nadie le dará las gracias. De una forma o de otra, sale perdiendo.

Se mete en el coche, se pone el cinturón de seguridad y apoya la 45 en el regazo, apuntando a la entrepierna de Moss.

—Si se salta una señal de stop, le vuelo las pelotas.

64

Los dos Ford Explorer se detienen en el arcén de una carretera de tierra, bajo un bosquecillo de árboles enanos. Están a un centenar de metros de la casa. El cielo es del color del agua sucia; el océano es gris oscuro, cruzado por fajas de espuma. La lluvia se acerca, el sol se va, el tiempo apremia.

Senogles sale del vehículo y apoya un fusil sobre el capó, apretando la mejilla contra la culata de madera, notando en la piel la suavidad fría y dura. Estabilizando el pulso, recorre las paredes de la casa con la mira telescópica, prestando especial atención a las ventanas y las puertas. El lugar parece cerrado y vacío.

—¿Estás seguro de que es aquí?

Valdez asiente y levanta los prismáticos. La orilla parece desierta; las únicas luces que ve son las del mástil de una barcaza de draga que está amarrada en el canal, así como las de un par de barcos que se desplazan cruzando el golfo.

—¿Qué vamos a hacer ahora? —pregunta.

—Primero tenemos que asegurarnos de que siguen ahí.

Senogles se acerca al otro coche y habla con Jake y Stav, indicándoles que se adelanten a reconocer el terreno al otro lado de la casa. Comprueban los *walkie-talkies* y se alejan, bordeando el canal, desapareciendo enseguida en la penumbra. Valdez y Senogles se quedan en terreno abierto, las gotas de lluvia les mojan el pelo y los chalecos antibalas. Pilkington no ha salido del coche; actúa como si estuviese al mando, pero es Senogles el que se encarga de controlar la operación.

Valdez vuelve a mirar a través de los binoculares. Nota el pulso latir lentamente en la garganta. Recuerda lo que pasó la noche del robo, cómo esperaron la llegada del furgón, con el esfínter contraído y las manos húmedas en el volante. Su tío había pasado cuatro años preparándose; había infiltrado a una persona en la empresa de seguridad y había esperado a que llegase a un puesto de mando. Había sido Pilkington quien había descubierto la ruta de entrega y el horario, pero fue Valdez quien reclutó a Vernon y Billy Caine, a cual más estúpido. Esa era una de las ventajas de trabajar para la policía, las personas con las que entrabas en contacto: estafadores, alimañas de medio pelo, blanqueadores de dinero, traficantes de armas, ladrones de coches, atracadores.

Cuando los hermanos Caine asaltaron el furgón blindado y aparcaron en el arcén de una carretera aislada, esperaban encontrarse con un coche para huir, pero lo que encontraron fue una emboscada. El plan no salió tal y como se había planificado, pero el resultado fue el mismo. Audie Palmer era el factor que nadie se esperaba, que nadie había previsto. Lugar equivocado, momento equivocado. Silenciado, pero no del todo.

Los demás culparon a Valdez. Fenway el borracho, Lewis el jugador; ambos muertos por actuar de manera imprudente y empezar a exhibir dinero. Se suponía que debían blanquearlo a través de los negocios de terrenos de Pilkington, pero no pudieron resistir la tentación de ponerse a alardear. Y la riqueza inesperada atrae la atención. Es necesario crear coartadas y andarse con ojo.

—Está saliendo alguien.

Senogles apunta con la mira telescópica del fusil, cerrando un ojo.

—Es Palmer.

—No veo a Max.

—Debe de estar dentro.

Palmer baja los escalones y cruza el césped en dirección a

una camioneta Dodge que lleva adosado un remolque para barcas. Abre la puerta y tira una bolsa dentro antes de cubrir con una manta el asiento del copiloto.

—Parece que se prepara para irse —dice Senogles, con el dedo encima del gatillo y los ojos dilatados—. Deberíamos tumbarlo ahora.

—Espera a que se acerque más.

Palmer rodea la barca, desengancha el remolque y se limpia las manos en los vaqueros. Sería más fácil dispararle ahora. Senogles quita el seguro y sitúa el punto de mira entre los ojos de Palmer; luego lo baja al pecho, para asegurarse de no fallar. Respira profundamente, se llena los pulmones de aire y lo suelta poco a poco. Inspira otra vez, no tan profundamente, y suelta parte del aire, mientras mide la distancia, el viento y el bamboleo de Palmer al caminar. Parpadea, limpia la mente, parpadea de nuevo. Presiona el gatillo.

429

Audie ha desenganchado el remolque para barcas, ha comprobado los neumáticos y ha calculado cuánta gasolina le quedaba en el depósito a Tony. No quiere tener que repostar hasta estar bien lejos de la costa. Después de tomarse tantas molestias para encontrar a Max y contarle la verdad, huir no parece la mejor de las ideas. Sin embargo, cuando Moss llegue, estará a salvo. Mucho más seguro que ahora.

La agente especial Furness ya debe de haber recibido la carpeta. Ella sabrá lo que tiene que hacer. A menos que se haya equivocado al juzgarla, en cuyo caso no hay mucho que pueda hacer, salvo seguir corriendo hasta que lo atrapen. No sería tan importante si solo lo quisieran a él, pero ahora Max ya conoce el secreto. Valdez le crio como a un hijo, pero se pregunta si eso significa que lo cuidará como a tal.

La visión periférica de Audie capta un brillante fogonazo. Y, en ese mismo momento, una bala le atraviesa el hombro izquierdo, destrozándole la clavícula como un mazo golpeando una sandía. Lo único que oye es el proyectil al salir, el sonido vibrante que emite al impactar contra el metal de la lancha y la detonación, como un petardo, junto a la oreja. Cae al suelo y se agarra el brazo izquierdo, que está húmedo y pegajoso.

El tirador ha cambiado la línea de fuego y está castigando la lancha, acribillando el metal. Audie se mete gateando debajo del remolque y avanza hasta la puerta del conductor de la camioneta Dodge.

Otro disparo impacta desde otra dirección, más cerca de la playa. No van a fallar muchas veces más. Su brazo izquierdo está inutilizado. Abriendo la puerta, tantea hacia arriba y gira la llave en la ignición. El motor se pone en marcha con un rugido. Dos balas hacen añicos el cristal de la puerta del conductor. Audie pone la palanca de cambio en «D» y quita el freno de mano. La camioneta empieza a avanzar. Corriendo y agachado junto a ella, mantiene la cabeza por debajo del nivel del parabrisas. El neumático delantero derecho emite un ruido de reventón; le sigue el trasero. El coche se ralentiza. Audie sale de su cobertura, se dirige hacia las escaleras y las sube de tres en tres.

Astillas de madera junto a su mano derecha. Está en el porche, lanzándose hacia la puerta. Si lo dejan encerrado fuera, está muerto. La puerta se abre, Audie se derrumba en el interior de la casa, tira a Max al suelo, a su lado, se desliza por el suelo, corta la cinta de las piernas de Tony y le grita que se tire al suelo. El viejo está gritando: quiere saber quién dispara.

—¿Le han dado a la camioneta? ¿Y a la barca? Como estropeen esa barca, me quedaré sin trabajo.

Audie repta hacia el salón y se apoya con la espalda en la pared del fondo. Levanta la cabeza y escudriña por entre las láminas del postigo. A unos cien metros ve las siluetas en forma de caja de dos vehículos. No hay luces, salvo las de una draga en el canal, más allá. Las líneas rectas de la llovizna forman una nube alrededor del filamento brillante.

—Su brazo —grita Max.

Audie está tratando de mantener presión en la herida. El orificio de salida es limpio, pero se desangrará si no logra cortar la hemorragia.

—Tráeme una sábana —dice. Max obedece, encogiéndose y abriendo el armario de la ropa de cama—. Rómpela en tiras. Hay un botiquín en el lavabo, con gasas.

Audie hace una bola de gasa con el puño y tapona la herida de entrada, e instruye a Max para que haga lo mismo con la de salida. Luego pone varias tiras de sábana envolviendo el brazo y el hombro; otras alrededor del hombro y el pecho. La sangre ya las está empapando.

—Es culpa mía —dice Max, pálido, sollozando.

Audie se le queda mirando.

—Le envié un mensaje a mi padre. Le dije dónde estaba.

—¿Cómo?

—Tony llevaba un móvil en la bolsa. —Max se mete la mano por dentro de los pantalones y saca el teléfono—. Hablaré con él: les diré que no disparen.

—Ya es demasiado tarde para eso.

—Me escuchará.

Max marca el número, pero Audie le coge el teléfono. Valdez responde.

—¿Max?

—No, soy yo.

—Quiero hablar con Max, cabrón.

—Puede oírte.

—¿Max? ¿Estás bien?

—Tienes que decirles que no disparen, papá. Todo ha sido un gran error.

—¡Cállate! ¿Te ha hecho daño?

—No. Tenéis que dejar de disparar.

—Quiero que me escuches. No creas ni una palabra de lo que dice: miente.

—¿Soy adoptado?

—¡Cállate y escucha!

Valdez está hablando a gritos. Se oyen voces de fondo, hay gente discutiendo. Audie apaga el altavoz y se pone el teléfono en la oreja.

—No deberías gritarle al chico.

Ese comentario enfurece a Valdez.

—Es mi puto hijo y le hablo como me da la gana.

—Le cuentas mentiras.

—¡Eres un idiota! Vas a conseguir que lo maten. ¿Por qué no podías tener la boca cerrada y ya está?

—¿Cómo la última vez, quieres decir?

Valdez se ha apartado del coche. Audie ve el brillo del teléfono contra la oreja del *sheriff*.

—Te voy a decir lo que va a pasar: vas a salir de ahí con las manos en alto.

—No es tan sencillo.

—Claro que lo es.

—Hay otra persona con nosotros. Es de aquí. Cuida de las cosas cuando la gente las deja encerradas durante el invierno. La camioneta a la que habéis disparado es suya. —Valdez no responde—. Tiene un problema de corazón y no le está yendo demasiado bien. Si entráis aquí al asalto, lo vais a matar.

—Si muere, será por tu culpa.

—¿Como Cassie y Scarlett, quieres decir?

Audie oye inspirar al *sheriff*. Sabe que no debería provocarlo, pero está furioso porque personas inocentes caen como moscas a su alrededor. Echa un vistazo por la ventana de la cocina hacia la playa y ve dos cabezas, agachadas pero no lo suficiente, corriendo entre las dunas, acercándose. Van vestidos de negro y llevan pasamontañas con una abertura que solo deja ver los ojos. Material de combate nocturno.

—Mándalo para fuera —dice Valdez—. Me aseguraré de que llegue al hospital.

Audie mira a Tony, que está sentado con la espalda apoyada en el banco de la cocina.

—No me fío de ti.

—¿Quieres ayudarlo o no? Te doy treinta segundos.

Cuelga. Audie ve como Valdez vuelve hacia los coches y comenta algo con los otros. Audie se arrastra hacia Tony.

—¿Se encuentra bien?

—Estoy bien. Ya lo ha oído, no me van a disparar.

—Está mintiendo.

—¡Son la policía!

—No, no lo son.

—Mi padre es *sheriff* del condado —protesta Max.

Audie querría discutir, pero sabe que Tony no está más seguro dentro de la casa que fuera. En cualquier momento van a entrar, disparando a todo lo que se mueva.

Tony saca dos pastillas del frasco, se las pone en la mano y se las traga.

—Si no le importa, prefiero jugármela con ellos que con usted. Creo que tendré más opciones.

65

Sentada al lado de Moss en la camioneta, Desiree piensa en las leyes que está quebrantando. Ha hecho caso omiso de los protocolos, ha desobedecido órdenes y ha puesto en peligro su carrera; sin embargo, este caso y todo lo que conlleva ha alterado su percepción de lo que es normal. El hombre que está a su lado debería estar aún en la cárcel... o esposado. Jura y perjura que no se fugó. Los que lo dejaron marchar tenían influencia y contactos. Según Moss, no querían el dinero; querían a Palmer muerto.

—¿Ha robado esta camioneta? —pregunta, hablando por primera vez desde que dejaron atrás las afueras de Houston.

—No, señora. —Moss parece ofendido por la acusación—. Me la han prestado.

Desiree abre el teléfono móvil, llama a Virginia y pide una actualización sobre Moss Webster y una comprobación de vehículos del Chevy. Mira hacia Moss.

—Me ha mentido. Lo robaron en un taller cerca del *Dairy Queen* después de su fuga.

—¿Cómo?

—Estoy viajando en una camioneta robada.

—Un poco de confianza. ¿Cree que yo robaría un coche de mierda como este, que me hace parecer un paleto? ¡Y no me fugué: me dejaron ir!

—Eso es lo que usted dice.

—No conduciría un Chevy ni muerto.

—Bueno, esa teoría la podríamos comprobar —replica ella, agitando la pistola.

Se hace un hosco silencio hasta que Desiree cambia de tema y le pregunta por el viejo que encontró al niño.

—La casa de Theo McAllister está un poco alejada de la carretera —explica Moss—, pero lo bastante cerca para oír el tiroteo y ver el coche en llamas. Encontró al niño al día siguiente.

Moss tamborilea el volante con las manos. A Desiree le gustan los hombres con las manos grandes.

—Fue eso lo que me hizo pensar: ¿y si el niño era de esa mujer, la que nunca fue identificada?

—¿Cómo sabe de la existencia de esa mujer?

—Lo leí en los periódicos.

—Ahora tiene nombre. —Moss le lanza una mirada—. Belita Ciera Vega. —Moss arquea las cejas—. ¿Había oído hablar de ella?

Moss vuelve a mirar hacia la carretera.

—Audie solía tener pesadillas; no todas las noches, pero con frecuencia. Se despertaba agitado, gritando un nombre: Belita. Yo le preguntaba por ella, pero siempre contestaba que no era más que un sueño. ¿Cree que él es el verdadero padre del niño? —pregunta mirando a Desiree.

—No, según la partida de nacimiento.

Desiree deja de hablar y empieza a añadir detalles a la imagen que se está formando en su mente. Audie y Belita se casaron en una capilla en Las Vegas. Al cabo de cinco días estaban en Texas. Si Audie tomó parte en el robo, ¿por qué iba a llevar con él a su mujer y a su hijo? Lo más probable es que pasaran por allí, sin más. Quizás Audie y el niño salieron despedidos por el impacto, o puede que se hubiesen parado junto a la carretera y no estuvieran en el coche. Nadie había venido a reclamar el cuerpo de Belita. Audie estaba en coma, y el niño era demasiado pequeño para servir de ayuda.

Moss rompe el silencio.

435

—¿Por qué Audie no le dijo nada a nadie del niño?

—Quizá lo amenazaron, o amenazaron al niño.

Moss silba entre dientes.

—Pues debe de adorar al niño.

—¿Por qué?

—Usted no vio lo que le hicieron a Audie en la cárcel. Nadó en un océano de mierda en el que la mayoría de los hombres se habría dejado ahogar.

Desiree le ignora por un momento: no deja de darle vueltas en la cabeza a todo aquel asunto. Ella y Moss habían estado avanzando hacia el mismo fin, pero desde puntos de vista distintos. La historia es convincente, pero eso no significa que sea cierta.

Audie Palmer vio el accidente y el tiroteo. Vio morir a su mujer. Había siete millones de razones para hacer limpieza y eliminar a los testigos, lo que significaba matar a Audie o hacerlo callar. E intentaron hacer las dos cosas.

Había tres agentes implicados en el tiroteo; uno de ellos está muerto, otro está desaparecido y el tercero es Ryan Valdez. El fiscal del distrito Edward Dowling es desde hace muy poco senador del estado; Frank Senogles dirigió la investigación original y ahora es agente especial encargado. ¿Quién más podría estar implicado? La conspiración se sustentaba en el silencio de Audie Palmer. Debieron de utilizar al niño como herramienta de presión. Claro, por eso lo mantuvieron cerca, muy cerca.

¿Y el otro miembro de la banda? En las declaraciones originales, los dos agentes afirmaron que había un todoterreno negro aparcado junto al furgón blindado, y que estaban pasando las bolsas de dinero del uno al otro. El todoterreno huyó a toda velocidad. Lo encontraron más tarde cerca del lago Conroe, quemado. Estos elementos del relato se añadieron después del tiroteo. Los agentes podían haber buscado notificaciones de vehículos robados y quemados en el registro del operador de la centralita policial y haber encontrado una que estuviese vinculada al robo.

Nunca hubo descripción alguna del miembro ausente de la banda. Nadie dijo haber visto a Carl Palmer. Siempre fue una suposición fomentada por la policía mediante rumores, relatos de terceros e informes de fuentes sin nombre. Alguien filtró ese nombre a los medios de comunicación y la historia cobró vida propia. Pronto fue aceptada como un hecho, respaldada por «avistamientos» periódicos de Carl en lugares como México y Filipinas. Nunca había fotografías ni huellas dactilares: Carl se desvanecía misteriosamente antes de que el FBI pudiera confirmar su identidad. Alguien como Senogles podía haber hecho aflorar estas historias, que, al mantener vivo al misterioso miembro de la banda, impedían que se investigase el robo más a fondo.

Desiree vuelve al presente. El sol es un fogonazo que se apaga en el horizonte y las granjas han dejado paso a humedales, canales y lagunas poco profundas. El viento dobla las briznas de hierba y el aire está saturado de olor a sal y a lluvia. Gran cielo, gran tierra, gran mar.

66

—*D*eje que me lleve al chico conmigo —dice Tony, frotándose la cabeza con las manos como si tuviese un picor en todo el cuero cabelludo.

—Estará más seguro aquí —dice Audie; su voz suena hueca y frágil. Saca un chaleco reflectante de la bolsa de Tony—. Debería ponerse esto.

Tony se pone de pie con paso inseguro y se lo echa por encima de los hombros.

—No le dispararán —dice Max, buscando una garantía en los ojos de Audie—. Mi padre está ahí fuera. Es *sheriff*.

Tony mira al adolescente y sonríe.

—Un hombre más valiente diría que se queda.

—Usted es bastante valiente —responde Max.

Audie quiere detener a Tony, pero no le quedan argumentos. Quedarse no es más seguro que salir. En el mismo instante piensa en Scarlett y Cassie en la habitación del motel y se pregunta si habría sido distinto si se hubiese quedado. ¿Habría podido protegerlas?

El hombre hace un gesto hacia el hombro de Audie; la sangre ha traspasado los vendajes y le gotea por el antebrazo. Hay gotas en los tablones del suelo de madera pulida, como gotas de mercurio.

—No sé muy bien qué es lo que espera conseguir aquí, hijo.

Audie abre las manos y se queda mirando las palmas.

—Espero mantener a salvo a Max, y también a usted. Y también espero seguir vivo. ¿Qué parte es la que no entiende?

—La tercera, supongo. Tengo setenta y dos años. Soy viudo, retirado, exmiembro de la Marina y me es imposible encontrar un trabajo. Mi corazón funciona a medias y tardo una hora en mear. No tengo hijos varones, solo hijas, pero no me quejo: me han tratado bien. Le he visto con Max y sé que nunca le haría ningún daño.

—Gracias —contesta Audie.

—No tienes que dármelas. —Se vuelve hacia Max—. Buena suerte, jovencito.

Tony cruza el porche y baja lentamente las escaleras, tanteando los escalones en la oscuridad. Al llegar a la camioneta, hace una pausa para examinar los orificios de bala y lanza un juramento entre dientes. Camina hacia la carretera con paso firme; el dolor en el pecho es cada vez peor.

El pánico es el enemigo; eso es lo que solía decirle su sargento instructor. El pánico es lo que sucede cuando el miedo te inutiliza el cerebro. ¿Dónde están los coches de policía? ¿Por qué no han venido a buscarlo?

En ese instante, una ráfaga de luz está a punto de tirar a Tony al suelo de la impresión. Levanta las manos para protegerse los ojos, pero lo único que ve son círculos rojos en la parte posterior de los párpados.

—Párese ahí —dice una voz.

—No voy armado.

—Las manos en la cabeza.

—Eh, me estoy quedando ciego. ¿Podría bajar las luces?

—De rodillas.

—Mis rodillas ya no son lo que eran.

—Hágalo.

—No soy más que la persona que se hace cargo de la casa. No voy a causar ningún problema. El chico está a salvo.

—¿Cómo se llama?

—Tony Schroeder.

—¿De qué conoce a Audie Palmer?

—Lo acabo de conocer. Solo vine a revisar la casa después de la tormenta. Le han disparado a mi camioneta y a la barca de los Halligan; espero que alguien pague los desperfectos.

—Debería haberse mantenido al margen, viejo.

—¿Qué quiere decir?

Desde donde está, Audie escucha una explosión sorda y húmeda; ve la neblina de sangre a la luz de los faros. Tony se derrumba en el asfalto, la cabeza inclinada a un lado como si se estuviese tumbando sobre una almohada.

Max ve lo que sucede, lanza un grito y sale corriendo hacia la puerta; Audie tiene que utilizar el brazo bueno para atrapar al chico en el aire y levantarlo.

—¡Le han disparado! —grita Max, mirando a Audie, parpadeando, con ojos de incredulidad—. ¡Han disparado a Tony!

Audie no sabe qué decir. El chico está sollozando.

—¿Por qué? No le había hecho daño a nadie y estaba de rodillas. Le han disparado en la cabeza.

Audie sabe que están eliminando testigos y terminando el trabajo chapucero de hace once años. Max está en el suelo, tirado como una marioneta a la que le han cortado las cuerdas. Audie siente dolor; quiere pasarle el pulgar al chico por el labio para limpiar una lágrima furtiva.

Fuera han apagado las luces. Ahora irán hacia allí. Audie se apoya junto a Max, sintiéndose vacío por dentro. A pesar del sentimiento de urgencia, su cuerpo está preparado para rendirse. Ha perdido mucha sangre y toda esperanza. La búsqueda ha terminado. Aunque lograse llegar a la playa, ¿qué podría hacer? ¿Dejarían vivo a Max?

El chico ha dejado de llorar. Está de pie, apoyado contra la pared, con las rodillas dobladas, contemplando el teléfono.

—Lo recuerdo —susurra con voz ronca—. Estaba de rodillas y había alguien de pie a su lado, apuntándole a la cabeza con una pistola. Me estaba mirando…

—Tienes que huir, Max.

—No me disparará.

—No puedes estar seguro de eso.

Hay alguien fuera, en las escaleras. Audie mira por la ventana de la cocina y ve el perfil de una cabeza que pasa por el porche. Se arrodilla, echa atrás el martillo de la escopeta y la apoya en el marco.

—Voy a tratar de atraer sus disparos. Cuando me vaya, quiero que salgas corriendo.

—¿Hacia dónde?

—Puedes cruzar el canal a nado. Que no te vean.

—No puede salir ahí fuera.

—No me queda otra opción.

Moss cruza el puente giratorio y conduce la camioneta por Canal Drive en dirección este junto a un puñado de casas que, probablemente, están cerradas durante el invierno. Lejos del brillo de los faros de los coches, apenas puede distinguir la orilla bañada por la espuma de las olas y el tono más oscuro del mar.

Las casas empiezan a hacerse más escasas y a desaparecer. El canal y la línea de la costa convergen para crear una estrecha franja de tierra que en algunos lugares no llega a los cien metros de ancho. Aunque se encuentra a poca altura sobre el nivel del mar, aún hay zanjas y montículos que podrían ocultarlo si se tumbase. En el aire flota el olor a sal y humo de madera, así como el hedor a algas podridas. Quizás alguien haya encendido un fuego de campo, o puede que sean unos adolescentes bebiendo en la playa.

Moss avanza más lentamente. Más adelante, apenas visibles tras la curva, ve las luces rojas traseras de dos vehículos que bloquean la carretera. Apaga los faros, deja rodar el coche hasta detenerse y para el motor. En el mismo momento, Desiree vuelve la cabeza.

—¿Ha oído eso?

Disparos.

Se paran a escuchar. El siguiente disparo suena más alto, seguido por una corta ráfaga de fuego de un arma semiautomática que suena como petardos explotando dentro de una lata de pintura vacía. Desiree llama para pedir refuerzos. Está demasiado oscuro para que Moss pueda verle el rostro, pero oye como le tiembla la voz.

Observa a través del parabrisas. Cada vez que la escobilla cruza el cristal, la escena se vuelve más clara. No habría estado mal tener unos prismáticos.

Desiree se baja la cremallera de las botas.

—Quédese aquí.

—¿Adónde va?

—Fuera.

—¿Está loca?

Desiree muestra la pistola.

—Sé cómo usarla.

—Esos tíos no están ahí para intercambiar números de teléfono.

—Yo tampoco.

Moss la mira alejarse. Mete la mano debajo del asiento y saca el gran revólver envuelto en el trapo sucio de aceite. Lo desenvuelve con cuidado en su regazo y lo sopesa en la mano, recordando la primera vez que sostuvo un arma de fuego, a los trece años. Le gustaba la sensación que le daba: le hacía sentir quince centímetros más alto y veinte kilos más pesado; le hacía sentir que ya no era débil ni insignificante. La pistola le daba seriedad, lo hacía más elocuente, le volvía valiente. No era más que una impresión imaginaria y fugaz, desde luego, pero necesitó muchos años nefastos en la cárcel para darse cuenta de ello.

La mujer está ya a treinta metros de él, alejándose. Cualquiera diría que tiene doce años, con sus pies enfundados en unas medias. Mirando a derecha e izquierda, Moss examina los arbustos bajos y se decide por el lado de la playa, buscando un camino por entre las dunas.

Desiree se siente demasiado expuesta; pasa por la zanja poco profunda y se sube a un montículo. Tumbada, con la hierba haciéndole cosquillas en la barbilla, repta por encima del terreno irregular hasta situarse a diez metros de los dos Ford Explorer. A primera vista, los vehículos parecen vacíos, pero ahora nota la figura de una persona en el asiento del copiloto, con la puerta medio abierta, fumando un puro. Aún tumbada, afirma los antebrazos en la arena y apunta a la cabeza del hombre, con el dedo apoyado en el gatillo.

—¡FBI! ¡Las manos en el salpicadero!

La cabeza del hombre hace un movimiento brusco, con una expresión de asombro, como si se le hubiese aparecido de repente la Virgen María. Levanta una mano y baja la otra.

Moss está observando desde el otro lado del coche. No ve el rostro del hombre, pero percibe lo que va a pasar: va a jugársela. Quizá piensa que Desiree no va a disparar. A lo mejor cree que él es más rápido.

En un movimiento, el hombre levanta una pistola ametralladora por encima del nivel de la ventanilla. Se necesitan dos manos para mantener el arma firme, pero él solo utiliza una. Presiona el gatillo y la pistola da un brinco, barriendo la hierba con el ruido entrecortado de una ráfaga. Desiree dispara dos veces: la primera impacta en la axila, la segunda en el cuello. El hombre cae de lado, medio en el coche y medio fuera. Sus facciones quedan iluminadas por la luz interior.

Moss sale de su escondite y salta por encima de la zanja. Cuando llega a Desiree, la sangre le mancha la blusa.

—No es más que un rasguño —dice, mostrándole el antebrazo a Moss.

El ruido la ha dejado algo sorda y no se da cuenta de que está gritando.

443

Moss mira el cadáver.

—¿Quién es?

—Victor Pilkington.

Más fogonazos en la oscuridad. El sonido llega un instante más tarde. Moss ayuda a Desiree a ponerse de pie; apenas le llega a la cintura. Desiree señala la 45.

—Dijo que no iba armado.

—Mentí, señora.

Ella sacude la cabeza.

—Vamos.

67

Audie ya no ve las sombras en el exterior. Probablemente están apoyados contra las paredes, esperando el momento adecuado para entrar por las ventanas y la puerta. Tiene la escopeta apoyada en el alféizar, apuntada a la cima de las escaleras.

—Prepárate para salir corriendo.

—Tengo miedo —dice Max.

—Siento haberlo echado todo a perder. Tendría que haberte dejado en paz.

Oye una ráfaga a lo lejos; al mismo tiempo, una forma oscura aparece en el porche. Aprieta el gatillo y oye un gruñido; alguien se derrumba escaleras abajo. Audie no pierde un segundo; abre la puerta de un tirón y sale corriendo, atraviesa el porche, se apoya con la mano buena en la baranda y salta abajo. La caída es de unos cinco metros. Aterriza pesadamente, con las rodillas contra el estómago. Respirando con dificultad, se queda tumbado en el suelo. Trata de recuperar el resuello.

Perfiladas contra la línea del horizonte ve dos siluetas que abandonan la cobertura y corren hacia la casa. En la playa hay otra persona armada, con el brazo extendido, preparándose para disparar. Audie se pone de pie trabajosamente y empieza a correr. Los músculos le vibran de puro miedo. Al llegar a las dunas, se lanza por encima de la cresta y rueda por el otro lado. El océano está a setenta metros de distancia; la playa está desierta, con algas en la línea de la marea. ¿Qué hay al otro lado? Cuba, México, Belice: lugares que nunca llegará a ver. Un mundo de innumerables millones de personas viviendo bajo el sol y el calor, mientras que él no es más que un universo unipersonal, solo en la playa: es un faro que no puede volver a encenderse.

Mirando a un lado y a otro, lo invade un sentimiento de abandono y una sofocante melancolía. ¿Por qué el mundo lo necesita tan poco? ¿No podría ser sí y no al mismo tiempo?

Gruñe, se pone de pie y empieza a correr por la playa. Las balas levantan arena y zumban junto a sus oídos. No disparan de cualquier manera. Entre una ráfaga y la siguiente hay una pausa. No son matones de tres al cuarto: son profesionales de los que apuntan antes de disparar. Han venido a hacer un trabajo.

Corre en zigzag y cae en otra zanja, agarrándose el brazo inútil, mirando hacia el cielo. ¿Qué opciones tiene?

«Ríndete. No. Levántate. No puedo.»

Mirando hacia el lugar de donde venía, ve sombras ocultándose en las matas de hierbajos irregulares en las que no se oyen ni los insectos. Espectros. Fantasmas. Furias. Dioses impacientes. Los hombres están recargando las armas. Lo están esperando.

Moss y Desiree han llegado a la casa y se han escondido debajo del porche, rodeados de helechos tropicales y del olor frío y mineral del cemento. Hay alguien en la parte de debajo de las escaleras, con la cara entre las manos, gimiendo. Se oyen voces arriba. Dos personas bajan por las escaleras, un chico adolescente y alguien con una pistola ametralladora en las manos.

—Haz lo que te digo.

—¡Le habéis disparado!

—¡Cállate!

Desiree reconoce la voz de la persona adulta. Moss está directamente debajo de los escalones mientras bajan. Saca una mano por entre los tablones de madera desnuda y agarra un tobillo. Valdez cae hacia delante; Max tiene que apartarse. Desiree sale de las sombras y apoya el cañón del arma en la cabeza del *sheriff*.

—¡No se mueva!

—Gracias a Dios que ha venido —dice él—. Hemos encontrado a Palmer; está huyendo.

Desiree mira al chico.

—¿Max?

El chico asiente.

—¿Te encuentras bien?

—Tienen que ayudar a Audie —grita en tono de súplica—. ¡Van a matarle!

Desiree no ha oído nunca tanta tensión en una voz, tanta desesperación. Hace que se vuelva y mire hacia su mano extendida. En ese momento, Valdez alarga la mano hacia la pistola ametralladora y gira sobre su espalda, tanteando en busca del gatillo. Pero Moss lo ha visto venir. Aparta a Max de un empujón y efectúa un disparo contra el pecho del *sheriff*. A pesar de que el 45 no penetra el chaleco, Valdez suelta la pistola y se derrumba, hecho un ovillo, gimiendo y presionándose las costillas.

Cuando Moss levanta la vista, Max ya ha salido corriendo en dirección a la playa.

—Deténgalo —dice Desiree—. Va a hacer que lo maten.

Moss coge la ametralladora y sale tras el chico, corriendo sobre la blanda arena. Durante los últimos quince años ha estado controlando su carácter, pero ahora lo ha dejado salir. No tiene que ver con saciar su sed de sangre, sino con vivir o pudrirse en la cárcel, con el valor de una hora llena de experiencias ante una vida entera de tópicos o banalidades.

Oye el sonido de un motor. Frente a él, un todoterreno vuela por encima de una duna, con las ruedas en el aire. El vehículo derrapa por la arena buscando a Audie con un reflector. El haz de luz se mueve de un lado a otro e ilumina brevemente una figura solitaria que corre sobre las dunas. Tiene el aspecto de un pato herido, aleteando por entre las hierbas.

Υ

La escopeta cuelga del brazo herido de Audie. Le queda un cartucho. Se la cambia de mano, se da la vuelta y dispara, casi a punto de caerse. El disparo sale alto. Dando tumbos, se mete en una zanja y la boca se le llena de arena. Los faros pasan por encima de su cabeza. Esta gente no tiene intención de dejarlo y salir corriendo: piensan perseguirlo hasta darle caza.

Más allá hay una verja que cruza la playa escalonadamente. La han puesto allí para evitar la erosión. En la base, arrastradas por la marea, las algas se acumulan. Audie las utiliza para cubrirse, corriendo de una sección de verja a la otra. Al acercarse al agua ve un montículo extraño que parece una ballena varada; luego se da cuenta de que alguien ha arrastrado una embarcación de fibra de vidrio hacia la arena, o quizá se ha soltado de un amarre y ha llegado hasta allí. Audie se tira al suelo detrás de la barca, agarrándose el hombro. Aún tiene la escopeta colgando de la mano inútil; se ve obligado a forzar los dedos para que se abran.

El todoterreno se ha detenido un poco más allá, en la playa. El reflector pasa por las dunas, a un lado y a otro, buscándolo.

Oye pasos. Alguien se dirige hacia él, corriendo. Agarra la escopeta por el cañón tibio, preparado para utilizarla como si fuera una porra.

«¡Me voy a llevar conmigo a uno de vosotros, cabrones!»

La balancea con fuerza; pero, en el último momento, la suelta. La escopeta pasa girando junto a la cabeza de Max y cae al agua. El joven se desploma a su lado, inspirando laboriosamente.

—Se suponía que debías ir hacia el otro lado.

—Creo que mi padre está muerto.

Audie no le pregunta qué ha pasado. Llegados a este punto, no van a dejar vivo a ninguno de ellos.

—Voy a atraer sus disparos. Tú ve hacia el canal.

—Venga conmigo.

—No.

—¿Por qué no?

—No sé nadar.

Max observa el hombro de Audie, luego mira el bote. Se pone de pie y trata de arrastrarlo hacia el agua, pero está demasiado lejos. Lo mueve de un lado a otro, haciendo que se balancee. Max tira. Audie empuja. Poco a poco, centímetro a centímetro, el bote empieza a avanzar por el surco natural de la arena. El vehículo ha llegado a las verjas y el reflector barre las dunas y llega hasta la orilla.

Max está de pie en los bajíos, esperando la próxima ola para hacer un último esfuerzo. El bote se desliza hacia la corriente. Audie cae y traga un poco de agua. Max lo arrastra y lo hace rodar dentro del bote antes de tirar de este hacia la zona más profunda. Camina por el agua hasta que deja de hacer pie. Luego empieza a patear.

Audie mira por encima de la borda y observa que el vehículo se ha detenido. Al cabo de un instante, un haz de luz le ciega y una ráfaga astilla la fibra de vidrio creando un dibujo de telaraña en la popa. Audie grita a Max que se tire al suelo al tiempo que se tumba en el fondo de la embarcación, en un charco de agua de lluvia. Más proyectiles perforan el casco. Se mueve hacia atrás, reptando. Llama a Max a gritos, pero no lo ve.

El joven aparece por el lado de babor del bote; el agua le chorrea por la cara.

—Estamos demasiado cerca de la orilla.

Audie mira hacia la playa. El vehículo sigue a la misma distancia; la corriente está arrastrando el bote lateralmente. Uno de los tiradores corre por la arena mientras el otro controla el reflector. Más balas impactan en el casco. Audie se tiende boca abajo; la camisa ya estaba mojada; la mejilla se le hunde en un charco aún más profundo: se están hundiendo.

Los disparos se interrumpen por unos instantes. Audie rueda por encima de la borda, sosteniéndose con el brazo bueno. Empieza a dar patadas con Max, pero el bote ya es demasiado pesado y se limita a bambolearse. Inexplicablemente, el reflector se desvía y las balas empiezan a fallar el blanco. Audie mira hacia la playa y ve a alguien correr por la arena como un *quarterback* en una jugada de ataque, atravesando los arbustos y las hierbas.

Moss Webster está cargando. Es como esa escena de *Valor de ley* en la que Rooster Cogburn se pone las riendas del caballo en la boca y galopa hacia un infierno de balas con un rifle en una mano y una pistola en la otra, gritando: «Dispara, hijo de perra».

Ignorando los disparos, tiene el aspecto de un hombre al que ya no le importa nada, un hombre dominado por la ira. El reflector intenta seguirlo, pero la figura detrás de la luz empieza a revolverse como una marioneta mientras las balas lo acribillan.

El otro tirador trata de contraatacar, pero el haz de los faros lo ilumina. Es como un espectro expuesto al brillo de las luces. Moss dispara hasta vaciar el cargador de la ametralladora, la arroja a un lado y sigue avanzando. Apunta y dispara una y otra vez.

El tirador está agachado en una postura clásica, como la que enseñan en Quantico, pero no le sirve de nada. Una bala le atraviesa la garganta: el hombre se agita y cae. La sangre empapa la arena.

Se hace el silencio. Solo la proa del bote está por encima del agua. Audie se sostiene con una mano y apoya la barbilla en la borda. El agua está muy fría y la corriente tira de él, como si quisiera hundirlo.

—Tenemos que nadar —dice Max.

—Ve. Yo me quedo aquí.

—No está lejos.

—Mi hombro está hecho un desastre.

—Solo con los piernas.

—No.

—No pienso dejarlo aquí.

Audie recuerda lo que le decía su padre sobre no separarse de los restos del naufragio. Decía que tenía que pegarse a ellos como una lapa, pero él no sabía lo que era una lapa.

—Bueno, pues te agarras como un manco a un acantilado mientras le hacen cosquillas.

—Yo tengo cosquillas.

—Ya lo sé.

—Tienes que agarrarte como un gatito asustado a un jersey. Tienes que agarrarte como un bebé al que le está dando de mamar Marilyn Monroe.

Así pues, se agarra al bote hasta que se le entumecen los dedos y el brazo bueno ya no puede agarrarse durante más tiempo. Agotado y apenas consciente, no siente cómo sus dedos se sueltan y no lucha para volverse a agarrar ni para meter en los pulmones un último trago de aire. Lo que hace es dejarse caer bajo la superficie, cansado de luchar, muerto de sueño.

Se va hundiendo mientras mira hacia arriba, hacia el bote, preguntándose si es posible ver las estrellas desde debajo del agua. Entonces aparece ella, el mismo ángel que se le apareció la noche en que se fugó de Three Rivers y nadó a través del pantano de Choke Canyon. Va vestida con una túnica blanca semitransparente que flota y se mece a su alrededor, como si estuviera cayendo en cámara lenta.

Audie siente como si su corazón remontase el vuelo. Mientras ella esté aquí, no morirá solo. Belita le rodea la cintura con las piernas, le coge la cabeza y la apoya en sus pechos. Siente el calor de su cuerpo y la suavidad de su cabello rozándole el rostro.

Su futuro se abre ante los dos: despertarse en sábanas blancas de algodón, escuchar las olas del océano romper en la orilla. Desayuno en un café en el mercado, comiendo *tortillas* y plátano frito. Nadar entre las olas de color verde botella y tumbarse en la arena hasta que el sol los haga retirarse a una habitación fresca en la que harán el amor bajo las aspas de un ventilador...

—Tienes que regresar —susurra ella.

451

—No. Deja que me quede.

—Aún no es el momento.

—He cumplido mi promesa. Ahora está a salvo.

—Aún te necesita.

—Me he sentido muy solo.

—Ahora lo tienes a él.

Ella lo besa y Audie se hunde todavía más, feliz de ahogarse en sus brazos. Sin embargo, un puño lo agarra del cuello de la camisa, un brazo le rodea el cuello y unas fuertes piernas de adolescente lo arrastran hacia arriba, dando patadas hacia la orilla.

Epílogo

Es extraño para un hombre firmar un libro de visitas y entrar en una cárcel en la que ha pasado casi un tercio de su vida. Aún más extraño resulta recorrer la alargada sala de visitas, pasando junto a las pantallas de Perspex, donde los presos esperan para encontrarse con sus esposas, madres, hijos e hijas.

Audie se siente nervioso al sentarse y mirar a un lado y a otro; los niños están jugueteando en el regazo de sus madres: algunas los sostienen junto a la pantalla para que besen el plástico transparente.

Aparece Moss y aparta una silla, encogiéndose para encajar su enorme cuerpo en la ventana. Descuelga el teléfono, que parece un juguete en sus manos.

—¡Hola!

—¿Qué tal, tío grande?

Moss sonríe.

—Genial, como un oso polar en una pescadería. ¿Cómo va tu hombro?

Audie levanta el brazo izquierdo, aún en cabestrillo.

—Ya nunca me va a fichar la NBA.

—Bah, de todos modos, los blancos no sabéis saltar. —Moss se recuesta en la silla y apoya las piernas en la estrecha mesa—. ¿Cómo has venido?

—Me ha traído la agente Furness.

—¿Dónde está?

—Hablando con el alcaide, pero luego vendrá a saludar. Ha pensado que necesitábamos un rato juntos.

—Espero que no crea que somos gais.

—Tú a lo mejor.

—A ver si te atreves a repetir eso cuando salga.

—¿Y cuándo será eso?

—Según mi abogado, tengo bastantes posibilidades de que me den pronto la libertad condicional, sobre todo después de que le diese pruebas al Gran Jurado sobre Valdez y Pilkington.

—¿Cómo de pronto?

—Antes de cumplir los cincuenta; no falta mucho para eso, relativamente.

—Hablando de relaciones, ¿cómo está Crystal?

—Está bien. De hecho, se acaba de ir. Llevaba uno de mis vestidos favoritos, uno que le marca las tetas.

—Que la agente especial Furness no te oiga hablar así.

—Claro que no. —Moss sonríe—. ¿Has visto las noticias de la tele?

—Sí.

Se refiere al arresto del senador Dowling. Rodeado de cámaras de televisión y de reporteros hablando a gritos, dos agentes del FBI lo guiaban por la acera; uno de los agentes era una mujer tan pequeña que apenas se podía ver la parte de arriba de su cabeza. Acaban de acusar al senador de corrupción judicial y de entorpecimiento de la justicia.

Clayton Rudd se había cambiado de lado más rápido que un pollo asado, dando pruebas contra Dowling y Valdez. Pilkington y Senogles, según Valdez, eran los organizadores. Valdez le dijo al Gran Jurado que él no era más que un peón en el robo, bajo la influencia de su tío, que le había amenazado con dejarlo en evidencia y arruinarlo. «Yo no he matado a nadie», gritó a los reporteros mientras se lo llevaban de la sala del tribunal.

Podría pasar otro año antes de que lo procesasen. ¿Cuántas personas más habrán caído en la red para entonces? Aunque podría ser que los poderes establecidos cerraran filas e intentaran contener los daños.

Max está viviendo de nuevo con Sandy, pero solo porque le negaron la fianza a Valdez. Sandy sostiene que no sabía nada del robo y del encubrimiento. Audie la cree.

—Vas a ser rico —dice Moss—. Diez años por un crimen que no cometiste… Te van a dar millones.

—No quiero su dinero.

—Claro que lo quieres. ¡Joder, dámelo a mí!

—Mira lo que pasó la última vez que la gente creyó que tenía dinero.

—Sí, pero esta vez es distinto. Eres inocente.

—Siempre lo he sido.

Un poco más allá, en la fila de visitantes, un bebé se ha puesto a llorar. La joven madre se desabotona la blusa y empieza a darle de mamar, pero los guardias le dicen que tendrá que hacerlo en otra parte. A regañadientes, se despide y se lleva al niño a la sala de espera, o al baño, o al calor asfixiante del coche.

—¿Has pensado alguna vez en tener hijos? —pregunta Audie.

455

—Me gusta el proceso de fabricarlos —responde Moss—, pero me daría miedo criarlos. No soy ningún buen ejemplo.

—Serías un buen padre —dice Audie—. Mejor que la mayoría. —Hace una pausa y se aclara la garganta—. No he tenido la oportunidad de darte las gracias por lo que hiciste.

—No hice nada.

—Ya sabes lo que quiero decir. Toda mi vida, la gente ha estado jugándosela por mí. No sé lo que he hecho para merecer que me salven.

—Has hecho bastante —contesta Moss, los ojos brillantes y húmedos—. Recuerdo el día en que llegaste. No parecías gran cosa. Apostamos sobre cuánto tiempo ibas a sobrevivir.

—¿Tú también apostaste?

—Me costaste veinte pavos y dos chocolatinas. Nadie sabía de lo que eras capaz, pero tú les diste una lección.

Audie inspira profundamente.

—No era mi intención…

—Deja que termine —dice Moss, cerrando los ojos con fuerza—. Ya sabes lo que es este sitio: cada día es un examen. La monotonía, la violencia, el dolor, la soledad. Todo eso se acumula en el pecho de los hombres, como un grito. De vez en cuando escuchas un chiste, es cierto, o recibes un paquete de comida, o una carta, o una visita; son cosas que hacen que la vida sea soportable durante unas horas, pero no bastan. Y entonces llegaste tú, Audie. Ya sé que no te proponías ser noble u honorable, pero la extraña verdad es que lo eras. Te habían sucedido cosas terribles. Luchaste y no pudiste evitarlas, pero seguiste adelante. Nos diste alguien a quien admirar. Éramos débiles, nos trataban como animales, pero tú nos demostraste que podíamos ser algo más.

Audie trata de tragar el nudo que siente en la garganta. Da las gracias cuando Desiree aparece en la sala de visitas, ignorando los silbidos de los presos cuando pasa por delante de ellos. Descuelga el segundo teléfono.

—Parece como si hubieras crecido —dice Moss.

—Y tú estás más gordo de lo que recuerdo.

Moss mete barriga.

—Debe de ser por la gastronomía selecta que nos sirven aquí.

Audie le ofrece la silla a Desiree.

—No, quédatela.

—No, voy a estirar las piernas. —Echa un vistazo inquieto alrededor—. No dejo de pensar que se van a dar cuenta de que han cometido un error y me van a volver a encerrar.

—Nadie va a encerrarte.

—Ya, pero da igual.

Audie abre la mano derecha, apoya la palma en la pantalla de Perspex y espera a que Moss haga lo mismo hasta que hacen coincidir los dedos.

—Cuídate, tío grande. Saluda a Crystal de mi parte.

—Lo haré.

Audie pasa por delante de las cabinas y se da cuenta de que algunos de los visitantes se le quedan mirando. Oye sillas que se mueven y el sonido de alguien que aplaude. Al darse la vuelta ve a Junebug de pie detrás de la pantalla. Patoso está en la siguiente; luego Sandalias y Bowen y Pequeño Larry y Cerdito. Todos ellos se ponen de pie y aplauden, hombres duros con sentencias duras. El sonido se propaga como una ola por Three Rivers, llegando hasta celdas distantes, en las que los internos empiezan a golpear latas contra las barras, a patear con fuerza en el suelo y a gritar el nombre de Audie, que resuena en sus oídos y le nubla la visión durante ese corto paseo que ha tardado once años en completar.

El cielo es de color azul, con franjas de nubes que parecen frutos cargados de semillas, a punto de esparcirlas con la primera ráfaga. Pero no sopla ni una pizca de viento. Apenas se oye sonido alguno, salvo el ruido del tráfico y el sonido de los pájaros en los árboles. Audie sale del coche y siente el asfalto irradiando calor. Frente a él, las miles de lápidas de un cementerio, pulcramente ordenadas como los dientes de un bebé, con los espacios entre ellas cuajados de flores en lugar de oro.

457

Sandy Valdez se baja del asiento del conductor y espera a que Max se una a ella.

—¿Quieres ir solo? —pregunta.

—No —responde Audie, mirando a Max.

—Esperaré aquí —dice Sandy, apretando la mano de Max.

Caminan por entre los árboles, manteniéndose a la sombra, hasta llegar a un rincón del cementerio que no está tan cuidado: hay una verja de alambre flanqueando una carretera de cuatro carriles. El claro está salpicado de montículos de tierra. Audie consulta el mapa que le dio la Oficina del Forense del condado de Dreyfus.

—Este es el sitio —dice.

No hay lápidas ni flores. Las únicas marcas son una docena de placas metálicas cuadradas fijadas en estacas clavadas en la tierra, casi ocultas por las hierbas. En cada una de ellas hay un número escrito con plantilla. Audie busca uno en concreto hasta que lo encuentra: UJD-02052004. Se arrodilla y empieza a arrancar las hierbas que hay alrededor de la estaca. Debería haber traído flores. En una tumba cercana hay un tarro de mermelada con unos restos de flores marchitas. Las tira a un lado, limpia el tarro con la camisa y se pone a recoger las raquíticas margaritas que se han salvado de la segadora por crecer demasiado cerca de la verja.

Max lo imita. Pronto reúnen un pequeño ramillete en el jarrón improvisado. Utilizando la mano sana, Audie hunde los dedos en la tierra y entierra a medias el tarro para que no se vuelque. Había querido dárselo todo a Belita, pero aquello era lo que había conseguido: una tumba sin marcar, un número pintado y margaritas en un tarro de mermelada.

—Siento que no hayamos podido venir antes —musita, imaginándola acostada debajo de él, con la cabeza sobre una almohada—. Son tus flores preferidas, ¿recuerdas? —Audie se vuelve hacia Max—. He venido con Miguel. —Max parece incómodo y sin saber qué hacer. ¿Debería arrodillarse o decir una oración?—. Me salvó de morir ahogado —dice Audie, hablando aún con Belita—. Debe de ser una cosa de familia.

Empieza a relatar la historia, explicando cómo Max lo había arrastrado hasta la orilla mientras llegaban los coches patrulla de la policía y un helicóptero rugía sobre ellos en el aire. Audie apenas mantenía la conciencia, pero recuerda las luces brillantes, los gritos. Moss daba órdenes y se mantenía de pie junto a Audie, como haciendo guardia.

Pasaron dieciocho horas hasta que volvió a abrir los ojos; fue en una cama de hospital, con el brazo en cabestrillo y la agente especial Desiree Furness al lado de la cama.

—¿Cómo puede un hombre tener tanta suerte y tan mala suerte al mismo tiempo? —le había preguntado ella.

—Supongo que debí de romper un espejo y encontrar una herradura el mismo día —respondió él, la cabeza ligera por los analgésicos.

Fue Desiree quien encontró a Belita. El condado de Dreyfus tenía apartada una zona especial en un cementerio para los cuerpos que nadie había reclamado o que no se habían identificado.

—¿Por qué no tiene lápida? —pregunta Max, enjugándose el sudor del labio superior.

—Nadie sabía su nombre, solo yo… y no podía decírselo a ellos —responde Audie mientras se limpia las manos en los vaqueros.

—¿Vas a decir una oración?

—No sé ninguna, la verdad.

—Yo lo haré —responde Max, que se arrodilla a su lado y se persigna.

Le pide al Señor que bendiga a Belita y que proteja a aquellos que la querían. Audie dice «amén», con el corazón atrapado entre el diafragma y la garganta. Echa un vistazo al cuadrado de tierra baldía: sabe que nunca será lo bastante grande para abarcar la historia que guarda debajo.

Nuestros rostros nos vienen dados, piensa Audie, pero heredamos nuestras vidas, nuestra felicidad y nuestra infelicidad. Algunos obtienen mucha, otros obtienen poca. Algunos saborean cada bocado y sorben la médula de cada uno de los huesos. Obtenemos placer del sonido de la lluvia, del olor de la hierba recién cortada, de la sonrisa de los extraños, del amanecer en un día caluroso. Aprendemos y nos damos cuenta de que nunca podremos saber más de lo que nos queda por saber. Atrapamos el amor como quien atrapa un catarro. Y nos agarramos a él como a los restos de un naufragio durante una tormenta.

—Tendríamos que ponerle una lápida de verdad —dice Max mientras ayuda a Audie a ponerse de pie—. ¿Qué crees que debería decir?

Audie lo piensa unos momentos y se da cuenta de que siempre ha sabido cuál sería el epitafio: «La vida es breve. El amor es inmenso. Vive como si no hubiera un mañana».

Agradecimientos

Siempre hay personas a las que dar las gracias: editores, agentes... Algunas de ellas son reincidentes, como Mark Lucas, Ursula Mackenzie, Georg Reuchlein, David Shelley, Josh Kendall, Lucy Malagoni, Nicki Kennedy, Sam Edenborough y Richard Pine.

Otras son recién llegadas, en particular Mark Pryor, fiscal del distrito y escritor de novela negra, que nació en Liverpool, pero que trabaja en Texas, cuyo asesoramiento en cuestiones legales fue de un valor inestimable.

Cualquier persona que escribe sobre Texas es consciente de las figuras gigantescas que le han precedido, y yo quiero dar las gracias a William Faulkner, Cormac McCarthy, James Lee Burke, Ben Fountain y Phillip Meyer, además de a los actores que grabaron en audio su prosa. Sus obras me han ayudado a sumergirme en Texas... y espero que también a captar el ritmo del idioma.

Finalmente, querría dar las gracias a mis tres hijas, que están creciendo, aunque, por fortuna, cerca de mí. Este libro está dedicado a Bella, mi hija menor, que a menudo se siente dejada de lado; pero prometí que le reservaría lo mejor.

Su madre, mi mujer, insiste también en que le dé las gracias, a pesar de que me quedo sin palabras para describir a la mujer que ha compartido treinta años conmigo. Ella sabe que la quiero, pero se lo diré de todos modos: «Te quiero».